D0280690

Désaxé

Marcus Sakey

Désaxé

Traduit de l'anglais (États-Unis)
par Fabrice Pointeau

le
cherche
midi

Titre original : *The Blade Itself*

23, rue du Cherche-Midi 75006 Paris.
Vous pouvez consulter notre catalogue général et l'annonce
de nos prochaines parutions sur notre site Internet :
www.cherche-midi.com

L'épée incite à la violence.

Homère

1

Argent facile

L'allée n'était pas assez sombre au goût de Danny, et Evan le rendait dingue à faire tournoyer le revolver comme un cow-boy dans un spectacle du dimanche après-midi.

« Ça t'ennuierait de ranger ça ?

– Ça me calme. »

Evan esquissa son sourire de bastonneur de bar qui laissait paraître sa dent fêlée.

« Je m'en fous que tu te prennes pour Rick James. Tu n'aurais pas dû l'apporter. »

Danny regarda fixement son partenaire jusqu'à ce que celui-ci pousse un soupir et enfonce le revolver sous sa ceinture au creux de ses reins. Evan avait toujours vécu pour le grand frisson, déjà à l'époque où ils piquaient des bouteilles de Mickeys au supermarché 7-Eleven. Mais le flingue rendait Danny nerveux et il commençait à se demander si Karen n'avait pas raison quand elle disait qu'il ferait bien de penser à long terme. De revoir sa stratégie.

Il secoua la tête et regarda par la fenêtre. Plus tôt, tandis qu'ils mâchaient des chips grasses dans un bar à tacos de l'autre côté de la rue, ils avaient observé le propriétaire qui fermait boutique. L'horloge du tableau de bord indiquait désormais onze heures tout juste passées, et l'allée était complètement calme. La vie à Chicago était centrée sur les quartiers périphériques, la zone du centre-ville était morte. Ça faisait vingt minutes qu'ils avaient coupé les lignes téléphoniques, et pas un flic ne s'était montré, ce qui signifiait qu'il n'y avait pas d'alarme cellulaire. Tout s'annonçait bien.

Jusqu'à ce que quelque chose se mette à bouger.

À quinze mètres, dans une poche sombre. Un mouvement, puis plus rien. Comme quelqu'un qui avancerait prudemment. Quelqu'un qui se cacherait. Danny se pencha en avant, couvrant de la main le rougeoiement de la radio pour mieux y voir dans la nuit. Des ombres peignaient des traînées noires sur les murs de briques crasseux. Un coup de vent souleva un journal près de la vitre côté passager. Peut-être qu'il avait juste vu des détritus voler et qu'il s'était fait des idées. La tension pouvait vous jouer des tours.

Puis il perçut de nouveau un mouvement infime. Quelqu'un qui s'approchait du mur, s'enfonçait dans l'ombre. Son pouls se mit à cogner dans sa gorge.

Des flics en patrouille ne se planqueraient pas comme ça. Ils débouleraient tous gyrophares allumés. À moins qu'ils ne cherchent à les pincer en flagrant délit. Danny se représenta Terry, sa moustache de fouine, sa puanteur moite de péteur chronique. C'est lui qui leur avait parlé de ce casse. Est-ce qu'il les avait balancés ?

Un homme voûté aux cheveux gras sortit de l'obscurité en titubant. Il traînait prudemment les pieds tout en s'appuyant d'une main contre le mur. Une bouteille de cinquante centilitres dépassait de sa poche effilochée. Il s'approcha d'une poubelle, jeta un coup d'œil autour de lui et ouvrit sa braguette, puis il pissa, main dans la poche, comme s'il s'était trouvé dans les toilettes de son country club.

Danny respira de nouveau. Sa nervosité le fit rire. Lorsqu'il eut fini, le clodo traversa l'allée et s'adossa au mur de l'autre côté. Il se laissa glisser, s'assit sur ces talons et ferma les yeux.

« Il est parti pour camper là », dit Danny.

Evan acquiesça, se frotta le menton de la main, sa barbe de trois jours produisant un bruit râpeux.

« Et maintenant ?

– Je suppose qu'on peut lui laisser une minute.

– Il a l'air prêt à faire sa nuit. » Evan marqua une pause, puis regarda en direction de l'homme. « Tu veux que je le descende ?

– Te gêne pas », répondit Danny en haussant les épaules.

Evan tira le pistolet, visa à travers le pare-brise. Il ferma un œil. « Pan ! » Il fit tournoyer l'arme jusqu'à ses lèvres et souffla une fumée imaginaire.

Danny éclata de rire puis réfléchit de nouveau au problème qu'ils avaient sur les bras. L'ivrogne était assis juste en face de la porte de la boutique du prêteur sur gages. La tête posée sur les genoux, il avait l'air presque paisible.

« On le fait décamper ?

– Non. Il risquerait de se mettre à gueuler, répondit Danny. Il pourrait tomber sur un flic, va savoir.

– Alors je vais le cogner, proposa Evan en souriant. Tu sais que si je le cogne il se relèvera pas.

L'idée n'était pas totalement mauvaise, mais elle manquait d'élégance. Trop de bruit, et puis le clodo n'avait rien fait pour mériter de se faire tabasser. De plus, Evan était boxeur Golden Gloves. Il finirait sans doute par tuer ce pauvre mec. Danny plissa les yeux, cherchant un moyen de se débarrasser du type sans compliquer les choses. Puis il sourit.

« Je m'en charge, dit-il en s'apprêtant à ouvrir la portière.

– Il a l'air dangereux. Oublie pas le pétard. »

Evan le lui tendit, un sourire moqueur aux lèvres.

« Va te faire foutre. »

Danny descendit de voiture. Au bruit de la portière, le clochard se releva tant bien que mal, les mains tendues devant lui. Les manches de sa veste étaient huit centimètres trop courtes. Il portait plusieurs sweat-shirts en dessous.

« J'ai rien. » Ses mots étaient altérés par l'alcool et il puait l'urine et la panique. « Me faites pas de mal. »

Danny secoua la tête. Combien de virages mal négociés fallait-il pour atterrir ici ?

« Du calme, mon vieux. »

L'homme le scruta d'un œil soupçonneux, prêt à prendre ses jambes à son cou.

« Vous avez une cigarette ?

– Je ne fume pas. Mon ami, continua-t-il en désignant la voiture du pouce, il fume. Mais *lui*, il te fera du mal. »

L'homme se raidit, ses yeux jaunes jetant des regards furtifs autour de lui.

« Écoutez, monsieur...

– Boucle-la. » Danny porta la main à sa poche, en tira son portefeuille. « Tu vois ça ? Vingt dollars. »

Le clochard se figea, les yeux rivés sur le billet.

« Je... je fais pas ça, je suis pas pédé. »

Danny ne put se retenir de rire. Le type ne se rendait visiblement pas compte de son odeur.

« Prends cet argent et va au croisement de Grand Avenue et de LaSalle Street. Il y a une boutique d'alcool là-bas. Achète une bouteille, assieds-toi dans le parking. » Danny s'approcha, poursuivit sur un ton de conspirateur. « Dans environ une demi-heure, un de mes amis viendra. J'ai besoin de lui dire quelque chose, mais je ne peux pas le faire au téléphone, tu saisis ? Mon ami, il portera un imper brun clair. Tu lui dis – tu m'écoutes ? – tu lui dis que les oiseaux ont quitté leur cage. Si tu fais ça, il te donnera un autre billet de vingt.

– C'est tout ?

– Le fric le plus facile que tu aies jamais gagné. » Il lui offrit le billet, tentant de ne pas laisser paraître son amusement. Le clochard tendit la main, hésita, s'en empara. « C'est bien. Ne me fais pas faux bond. »

Le type se retourna, prit l'allée vers l'est, dans la mauvaise direction. Danny faillit le rappeler, puis laissa tomber et se tint dans l'ombre jusqu'à ce qu'il ait disparu. La portière de la voiture s'ouvrit.

« Combien tu lui as filé.

– Dix. »

Evan grogna, secoua la tête.

« Au boulot. »

Il ouvrit le coffre, la lumière de la veilleuse se répandit en travers de son t-shirt noir, il farfouilla dedans et en tira une chaîne épaisse. Danny en saisit une extrémité et alla jusqu'à la porte, la déroulant lentement, le cliquetis résonnant bruyamment dans l'espace confiné de l'allée. Le clochard lui avait foutu les jetons et il se laissa porter par la décharge d'adrénaline. Tout était clair, net, ses mouvements étaient précis. Une lourde grille d'acier décolorée par l'âge bloquait la porte arrière de la boutique. Danny accrocha la chaîne aux barreaux, pensant à ces films où les voleurs creusaient toujours des tunnels sous les rues à coup de pains de plastic ou forçaient des coffres avec des perceuses à pointe de diamant. Huit billets chez Home Depot leur avaient suffi pour se payer tout l'équipement dont ils avaient besoin.

Dévaliser une boutique de prêteur sur gages était généralement une entreprise risquée. Comme elles abritaient pas mal d'espèces, la sécurité pouvait être une galère. D'après Terry, ce type ne vendait pas que des vieilles télés et de la quincaillerie d'occasion. Il trempait aussi dans le trafic d'herbe. Ce qui signifiait encore plus d'espèces – plus qu'assez pour justifier qu'ils se donnent du mal.

C'est ça. De l'argent facile. Le même bobard que tu viens de raconter au clodo.

Pas le temps. Danny vérifia la chaîne puis se retourna et fit signe que c'était bon. Evan démarra la Mustang qui, tous phares éteints, ressemblait à un requin noir. Comme les maillons se tendaient, Danny alla s'abriter derrière une benne à ordures tachée de rouille. Il pencha la tête pour écouter, une main levée.

Une longue minute s'écoula avant qu'il ne l'entende. Faible au début, le cliquetis lointain devint rapidement un rugissement de ferraille. Des étincelles jaillirent dans la nuit depuis les voies du métro aérien, annonçant le passage d'une rame.

Danny baissa la main et Evan accéléra violemment. Dans un grincement douloureux mais à peine audible sous le vacarme du métro, le loquet métallique céda. La grille d'acier s'ouvrit d'un coup, toujours fixée à la chaîne, ses gonds prêts à lâcher sous la traction de la voiture. L'espace d'une seconde, Danny crut qu'Evan allait l'arracher du mur, mais il vit la lumière rouge des freins, puis la lumière blanche de la marche arrière. Le moteur redevint enfin silencieux.

La chaîne était chaude lorsque Danny la détacha et s'agenouilla pour examiner la porte qui se trouvait derrière la grille. Double verrou Schlage. Il tira la sacoche Crown Royal de sa poche intérieure. Certains se servaient de lames de scies à métaux coupées, d'autres préféraient les kits professionnels. Il avait personnellement toujours estimé que les soies des balais utilisés pour nettoyer les rues, à la fois résistantes et flexibles, étaient ce qu'il y avait de mieux pour crocheter une serrure. Evan n'avait pas eu le temps de ranger la chaîne qu'il avait déjà forcé les deux verrous.

Le vacarme du métro s'estompait tandis qu'ils pénétraient dans le bureau exigu de la boutique. D'ordinaire, Danny aimait bien prendre un moment pour écouter dans le noir, mais Evan avait déjà sorti sa lampe torche. Lorsqu'elle s'alluma, Danny aperçut l'éclat du pistolet dans l'autre main d'Evan. Il se la jouait, cherchait le frisson. Danny songea à dire quelque chose, puis se ravisa.

« Là. » Sous un calendrier exhibant un mannequin en maillot de bain qui se prélassait près d'un carburateur, un bureau en métal cabossé scintillait dans le faisceau de la lampe torche. Par terre, à proximité, il distingua un matelas avec des draps froissés. « Terry a dit que le sac serait dans le bureau.

– Pas dans un coffre ?

– Le propriétaire est un dingue d'armes, apparemment. Il croit que personne n'osera jouer au con avec lui. »

Evan acquiesça, s'approcha du bureau et essaya d'ouvrir les tiroirs.

« Fermé à clef. »

Danny sourit, sortit une nouvelle fois la sacoche Crown Royal.

« Je vais faire le tour du propriétaire, dit Evan qui avait déjà entrouvert la porte menant à la boutique.

– Quoi ?

– Ça va te prendre une minute. Je vais jeter un coup d'œil dans la pièce de devant. Histoire de voir s'il y a quelque chose dans la caisse.

– La lampe torche...

– Relax, Danny-boy. Je reviens tout de suite. »

Sans même attendre de réponse, il se glissa dans la boutique. Tout en secouant la tête, Danny chercha à tâtons sa propre lampe torche dans l'obscurité et se mit au boulot. Il inséra un crochet dans le verrou, compta les déclics. Quatre. Modèle d'usine. Il introduisit doucement l'entraîneur et commença avec la goupille la plus éloignée.

Vingt secondes plus tard, le verrou cédait. Il ouvrit le tiroir supérieur, farfouilla à l'intérieur. Ses gants étaient d'un noir d'encre à la lueur chaude de la lampe torche. Bouts de papier, punaises, tout un bric-à-brac de fournitures de bureau. Le deuxième était rempli de magazines *Hustler* des années 70. Dans le troisième tiroir se trouvait un pistolet automatique noir et brillant, énorme, avec un chargeur extra-long qui dépassait à l'arrière. Il semblait suffisamment puissant pour perforer un bloc-moteur et avait quelque chose de froid et mécanique qui fit frissonner Danny. Près du pistolet était posé un sac de banque en nylon muni d'un cadenas en cuivre. Le sac faisait six ou sept centimètres d'épaisseur.

Jackpot. Il se leva et franchit la porte, ses baskets à semelles souples silencieuses sur le béton. La boutique était une forêt d'ombres vagues, de guitares électriques suspendues au-dessus de ce qui ressemblait à des outils électriques ; deux étagères étaient couvertes de télés indistinctes. Danny ne voyait pas Evan, mais un rougeoiement derrière le comptoir lui indiqua l'endroit où il se trouvait. La vitrine contre l'un des murs était ouverte et il entendait un cognement sourd.

« Amène-toi, vieux ! lança Danny à voix basse mais d'un ton impérieux. J'ai trouvé le fric.

– Donne-moi un coup de main, répondit Evan d'une voix étouffée.

– Pour quoi faire ? Allons-y.

– Je me disais... » Evan se leva derrière le comptoir, s'étira, banda les muscles de ses larges épaules en faisant craquer ses vertèbres. « Le type vend de l'herbe, pas vrai ? Alors il doit bien y avoir une livre de dope ici, voire deux. Ça ferait au bas mot deux mille dollars de plus.

– Ça ne faisait pas partie du plan.

– Ah, oublie ce putain de plan. Ça prendra deux minutes. Aide-moi, vérifie ces vitrines là-bas. »

Evan s'accroupit face au comptoir et se mit à farfouiller dessous. À sa ceinture, la crosse du pistolet étincelait comme une virgule mortelle.

Danny sentit une sueur froide couler contre les muscles de ses flancs. La moitié des taulards qu'il connaissait – même les plus malins – s'étaient fait pincer par manque de prudence, parce qu'ils avaient voulu pousser les choses trop loin. Un rien pouvait vous trahir. Un faisceau de lampe torche mal orienté. Un piéton qui entendait des voix. Un flic qui passait par hasard.

Pourtant, il connaissait suffisamment bien Evan pour savoir qu'il allait être obligé de le faire sortir de force. Ça irait plus vite d'essayer de trouver la dope.

« D'accord, tu fais chier. Deux minutes. »

Il se rendit à l'autre extrémité de la boutique et ouvrit la première vitrine, sa lampe torche balayant des piles de câbles bien enroulés, une boîte de papier informatique. Il cogna du doigt à l'intérieur en se demandant s'il serait capable de reconnaître un double-fond. En se demandant en quoi un double-fond sonnait différemment d'un fond normal.

Comme Danny se dirigeait vers la deuxième vitrine, il entendit Evan se lever.

« Rien de ce côté. Je vais vérifier dans le bureau. »

Danny acquiesça tout en furetant parmi une sélection de figurines en porcelaine bon marché. Une licorne de cristal sembla cligner de l'œil à la lueur de la lampe torche. Tout en cherchant il se mit à penser à l'appartement de Karen. Des bougies sur la table de nuit, le bruit de la circulation qui pénétrait par la fenêtre ouverte. Lui qui attendait dans le lit bateau qu'elle rentre de son service. Son sourire doux lorsqu'elle le trouvait éveillé. Il revit tout et se demanda ce qu'il foutait ici au lieu d'être là-bas.

Et c'est alors qu'il entendit un bruit.

Un bruit métallique, comme...

« Evan ! »

... une grille de sécurité. La porte avant s'ouvrit d'un coup, laissant paraître l'éclat de la rue. Une silhouette, imposante, pénétra et lança :

« Viens, ma petite chérie, deux ou trois taffes avant d'aller au lit te feront pas de mal. Je te toucherai pas si tu veux pas. »

Les lumières s'allumèrent tandis que Danny se relevait tant bien que mal, et il reconnut le propriétaire qu'ils avaient observé plus tôt. Un barbu portant une veste de chasse orange accompagné d'une fille maigrichonne à la peau grêlée. L'homme le repéra et tout sembla s'enchaîner au ralenti. La main qui se glisse déjà sous la veste, produisant d'un geste souple un automatique brillant. L'homme armant le pistolet en le levant, le déclic résonnant dans la pièce. Jambes écartées pour mieux tirer. Danny se disant que c'était fini, qu'il allait se faire buter. Son esprit commandant à son corps de bondir sur le côté, ses muscles incapables du moindre mouvement. L'homme aux yeux grands ouverts tenant l'arme à deux mains tel un tireur sur cible, le canon braqué droit sur le torse de Danny.

Une explosion. Bizarrement, une tache rouge se répandit sur le ventre du propriétaire. Il s'écroula comme s'il venait de chuter d'une grande hauteur. Son pistolet tomba bruyamment par terre près de lui. Evan se tenait dans l'entrebâillement de la porte du bureau, bras tendu, son arme à la main.

Tout s'arrêta.

Le bourdonnement des néons et le sifflement humide des respirations. Danny avait les tempes qui lui battaient, mais il éprouvait une sensation de froid, comme un nœud glacial, au plus profond de sa poitrine. Il essaya de repenser à la chambre de Karen, mais elle avait disparu.

Puis sous l'effet de l'adrénaline il s'élança en avant. La fille était figée, yeux et bouche grands ouverts, et il la poussa sur le côté pour refermer la porte. Il bondit en arrière pour éviter la tache rouge qui se répandait lentement. Bon Dieu ! Une mare cramoisie qui se répandait depuis l'endroit où le propriétaire se tordait comme un crabe en agrippant son ventre.

« Non. »

Le mot s'échappa de sa bouche, doux comme une plume.

« Il est vivant ? » demanda Evan d'une voix qui semblait lointaine après la déflagration.

L'homme se balançait d'avant en arrière. Ses mains étaient écarlates. La tache remontait jusqu'à son torse. Il perdait beaucoup de sang. Quand on grandissait dans South Side, on savait à quoi ressemblaient le sang, les nez cassés, les dents qui volaient, mais le voir couler du ventre de quelqu'un...

« Danny. » En entendant la voix d'Evan, il releva brusquement la tête. « Il est vivant ?

– Oui.

– Demande-lui où il planque son herbe. Toi, dit-il en agitant son arme, la Petite Chérie. Viens ici. »

La jeune femme, blême et tremblante, s'approcha d'une étagère couverte de magnétoscopes déglingués. Danny regarda fixement Evan qui tenait toujours son arme, ses doigts serrant à peine la crosse. Il ne parvenait pas à déchiffrer l'expression sur le visage de son vieil ami. Nervosité ? Excitation ? Il semblait calme. Puissant. Comme si le fait d'appuyer sur la détente avait libéré quelque chose en lui. Sa démarche assurée lorsqu'il approcha flanqua la trouille à Danny.

« Tirons-nous. »

D'un coup de pied, Evan envoya promener l'arme du propriétaire, puis il baissa les yeux vers la silhouette étendue face contre terre.

« Regarde-moi cette merde. » Il secoua la tête. « Tu as déjà vu quelque chose de pareil ?

– Il faut qu'on y aille.

– Dans une minute. » Evan poussa l'homme du bout du pied. « Où est ta réserve, mon vieux ? »

Le propriétaire émit un étrange gémissement râpeux. Le cœur de Danny battait si fort qu'il semblait recouvrir tous les autres sons ; il avait l'estomac noué. Ils avaient descendu quelqu'un. Bon sang. Ils avaient descendu quelqu'un et ils devaient décamper.

« Où elle est ? »

Cette fois, Evan donna un coup de pied au propriétaire, sa botte à bout métallique s'enfonçant dans son ventre près des mains crispées sur la blessure. Le type suffoqua, hurla de douleur.

« Evan !

– Quoi ? »

Il se retourna, les yeux plissés, le bras à demi levé. L'air pulsé par le climatiseur était si froid qu'on se serait cru au mois de janvier. L'espace d'un long moment, ils se regardèrent fixement, Danny se demandant comment il en était arrivé là, cherchant un moyen de s'en sortir. Puis il perçut un mouvement, se retourna.

« Merde ! hurla Evan tandis que la fille piquait un sprint en direction de la pièce de derrière. Arrête ! »

Elle sembla hésiter un moment, puis sauta par-dessus une pile de bric-à-brac et s'enfuit dans le bureau obscur, claquant la lourde porte derrière elle. Danny entendit le cliquetis d'un verrou.

Evan rugit de colère, son visage était rouge vif, de cette couleur rageuse qu'il avait durant les combats. Il se retourna, donna un nouveau coup de pied au propriétaire qui chercha à se protéger la tête d'une main tout en tenant son ventre sanguinolent de l'autre et en produisant des gémissements sonores et saccadés. Danny n'avait jamais entendu un humain produire un tel son, et il ne voulait plus jamais l'entendre.

Il se plaça devant Evan, lui posa les mains sur les épaules et le poussa en arrière. Son partenaire trébucha, faillit tomber, se redressa fou de rage. Il plissa les yeux, sembla sur le point de charger Danny comme un taureau. Le pistolet dans sa main tremblait.

« Arrête, dit Danny d'un ton calme en levant les mains pour indiquer qu'il ne le menaçait pas. Reste calme. On est frères. »

Il crut un instant que ça ne prendrait pas. Mais Evan se redressa, lentement. Il expira bruyamment, puis acquiesça. « D'accord, on oublie l'herbe. On a le fric. »

Danny sentit ses tripes se retourner. Il ouvrit la bouche, mais rien ne sortit. Evan le regarda, puis se tourna vers la porte du bureau fermée à clef.

« Où il est ?

– Dans le tiroir, répondit doucement Danny.

– Bon Dieu !

– Eh bien, je n'avais pas prévu qu'on descendrait quelqu'un. Si on était parti plus tôt, on serait presque chez nous.

– Commence pas. » Les yeux d'Evan lançaient des éclairs. « Je veux pas entendre ces conneries.

– Soit. » Danny avait toujours les mains levées. « Mais regarde, maintenant on n'a plus le choix. Allons-y. »

Evan le regarda fixement, secoua la tête.

« Non.

– Les flics vont arriver d'une minute à l'autre, dit Danny.

– Je pars pas les mains vides. »

Il se dirigea vers la porte du bureau. Danny avait déjà vu Evan dans cet état. C'était là qu'il était le plus imprévisible, dix verres dans le ventre et plus que décidé à se faire trois rounds avec le premier venu.

Debout devant la porte, Evan lança d'une voix sonore et précise :

« Mademoiselle, ouvrez ou je défonce cette putain de porte. » Silence. Peut-être qu'elle avait repéré la sortie à l'arrière et avait eu l'intelligence de partir. « Comme vous voudrez. »

Evan donna un coup de pied. La porte trembla dans son chambranle mais tint bon. Comme il reculait pour prendre son élan, une détonation sèche retentit, arrachant un bout de la porte et projetant des échardes dans tous les sens. À l'instant où une deuxième balle traversait la porte, Danny se rappela le pistolet dans le tiroir ouvert.

L'espace d'une seconde incertaine, rien ne se produisit.

Puis Evan explosa. Les démons qui s'étaient libérés lorsqu'il avait abattu le propriétaire s'emparaient à nouveau de lui. Il leva son pistolet et appuya sur la détente, trois rapides coups de feu qui dessinèrent un triangle sur la porte. Il ne visait pas le verrou mais cherchait à atteindre la fille, à la tuer. Aux pieds de Danny, l'homme gémit. Écumant de rage, Evan donna un nouveau coup de pied dans la porte. Le chambranle était sur le point de céder et Danny crut entendre un geignement de l'autre côté. Tout était allé de travers. Il se tenait près d'une flaque de sang, Evan faisait suffisamment de raffut pour ameuter tout le voisinage, les lumières étaient allumées. Bordel de merde, ces putains de lumières étaient allumées !

Danny avait été condamné deux fois, par le comté et par l'État, et il avait purgé sa peine comme un homme. Mais pour ce qui venait de se passer, ils prendraient des années.

Non. Terminé.

Il ouvrit la porte de devant et s'enfonça dans la nuit. Son corps aurait voulu courir, détaler, mais il se força à marcher. Ne pas attirer l'attention. Juste un type qui va prendre le métro, rien d'extraordinaire.

Deux rues plus loin, il entendit les sirènes.

2

Jeunes lions

Ça commençait de différentes manières, mais finissait toujours de la même.

Cette fois-ci, il était dans une église. Ce n'était pas celle de la Nativité, mais il savait qu'il était dans son ancien quartier. Une voix profonde psalmodiait des mots étranges. Les vitraux répandaient une lumière sanglante sur les bancs lustrés. Il avait essayé de lire le livre de cantiques, conscient que la clef de la peur de Karen se trouvait sur la page, mais les mots étaient déformés et flous. Un bruit de métal retentit derrière lui. Dans la semi-conscience d'une fin de rêve, il sut qu'il ne s'en tirerait pas, qu'il n'aurait pas le temps de redonner du sens à ce monde. Il leva les yeux et découvrit que Karen s'était transformée en Evan et que le livre de cantiques était devenu un pistolet braqué sur sa poitrine.

L'orange furieux de la déflagration du pistolet silencieux l'arracha du sommeil, comme à chaque fois.

Près de lui, Karen murmura un mot tendre puis roula sur le côté, tirant les couvertures avec elle. Un courant d'air vint rafraîchir son corps trempé de sueur. Danny soupira, se frotta les yeux, jeta un coup d'œil au réveil. Encore dix minutes. Il ferait sans doute aussi bien de se lever. À la place, il se blottit contre Karen, se laissa imprégner de sa peau douce et de son odeur de sucre brun. Pourquoi était-ce toujours meilleur quand le moment était presque venu de la quitter ?

Il somnola jusqu'à ce que le réveil sonne. Karen chercha à tâtons le bouton de répétition de l'alarme ; elle l'enfoncerait deux ou trois fois avant de se lever. Il se laissa doucement rouler hors du lit pour ne pas la réveiller, inclina la tête de chaque côté et s'étira. Trente-deux ans, et il commençait déjà à avoir du mal à se lever.

Sous la douche dont l'eau semblait aussi aiguisée qu'un diamant sur son dos, il se repassa le rêve. Probablement deux mois depuis le dernier. À une époque, ils se produisaient toutes les semaines. Il l'avait vraiment échappé belle sept ans plus tôt.

Les dix minutes durant lesquelles il avait attendu le métro avaient sans doute été les plus pénibles de sa vie. Il aurait voulu prendre un taxi, ou tout simplement courir, mais il lui fallait l'anonymat du métro. La bouche sèche, les sirènes lui résonnant dans les oreilles, il avait attendu le métro à quatre cents mètres de la boutique du prêteur sur gages, certain qu'on viendrait l'arrêter d'un instant à l'autre.

Mais quand le train était finalement arrivé dans un bruit de ferraille, soufflant un vent rance sur son visage, il était monté à bord comme n'importe quel citoyen ordinaire. Il y avait un gamin dont le pantalon extra-large pendouillait au niveau du derrière, une grosse femme avec un sac Marshall Field, et il s'était intercalé entre les deux comme s'il n'avait rien à craindre. Le train allait vers le nord, vers le quartier des yuppies, des immeubles en copropriété et des cafés, et à chaque station il passait un nouveau contrat avec Dieu. Chacun d'entre eux était un pas qui l'éloignait de l'endroit d'où il venait. Une succession de petits bonds qui l'écartaient de son ancien monde et le menaient à ce qui serait sa nouvelle vie.

Bon débarras.

Karen ouvrit la porte de la salle de bains en se frottant les yeux. Elle s'assit sur les toilettes, bâilla.

« Tu as fait un cauchemar, chéri ?

– Oui.

– Pénible ?

– Le même. »

Elle tira la chasse d'eau et il faillit bondir hors de la douche avant de se rappeler qu'il habitait désormais les beaux quartiers et qu'ici l'eau de la douche ne risquait pas de devenir soudain glaciale. C'était ces petites choses qui lui faisaient percevoir la différence entre son ancien monde et le nouveau. Karen écarta le rideau et pénétra dans la douche, les yeux mi-clos. Il lui céda sa place, la regarda incliner la tête en arrière, l'eau ruisselant sur son corps, plaquant ses cheveux bruns contre ses épaules.

Tout compte fait, trente-deux ans, ce n'était pas si mal. Pas si mal du tout.

« Bon sang, je déteste le matin. » Elle chercha le shampooing à l'aveuglette. « Tu n'es pas en retard ?

– On est mercredi. »

En général, il passait l'essentiel de ses journées sur des chantiers. Le mercredi, il restait au bureau à passer de la paperasse en revue, à classer des permis, tentant de jongler avec les budgets d'une demi-douzaine de projets de sorte que chacun, bien qu'à peine rentable, puisse financer le prochain. Quand il avait obtenu un poste de direction, il avait été amusé de constater que la vie d'entrepreneur n'était guère plus stable que celle de voleur.

« Je suis de repos ce soir, dit-elle, les yeux toujours fermés. Si on sortait ?

– Je vois Patrick.

– Encore ?

– Il est comme mon frère, Kar », répondit-il sans parvenir à dissimuler un ton de reproche.

Elle ouvrit les yeux, les mains dans les cheveux.

« Désolée. C'est juste que...

– Je comprends, chérie. » Il plaça les mains sur ses hanches, sur la fine arête de sa ceinture pelvienne. « Ne t'en fais pas. »

Il l'embrassa, sentit ses petits seins fermes contre sa poitrine. Le bout des doigts de Karen provoqua des frissons électriques dans son bas-ventre. À contrecœur, il s'écarta, interrompant le baiser.

« Faut quand même que j'aille au bureau. On remet ça à plus tard ? »

Elle sourit.

« Quand tu veux. »

Bien qu'il fût une vague réplique de pub, l'Iron Crown était malgré tout un bar pas mal. Danny commanda un verre de whisky et une bière et s'installa au bar. Patrick serait en retard. Depuis vingt ans, il n'arrivait jamais à l'heure. À moins qu'il se fût agi d'une affaire illégale.

Danny comprenait la relation d'amour-haine que Karen entretenait avec Patrick. Il était le dernier lien qui rattachait Danny à son ancien quartier, à son ancienne vie. Depuis qu'il était sorti de la boutique du prêteur sur gages, il n'avait même pas osé cracher par terre. Mais aux grandes heures fougueuses de sa jeunesse, ç'avait été différent. Tous les membres de sa bande erraient dans la ville tels de jeunes lions, excités et quelque peu surpris de s'entendre rugir avec tant de férocité.

Ils n'avaient tout simplement pas compris que le monde rugirait en retour.

Evan avait atterri à la prison haute sécurité de Stateville. Les frères Jimmy purgeaient vingt ans dans les Everglades suite à un hold-up en Floride qui avait mal tourné. Marty Frisk était entré dans un magasin d'alcool avec un flingue vide ; le fusil à canon scié du propriétaire, lui, était chargé. Ceux qui ne s'étaient pas fait pincer ou n'avaient pas été tués continuaient de vivre d'escroqueries, et Danny n'avait plus rien à voir avec eux.

Mais avec Patrick, c'était une autre histoire. Après le décès de sa mère – cancer – son père s'était appliqué à picoler jusqu'à en mourir. Il avait à peu près tout raté dans sa vie, mais s'était révélé taillé pour ce dernier rôle. Craignant de voir un nouveau gamin irlandais du quartier errer de foyer en foyer à seize ans, le père de Danny avait recueilli Patrick. C'était le genre de choses qui se faisait à Bridgeport à l'époque, même si on ne roulait pas sur l'or.

Et pour remercier le paternel, ils s'étaient fait pincer dans une voiture volée deux ans plus tard.

Danny secoua la tête, but une gorgée de bière et saisit le journal. Il avait fini la section locale quand il sentit quelque chose de dur au creux de ses reins, une haleine chargée de café par-dessus son épaule.

« Les mains sur le bar, fiston.

– Patrick. Tu ne t'en lasseras jamais de celle-là.

– Tu t'encroûtes. Et tu as perdu ton sens de l'humour. Tu ferais aussi bien de jouer au golf avec toutes ces tapettes de North Side. »

Danny souleva son verre de whisky et le but lentement, savourant le feu du liquide ambré. Dans le miroir fumé au-dessus du bar, il voyait Patrick qui se tenait derrière lui, grand et efflanqué, son sourire effronté.

« Tu es passé deux fois en moto avant de te garer. Tu es entré par la porte sur le côté, tu t'es arrêté pour baratiner les filles à la table du coin. Ton portefeuille est dans ta poche revolver. Et malgré tout ce que je t'ai dit, tu continues de trimballer un couteau dans ta chaussure. »

Le sourire de Patrick s'évanouit.

« Comment... »

Danny leva la main droite, mima un pistolet et fit mine de tirer sur Patrick dans le miroir.

« Mon cul que je m'encroûte. »

Patrick rejeta la tête en arrière et lâcha un rugissement, puis il s'assit sur un tabouret et passa les doigts dans ses cheveux bruns. Par-dessus un maillot de corps en Thermolactyl à manches longues, il portait un t-shirt aux couleurs d'une salle de bowling défunte. Le serveur remplit leurs verres de

Jameson sans quitter les petites annonces des yeux, puis alla se poster à l'autre bout du bar.

« J'en ai une bonne ce soir. »

Patrick avait toujours une histoire à raconter.

Il avait arpenté les rues dans sa dépanneuse à la recherche de la bonne voiture. Les BMW et les Mercedes risquaient d'être équipées d'émetteurs antivol. Les Honda étaient bien, de même que les Explorer et les Ford de milieu de gamme. Et si vous étiez un malin, vous vous arrangiez pour en piquer une qui était mal garée. Cinq centimètres sur une voie d'urgence. Parcmètre expiré. Juste une petite couverture.

« Donc, je suis dans le quartier de West Loop, là où ils construisent tous ces faux entrepôts pour les yuppies.

– Des *lofts*, Patrick. On appelle ça des *lofts*.

– Je parie que tu adores ça, ces mecs qui paient quatre cent mille dollars pour un appartement sans murs. Enfin bref, c'est un endroit idéal, des voitures correctes, pas trop de monde. Et je repère une GTO, tu sais, celle avec le V8. »

Il avait beau être désormais réglo, Danny ne put s'empêcher de sourire en s'imaginant Patrick qui reculait sa dépanneuse, allumait une cigarette tout en actionnant le treuil hydraulique. Enfilez une salopette, et vous pouvez piquer une voiture en plein jour sans que personne ne bronche.

« La bagnole est donc à moitié chargée, l'alarme s'est éteinte, et tout d'un coup, un type qui semble tout droit sorti d'une pub pour Banana Republic déboule en courant dans la rue. D'ailleurs, ajouta-t-il en reluquant le pantalon de toile et la chemise repassée de Danny, tu le connais probablement.

– Va te faire foutre.

– Je n'ai pas encore arrimé la voiture et je n'ai aucune envie d'abandonner ma dépanneuse. Pire, je m'aperçois que le type tient un téléphone portable et qu'il parle dedans tout en courant.

– Aïe ! lâcha Danny en faisant la grimace.

– Je te le fais pas dire. Il est peut-être en train d'appeler les flics, tu vois ? Mais je me dis O.K., reste calme. Mets le type K.-O., accroche la bagnole et décampe. »

Patrick marqua une pause, saisit son verre de whiskey.

« Et ?

– Juste au moment où j'allais le cogner, reprit-il en riant, il hurle qu'on est en train d'embarquer sa bagnole et il raccroche. Alors je me retiens et je reste là à le regarder fixement. Le type pose à peine les yeux sur moi, il demande juste quel est le problème. Je lui explique qu'il empiétait sur l'allée. » Il partit d'un nouvel éclat de rire, porta le verre à son nez pour sentir le whiskey. « Et alors ce mec, le genre de trouduc qui pense tout savoir sur tout, tu sais ce qu'il fait ? »

Danny sourit, fit signe que non même s'il se doutait de la suite.

« Il sort son portefeuille, me demande si on peut régler ça à l'amiable.

– Sans déconner, dit Danny en riant.

– Le type me propose cinquante billets pour rendre la bagnole que je suis en train de lui piquer.

– Qu'est-ce que tu as dit ?

– J'ai dit cent. »

Patrick fit un grand sourire et siffla son verre de whiskey. Ils burent deux autres tournées puis quittèrent le bar pour aller manger un steak. Ç'aurait dû être une bonne soirée, mais quelque chose souciait Danny, le turlupinait. Ç'avait été comme ça toute la journée. Peut-être le cauchemar du matin. En revanche, Patrick était de bonne humeur et enchaînait blagues et histoires sans paraître rien remarquer.

Après le dîner, Danny régla la note et ils sortirent dans Halsted Street. On était seulement au mois d'octobre, mais l'air était déjà vif, ça sentait l'hiver.

« Si on allait boire un autre verre ? demanda Patrick en souriant. Faut que je te parle de cette fille que je me suis branchée la semaine dernière.

– La prochaine fois, Roméo. Ce qui me rappelle que Karen veut que tu viennes dîner à la maison. »

Patrick poussa un grognement.

« Et qu'est-ce qu'elle invite comme amie, une assistante sociale ou une bibliothécaire ?

– Les deux, probablement.

– Avec la tronche de traviole mais la libido d'une gerbille survoltée. La dernière m'a pourchassé jusqu'à Lakeshore Drive en agitant sa culotte au-dessus de sa tête et en hennissant.

– D'accord, d'accord, dit Danny en riant. Pas de rendez-vous arrangé cette fois, je te le promets.

– Je te prends au mot. » Ils atteignirent la moto de Patrick, une vieille Triumph qui avait été mise en pièces puis remontée suffisamment de fois pour être méconnaissable. Il essuya une saleté sur la selle en cuir, puis passa une jambe par-dessus pour l'enfourcher. « Oh, j'ai failli oublier. J'ai entendu dire que quelqu'un te cherchait. »

Danny se crispa instinctivement.

« Qui ça ? »

Patrick le regarda, l'expression rieuse de ses yeux remplacée par quelque chose de plus sérieux, comme s'il attendait une réaction.

« Evan McGann. »

La bouche de Danny s'assécha. Il ressentit un fourmillement dans la poitrine. Son cœur se mit à battre si fort qu'il semblait cogner contre ses côtes. Il s'efforça de garder un visage de marbre, y parvint presque.

« Chef ? dit Patrick en le regardant d'un air interrogateur.

– Oui, répondit Danny en se forçant à sourire. Comment va-t-il ? »

Patrick haussa les épaules.

« Je ne l'ai pas vu en personne. J'ai juste entendu dire qu'il était dans les parages, qu'il posait des questions.

– Je croyais qu'il avait pris douze ans.

– Bonne conduite, je suppose.

– Bien sûr. »

Le rêve lui revint à l'esprit, la sensation d'un danger pressant, Evan lui pointant un pistolet sur la poitrine.

« Ça va ?

– Oui, répondit Danny en hochant la tête. Ça va. J'ai juste été surpris. »

Son ami éclata de rire, alluma le contact. La moto démarra dans un grondement rauque.

« C'est bien ce que je disais.

– Quoi ? cria Danny par-dessus le bruit du moteur.

– Tu t'encroûtes, frangin. »

Patrick lui fit un sourire, accéléra et disparut dans Halsted Street.

3

Pas de bagages

Le dernier jour, ils lui rendirent ses vêtements, échangèrent ses espadrilles Bob Barker réglementaires contre des chaussures à bout métallique pointure quarante-quatre, lui passèrent un coupon de bus à travers le comptoir sillonné d'éraflures. Ils lui tendirent sa pince à billets en or et cinquante dollars à coincer dedans, cadeau de l'État d'Illinois. De quoi le remettre dans le droit chemin et faire de lui un citoyen modèle.

Il s'était tenu devant la prison entre deux femmes noires à l'œil mauvais qui se plaignaient de leurs factures et un autre prisonnier tout juste relâché qu'il ne connaissait pas et n'avait aucune envie de rencontrer. Des arbres maigrichons flanquaient l'allée recouverte d'asphalte. Le château d'eau rouillé sur lequel des lettres nettes épelaient le mot STATEVILLE ne paraissait plus incliné au même angle qu'auparavant. Au-dessus, le ciel était bleu et vaste, et l'air semblait chargé de possibilités. Il avait fermé les yeux pour le sentir, juste le sentir, l'inspirer profondément.

Sa montre s'était arrêtée et il s'amusait de cette ironie avec un brin d'amertume. Après tout, il venait de vivre exactement la même journée, encore et encore, durant sept ans, deux mois et onze jours. Debout à cinq heures et demie, comptage des prisonniers, douche, déjeuner, détente dans la cour, salle commune, dîner, comptage des prisonniers, extinction des feux. Multiplié par deux mille.

Mais quand le bus barré d'une bande jaune s'arrêta, personne n'eut besoin de déverrouiller la portière pour le laisser monter. Aucune chaîne ne cliqueta entre ses poignets. Il s'assit vers l'avant et regarda à travers le pare-brise, laissant Stateville disparaître derrière lui. Chaque panneau, chaque arbre mourant semblait frais et propre.

Il descendit à Joliet et marcha huit cents mètres jusqu'à un restaurant-grill. L'hôtesse souriante le mena à un box à l'arrière de la salle et il passa devant des sièges bien rembourrés, sentit l'odeur de la viande qui cuisait. Les clients conversaient à voix basse et d'un ton poli. La musique aigrelette en fond sonore semblait être l'œuvre d'un pianiste qui aurait gobé une poignée de Quaalude avant de s'attaquer au répertoire des Eagles. Il commanda des côtes premières à vingt dollars et trois bières fraîches.

Chaque bouchée fut un pur bonheur.

Après avoir saucé la dernière goutte de jus avec le dernier morceau de pain au levain, il se rendit aux toilettes. La lumière des néons miroitait sur les murs carrelés et l'ambiance stérile et lumineuse de l'endroit l'agressa. Il ouvrit le robinet et commença à se peigner avec les doigts. Il n'avait aucune raison de se presser, et il prenait son temps, aplatissant les boucles et sculptant la nuque. Deux étudiants en t-shirts entrèrent puis ressortirent. Un homme plus âgé portant un costume sombre arriva d'un pas tranquille tout en sifflotant, et ils échangèrent un petit hochement de tête dans le miroir tandis que le type se dirigeait vers l'urinoir. Il laissa au vieux le temps de baisser sa braguette, attendit jusqu'à ce qu'il ait les mains occupées avec sa queue, puis approcha par-derrière et lui cogna la tête contre le mur.

Un coup fit l'affaire.

Le type inconscient s'avéra difficile à manœuvrer, mais il traîna le corps inerte jusqu'à la cabine la plus éloignée et le hissa sur les toilettes. Il lui prit son épais portefeuille et cala l'homme contre une paroi, pantalon aux chevilles, du sang perlant sur sa tempe. Il verrouilla la porte, puis se glissa dans la cabine voisine en rampant sous la cloison. Il sortit, se lava les mains et s'en alla.

Une fois l'addition et le pourboire payés, il ne lui resta plus que neuf dollars sur les cinquante donnés par l'État.

Dans un petit centre commercial de l'autre côté de la rue, il s'offrit un jean, un pull à mailles torsadées, une veste en daim et une nouvelle montre grâce à la carte Gold MasterCard du type. Les prix semblaient avoir augmenté. Deux portes plus loin, il choisit des diamants d'oreille d'un demi-carat et un collier de perles de culture. La vendeuse était une jolie blonde, peut-être un peu empâtée.

« Votre petite amie va les adorer, dit-elle en les emballant.

– J'espère bien. Je suis pas trop en odeur de sainteté, répondit-il en lui tendant l'American Express.

– Pourquoi ça ?

– J'arrête pas de faire de l'œil aux blondes. » Il lui fit un clin d'œil pour lui indiquer qu'il plaisantait, qu'elle n'avait pas à s'en faire. « On vous a déjà dit que vous aviez un superbe sourire ? »

Elle rougit, gloussa, et oublia de lui demander sa pièce d'identité.

À la station-service Mobil de l'autre côté du parking, un adolescent mort d'ennui vautré derrière le comptoir lui vendit des cigarettes et lui indiqua du doigt la gare Metra. C'était une journée magnifique, et il prit son temps pour s'y rendre, fumant et observant les nouveaux modèles de voitures qui passaient en trombe. Ils n'avaient pas changé autant qu'il l'aurait cru. C'était marrant, seulement sept ans, mais il s'était presque attendu à trouver des voitures sur coussin d'air.

Le réseau Metra était exactement comme avant, des rails crasseux et des trains propres, des sièges sur deux niveaux pour pouvoir entasser les voyageurs comme des sardines aux heures de pointe. Il était seulement environ trois heures, le train n'était donc même pas à moitié plein. Un ticket pour Union Station lui coûta quatre dollars et quatre-vingt-dix cents. Il choisit un siège près d'une vitre et posa ses bottes sur la banquette d'en face. La vitesse rendait le paysage flou, les rouges, les jaunes, les oranges fondaient comme de la cire.

Une heure plus tard, il pénétrait dans les halls gracieux de Union Station. C'était le début de l'heure de pointe et une foule de voyageurs se bousculait déjà dans les couloirs de marbre. Les vêtements étaient différents, les coiffures aussi. Assis sur un banc, il observa la foule des gens ordinaires. Ils avaient tous un téléphone portable collé à l'oreille, des trucs minuscules tout droit sortis de *Star Trek*. Tout en avançant avec suffisance, ils se lamentaient dans leur téléphone sur leurs petits problèmes. Ils appelaient chez eux pour dire qu'ils seraient en retard, pas la peine de les attendre. Ils lançaient des regards furieux à leur montre et soupiraient d'avoir perdu tant de temps.

Connards.

Au comptoir Amtrack, il utilisa la Visa du vieux pour acheter un billet pour St. Pete, en Floride. Pas de bagages. Il sourit, tourna à l'angle et jeta le billet et les trois cartes de crédit dans une poubelle.

Avec deux mille dollars de bijoux en poche et une pince à billet remplie de deux cent douze honnêtes dollars – incluant les quatre derniers sur les cinquante fournis par l'État pour qu'il rentre chez lui – Evan McGann quitta la gare et fut accueilli par un de ces spectaculaires après-midi de Chicago.

4

Un homme

Tout allait de travers aujourd'hui, et le fait qu'il ne parvenait pas à se concentrer n'aidait pas.

Devant lui, cinq étages squelettiques d'acier s'élevaient et découpaient le ciel en rectangles nets. Un ouvrier du chantier marchait sur une poutre à douze mètres du sol, sa veste orange se détachant sur les volutes de nuages gris. Dans un coin, un soudeur était agenouillé au-dessus d'un chalumeau et des étincelles crépitaient tandis que la flamme embrassait le métal. Le vent faisait claquer la bâche en plastique.

Evan était de retour en ville.

Mais ce n'était pas ça le problème. Le problème, c'était que ce bâtiment était censé avoir un toit et des murs. Alors qu'en réalité, il était exposé aux quatre vents. Les matériaux qu'ils attendaient n'étaient pas arrivés et l'hiver approchait à grands pas.

Pourtant. Evan était de retour.

« Si on est livré la semaine prochaine, tout ira bien. » Le contremaître, un type baraqué nommé Jim McCloskey, faisait passer un cure-dent d'un coin à l'autre de sa bouche tout en parlant. Son fils se tenait à ses côtés, ses lèvres retroussées dessinant en permanence un sourire narquois. « Vous savez comment c'est, Dan. Toujours en retard. Mais le matériel va arriver. »

Il grinça des dents en s'entendant appeler « Dan », comme s'il était retourné à l'école, avec les nonnes qui prêchaient l'arithmétique et la Sainte Trinité dans un même souffle. Le Père et le Fils qui faisaient deux, il pouvait piger, mais il n'avait jamais trop bien saisi l'addition du Saint-Esprit.

« Tout le monde en ville fait son possible pour finir avant que ça se mette à souffler, dit Danny. Il y a quoi, quatre gratte-ciel en construction dans le quartier du Loop ? Plus des immeubles de bureaux près de l'aéroport, le nouvel hôpital. Tout ce qu'on a, c'est un complexe de lofts de taille moyenne et deux restaurants.

– Même si ça arrive dans deux semaines, on s'en sortira. Ruiz et mes garçons ont déjà les planchers, certains des montants de murs, beaucoup de trucs qu'on fait d'habitude plus tard. Quand l'acier arrivera, on finira l'extérieur *pronto*.

– Il commence déjà à faire froid, dit Danny en secouant la tête.

– Juste un coup de frais précoce.

– Ben voyons. Et il refera vingt degrés avant qu'on ait eu le temps de s'en rendre compte. On va bosser en maillots de bain.

– Vous voulez dire que c'est *nous* qui travaillerons », rétorqua le fils McCloskey d'un ton acerbe.

Danny se raidit, puis se tourna lentement vers lui comme s'il avait tout le temps au monde. Il lui lança un regard dur dans lequel se mêlaient ennui et menace, tel un prédateur rassasié qui envisagerait de tuer rien que pour le plaisir. Le jeune type détourna vivement les yeux vers le bâtiment, puis les posa sur Danny une fraction de seconde avant de les baisser rapidement vers ses pieds. Il marmonna vaguement quelque chose.

« Pourquoi ne finissons-nous pas cet entretien dans le bureau ? » suggéra Danny sans le quitter des yeux.

Aucun des McCloskey n'avait besoin qu'on lui explique auquel des deux il s'adressait. Danny tourna les talons et marcha jusqu'à la caravane qui faisait office de bureau sur le chantier, un mobile home tout simple muni de parpaings en guise d'escalier. En ouvrant la mince porte, il fut accueilli par une bouffée d'air chaud et une odeur de café brûlé. Sous des stores bon marché, deux radiateurs allumés flanquaient un bureau encombré. Un divan vert fatigué longeait l'une des parois ; le patron de Danny, Richard, aimait à dire que son fils avait été conçu dessus, accompagnant généralement sa plaisanterie de tapes dans le dos et d'un éclat de rire tonitruant. La société O'Donnell Construction possédait plusieurs mobile homes qui se déplaçaient de chantier en chantier, des maisons de bohémiens pour les hommes qui bâtissaient Chicago. Danny ôta son casque blanc de chef de projet, par opposition au bleu de McCloskey, et se dirigea vers la cafetière.

« Désolé, Dan. C'est un brave gosse, un ouvrier. Il est juste jeune », commença McCloskey tel un suppliant, mains jointes et yeux baissés.

Danny se mit à rire.

« Vous croyez que je vous ai amené ici pour causer du garçon ? »

McCloskey haussa les épaules.

« Ne vous en faites pas pour ça. Il m'est arrivé de rembarrer des types quand j'étais jeune. Je pensais que ça vous était arrivé aussi.

– Une ou deux fois, répondit le contremaître en souriant.

– C'est oublié. Non, je voulais juste vous parler en privé. Jim, je suis désolé, mais je vais recommander à Richard de laisser ce chantier en suspens pendant l'hiver.

– C'est une erreur. Il nous reste deux mois devant nous, peut-être plus. On peut le finir.

– Peut-être.

– Moi, je crois qu'on peut. »

Danny laissa planer un silence. McCloskey était un type bien avec trente ans de métier. Pas la peine de le prendre pour un con. De plus, le coup de gueule du gamin avait touché un point sensible, nom de Dieu. Toutes ces années à écouter son père avec ses ongles crasseux, à moitié mort dans la cuisine, rebattant les oreilles de sa mère à propos de ces foutus directeurs qui se pointaient et foutaient son gagne-pain en l'air avant de repartir dans leur camionnette flambant neuve. C'était comme ça que travaillaient la plupart des directeurs – la compétition était féroce et la règle tacite était que moins les sous-fifres en savaient sur les abstractions économiques, mieux c'était.

Conneries.

Danny fit un geste en direction de la table de jeu.

« Laissez-moi vous expliquer franchement. »

McCloskey eut l'air surpris, puis il acquiesça, posa son casque et s'assit. Danny lui déballa tout, la dure réalité du monde des affaires. Il lui expliqua qu'ils risquaient de ne pas achever les deux autres chantiers s'ils gaspillaient leurs ressources pour finir celui-ci. Une fois les murs construits, des équipes pourraient travailler à l'intérieur, fixer le placoplâtre, installer l'électricité et faire les finitions.

« Dan, je ne veux pas vous manquer de respect, mais j'ai des ouvriers qui savent faire ça.

– Ce qu'ils ne savent pas, c'est l'importance des enjeux maintenant.

– Que voulez-vous dire ?

– Les caisses sont presque vides. L'économie, toute cette histoire d'Internet, ça nous a aussi frappés. Deux projets n'ont jamais été complètement payés cette année. Pas des mauvais bougres, ils se sont juste retrouvés à court d'argent. » Danny but une gorgée de café. « Vous vous souvenez de cet immeuble de bureaux dans Racine Avenue, notre gros contrat ? C'était l'un d'eux.

– Bon sang.

– Exactement. Écoutez, j'aimerais bien que ce chantier continue pendant l'hiver. Mais ça tombe mal. Si quelque chose va de travers, on ne pourra pas finir les deux autres pour... »

Il laissa sa phrase en suspens pour donner à McCloskey le temps de se faire sa propre idée.

« Et mes ouvriers ? demanda l'homme après une pause.

– J'ai convaincu Richard de les transférer sur les deux autres sites. Nous avons quelques gros contrats pour l'année prochaine. On devra peut-être effectuer des roulements, mais personne ne perdra son boulot cet hiver.

– Et moi ?

– On a du travail pour vous. Et c'est vous qui finirez ce chantier, Jim. »

McCloskey acquiesça lentement, faisant balancer le cure-dent fendu qu'il tenait entre ses lèvres.

« D'accord. Je vais prévenir les gars. »

Il se leva avec calme et dignité et, l'espace d'un instant, Danny revit son père sauçant ses dernières miettes d'œuf puis se préparant à aller au boulot. Il prenait toujours un moment pour balayer la cuisine du regard, comme pour s'assurer que tout était bien à sa place – sa femme qui faisait la vaisselle, son fils à peine réveillé qui se frottait les yeux, les rayons du soleil qui pénétraient à travers les rideaux. Il hochait la tête comme pour remercier Dieu de conserver son monde en ordre. Puis il saisissait son casque et s'en allait de sa démarche rendue bancale par un genou abîmé. McCloskey ouvrit la porte, marqua une pause.

« Dan. Merci.

– Pas de problème. Mais juste une chose.

– Quoi ?

– Appelez-moi Danny, s'il vous plaît. »

Le contremaître sourit, acquiesça et sortit. En se refermant, la porte fit taire le crépitement du chalumeau et le sifflement du vent.

Danny but une gorgée de l'abominable café brûlé et se balança en arrière sur la chaise pliante. Il se sentait bien. Il avait accompli son devoir, avait protégé la société tout en sauvant le cul de Richard – une fois de plus – mais il l'avait fait comme il fallait. Il se demanda un moment ce que son père aurait ressenti s'il avait pu prendre part à une telle conversation, si on l'avait considéré comme un homme aussi bien physiquement qu'intellectuellement.

Il estima que le paternel aurait sacrément aimé ça.

À cette idée, il se fendit d'un large sourire. Puis, malgré lui, l'image de la voie express Eisenhower lui revint à l'esprit. Les flocons de neige tendre. Le hurlement des pneus. Son sourire s'évanouit.

Un grand bruit à l'extérieur le ramena au présent. Oublie. Règle la paperasse ici, puis retourne au bureau. Va de l'avant. Oublie papa, et oublie Evan.

Il était revenu en ville. Et après ?

Danny en avait fini avec lui.

5

Petites boîtes

Danny n'était pas vraiment d'humeur à aller boire un verre, et il avait commencé par dire à McCloskey qu'il devait rentrer chez lui ; puis, comprenant ce que ça avait coûté au contremaître d'inviter un directeur à boire une bière, il avait dit pourquoi pas, il avait le temps pour une ou deux. Ils avaient atterri chez Lee's, un bar de Division Street fréquenté par des ouvriers avec des murs lambrissés et un drapeau américain délavé découpé dans un journal épinglé au-dessus des bouteilles de bourbon. Un barman au visage plat leur servit leur boisson tout en hurlant à sa petite-fille de changer la satanée musique avant qu'elle n'attire les yuppies. La fille, un modèle réduit aux cheveux teints l'ignora en souriant, opinant du chef au rythme des suaves textures électroniques diffusées par le gros radiocassette.

Ça faisait une demi-heure qu'ils étaient là à discuter de choses et d'autres lorsque McCloskey prit un air sérieux.

« Écoutez, Dan – Danny, désolé – pour cet après-midi. Je tenais à vous remercier encore une fois.

– Ne vous en faites pas pour ça. Vraiment. » Comme McCloskey sortait un nouveau cure-dent de la poche de son gilet, Danny sauta sur l'occasion pour changer de sujet. « Mais qu'est-ce que vous faites avec ces trucs ?

– Les cure-dents ? » McCloskey fit la grimace. « J'ai fumé deux paquets par jour pendant vingt ans. Ça fait deux ans que j'ai arrêté. À la naissance de ma dernière fille. Je mâche ça au lieu d'allumer une clope.

– Ça aide ?

– Un peu. Mais quand on fait quelque chose aussi longtemps, on ne s'en débarrasse jamais complètement. »

Danny acquiesça, but une gorgée de whiskey, en apprécia l'âcreté.

« Combien de gosses avez-vous ?

– Vous n'allez pas le croire. Neuf.

– Je suis irlandais, répondit Danny en riant.

– Alors, à la vôtre. »

Ils trinquèrent et burent leur whiskey d'un trait. McCloskey fit un geste en direction de la fille qui s'approcha avec la bouteille. De près, Danny distingua un diamant sur l'une des ailes de son nez. Elle sourit en versant le liquide cuivré dans les verres à fond épais.

« Je peux vous poser une question ? » lui demanda Danny. Elle fronça les sourcils, mais fit signe que oui. « Cette musique...

– Elle vous gêne ? Je peux remettre les trucs lourdingues qu'on passe d'habitude.

– Non, ça me va. Je voulais juste savoir ce que c'était.

– Du *trip-hop*, répondit-elle. Avec des influences *dub.* »

Danny sourit à l'adresse de McCloskey.

« Avant, un seul mot suffisait.

– M'en parlez pas, répliqua le contremaître. Vous devriez entendre les trucs que mes gamins écoutent.

– Maintenant je peux vous poser une question ? demanda la fille en posant la bouteille et en regardant Danny.

– Bien sûr, répondit-il en haussant les épaules.

– Vous n'avez pas l'intention de foutre le bazar, tous les deux ? Parce que si c'est le cas, autant que vous le sachiez, on a un flingue derrière le bar.

– Non, pas de problème, dit-il en la regardant d'un air surpris. On est juste venu boire quelques verres. » Un fourmillement lui parcourut le dos des mains. « Pourquoi ?

– Parce que ce type balèze vous dévore du regard depuis que vous êtes entrés. »

Danny sentit les muscles de son cou se raidir. Par-dessus la musique, une voix de femme murmura quelque chose à propos de fleurs noires qui s'épanouissaient. Lentement, Danny pivota sur son tabouret.

Il se tenait près du mur du fond, pieds écartés tel un boxeur. Son regard transperça la fumée de cigarette et les rires bourrus pour venir frapper Danny de plein fouet, qui faillit lâcher son verre et renversa un peu de whiskey sur sa chemise. Ils se regardèrent fixement un long moment, puis, d'un pas mesuré, Evan s'approcha.

« Vous le connaissez ? » demanda McCloskey avec le calme d'un homme qui savait se maîtriser.

Danny réfléchissait à toute vitesse. Que foutait Evan ici ? Et qu'était-il censé faire maintenant. Présenter le contremaître comme s'ils étaient potes ? Se retourner à nouveau et faire comme si Evan n'existait pas ? Qui était ce type qui s'approchait de lui, et que signifiait-il pour un type honnête comme Danny Carter ?

« C'est bon », répondit-il sans être certain que ça l'était.

Puis Evan fut près de lui. La prison l'avait rendu plus sec, avait durci les angles de son visage et de son cou. Des muscles noueux saillaient sous son sweat-shirt. Ses cheveux bouclés étaient bien coiffés, les tempes tirées en arrière.

Ses yeux noirs ne trahissaient pas la moindre émotion.

« Ça fait un bail. »

Danny s'efforça de conserver un visage de marbre, son cœur battant à tout rompre. Evan posa les yeux sur McCloskey, puis de nouveau sur Danny.

« Jim, vous nous accordez une minute ? Evan est un vieil ami. »

Le contremaître se redressa sur le tabouret.

« Vous êtes sûr ?

– Oui. »

L'homme hésita, puis se leva.

« Vous savez, de toute façon, il est sans doute temps que j'y aille. Ma femme va m'attendre. »

Danny acquiesça.

« Merci pour les verres. » Il ne quitta pas Evan du regard tandis que le contremaître se levait, marquait une pause puis se dirigeait vers la porte. Danny eut envie de le rappeler, mais son instinct lui revint, et l'instinct ne connaissait qu'une règle. Il décida donc de la jouer cool. « Je te paye une bière ? »

Evan esquissa un sourire.

« Ce bon vieux Danny. Toujours aussi relax. » Il écarta le tabouret et vint s'accouder au comptoir. Il dégageait une force terrible, ses mouvements étaient sobres mais puissants, comme si tout en lui n'était que ressorts tendus.

« Alors ?

– Alors.

– C'était dur ? »

Evan haussa les épaules.

La petite-fille du serveur approcha avec une bière et un whiskey, des questions plein le regard. Danny les ignora. C'était comme dans son cauchemar : il vivait sa vie ordinaire, puis, soudain, se retrouvait assis à côté de son ami d'enfance et ancien partenaire. Il ne savait que penser. Il n'avait pas exactement peur, mais il se sentait sur le fil du rasoir, comme à l'époque des cambriolages, conscient que les choses pouvaient basculer d'un côté comme de l'autre. Il lui était arrivé, debout dans le salon d'un inconnu, lampe torche en main, d'éprouver cette sensation que le destin n'était pas écrit dans un livre céleste, mais qu'il était plutôt une corde raide, une ligne fine et tremblante surplombant un abîme. Le moindre souffle pouvait vous faire perdre l'équilibre.

« Et toi, Danny ? Comment tu t'en sors ?

– Ça va. Mieux que jamais.

– Ah oui ? » Evan lui jeta un coup d'œil tout en souriant.

« Maintenant que tu es millionnaire, tu te souviendras de tes amis ? »

Danny, surpris, fit un grand sourire. La conversation se déroulait plus facilement qu'il ne s'y attendait. C'était presque marrant, un échange de petites piques, comme un entraînement de boxe.

« Bien sûr. Je vais t'acheter une maison près de celle du maire.

– Daley ne vit plus à Bridgeport. On est parti à peu près en même temps. Pas pour les mêmes endroits, évidemment.

– Moi aussi, je suis parti, dit Danny. Je vis dans North Side maintenant.

– Sans déconner ?

– Sans déconner.

– Et tu t'es rangé.

– Oui.

– Dommage », dit Evan avant de boire une longue gorgée de bière.

Ce n'était pas dommage, mais Danny ne voyait pas l'intérêt qu'il aurait à le dire. Il saisit son whiskey, le leva en direction d'Evan.

« Santé. À ta sortie. »

Ils trinquèrent. Danny avait toujours senti qu'on risquait d'aller trop loin en tentant de lire l'âme de quelqu'un dans ses yeux, mais pourtant, quelque chose dans le regard d'Evan lui rappelait qu'ils n'étaient plus à proprement parler copains. Après tout, il n'avait pas refait surface par accident. Danny songea à lui demander ce qu'il faisait là, décida qu'il était inutile de faire jaillir la réponse au grand jour, là où ils ne pourraient plus l'éluder. Parfois un mensonge mutuel arrangeait tout le monde.

« Tu vois toujours la même femme, celle avec qui tu commençais à avoir une liaison sérieuse ?

– Karen, répondit Danny. Oui.

– Ça fait un bail. Félicitations.

– Merci.

– Tu sais, j'ai cru la voir. » Evan produisit un paquet de Winston, le tapota pour en libérer une qu'il alluma au moyen d'un Zippo en argent étincelant. « Au procès. »

Danny sentit sa gorge se nouer.

« Je ne l'avais rencontrée qu'une fois, mais je suis quasiment sûr que c'était Karen. Pas vrai ? »

Danny avait voulu s'y rendre lui-même en douce, un dernier geste de solidarité, mais il s'était dit que ce serait la dernière des conneries à faire. Alors il avait préparé à dîner, débouché une bouteille de vin, et demandé à Karen de lui rendre le plus gros service qu'il lui avait jamais demandé. Les frères aînés de Karen avaient eux aussi atterri à la prison du comté plus d'une fois, ce monde ne lui était donc pas totalement inconnu. Pourtant, il s'était attendu à un refus. Mais elle s'était contentée de regarder les bougies et avait demandé, d'une voix si douce que c'était presque un murmure, s'il avait raccroché pour de bon.

Jusqu'à cet instant, il n'avait pas été certain. Pas au plus profond de lui. Mais lorsqu'elle lui avait posé la question, il avait décidé que c'était fini. Car cette femme, à moitié italienne, serveuse dans un bar qu'elle comptait bien un jour diriger, avait foi en leur avenir. Et pourtant, elle connaissait son passé.

Il avait promis, et elle était allée au procès. Elle avait vu le prêteur sur gages témoigner depuis son fauteuil roulant. Elle avait vu les photos du visage de la femme, un œil au beurre noir, le nez cassé, tandis qu'un policier expliquait qu'ils étaient arrivés juste à temps. Et quand tout avait été fini, Karen, les joues pâles et la voix un peu tremblante, lui avait lancé le seul et unique ultimatum qu'elle lui avait jamais lancé : si jamais il trahissait sa promesse, elle partirait sans un regard en arrière.

Et maintenant, sept ans plus tard, l'homme qu'elle était allée voir observait Danny avec une expression qu'il ne parvenait à déchiffrer, et il prononçait le nom de Karen.

« Oui, c'était elle. » Il marqua une pause. « C'est moi qui lui ai demandé d'y aller.

– Tu avais mieux à faire.

– Je me serais fait choper. Le propriétaire de la boutique, la femme, ils m'auraient reconnu. »

Evan souffla un panache de fumée grise.

« Alors pourquoi tu l'as envoyée elle ?

– Je me disais que je te le devais. » Il choisissait ses mots avec soin. « Je devais envoyer quelqu'un.

– Parce que je tombais en solo, c'est ce que tu veux dire ? » Le regard d'Evan se durcit à nouveau. « Je me disais que tu voulais juste savoir si je lâcherais ton nom.

– Je savais que tu ne le ferais pas. »

Et en effet, il avait su qu'Evan purgerait sa peine sans broncher, même si Danny s'était enfui, même si un seul mot aurait pu lui épargner sept ans. Evan acquiesça.

« Tu avais raison. »

En fond sonore, le chanteur répétait *I've got to get away from here*[1], et Danny comprenait exactement ce qu'il voulait dire, même s'il était étonné de s'apercevoir que cette conversation lui procurait un certain plaisir.

De fait, certaines nuits, étendu sur son lit dans son quartier paisible, il s'imaginait une porte métallique ronde de trente centimètres d'épaisseur, comme celles des coffres de banque. À l'intérieur l'attendait une pièce faiblement éclairée avec des casiers ressemblant à des petits coffres-forts. Il entrait, refermait la porte derrière lui, ouvrait l'une des petites boîtes et se rappelait le frisson électrique qu'il éprouvait lorsqu'ils faisaient la course sur la voie express Dan Ryan dans des bagnoles volées à quatre heures du matin. Ou cette sensation douce, presque sexuelle, lorsqu'il parvenait à faire céder un verrou. Son poing en l'air à la salle de boxe de St. Andrew's, ses poumons irrités à force de crier tandis qu'Evan combattait en finale des Golden Gloves.

C'était son petit secret, et ça ne changeait rien. Il avait une bonne raison d'emmurer ces souvenirs derrière trente centimètres d'acier imaginaire. Mais parler à Evan, le vrai Evan, pas

1. « Je dois foutre le camp d'ici. » (N.d.T.)

le symbole de ses rêves, c'était comme pénétrer dans cette salle des coffres.

« Tu es donc sorti plus tôt. »

Evan acquiesça.

« Ils avaient besoin de libérer quelques lits. C'était la première fois que je tombais pour un délit commis avec violences. Et au trou, je me suis tenu à carreau, expliqua-t-il en haussant les épaules.

– Aussi simple que ça.

– Si tu le dis. »

Leurs yeux se croisèrent à nouveau, chacun jaugeant l'autre. Danny but une gorgée de bière, le goût lui parut plus marqué que d'habitude. Ne sachant plus quoi dire, il regarda Evan, puis son verre. Il y eut un moment de silence. Puis Evan reprit :

« Tu es au courant pour Terry ? »

Danny pouvait encore se le représenter, avec ses cheveux filasseux et sa mauvaise haleine. Il n'avait pas revu Terry depuis le jour où celui-ci leur avait filé le tuyau de la boutique du prêteur sur gages. Ça faisait une éternité.

« Non.

– J'ai rencontré un de ses anciens dealers en taule. Apparemment, Terry avait décroché, il se camait plus. Il avait convaincu un dealer de l'utiliser comme revendeur, Dieu sait comment, avec toutes les traces de piquouses qu'il avait sur les bras. Il s'en sortait bien, vendait aux étudiants qui voulaient goûter à l'aventure. Et puis un jour, il décide de se faire un shoot en souvenir du bon vieux temps. »

Danny secoua la tête.

« Bientôt, il se met à couper la dope pour se fournir lui-même. Il lui faut pas longtemps pour revendre du lait en poudre. Même les étudiants remarquent la différence. Il est obligé de se tirer. Seulement il est de nouveau accro, et le seul moyen qu'il a de se fournir, c'est de couper la came. »

Cette histoire avait quelque chose de familier. Pas les détails spécifiques, mais sa structure. Son cours. Le frisson que la conversation lui procurait commença à s'évaporer lorsque Danny devina la fin de l'histoire.

« Un jour il vend deux grammes coupés à un jeune Mexicain. En fait, le type est un jeune membre de gang, un type prêt à tout pour gagner ses galons. » Evan but une gorgée de bière. « Et Terry a fini en se vidant de son sang dans la cave d'un entrepôt de South Corliss. »

Danny sentit la nausée le submerger. Bien sûr que cette histoire lui semblait familière. Il en avait déjà entendu mille variantes. C'était ce qui vous arrivait si vous ne raccrochiez pas. Terry avait été junkie, mais ce n'est pas ça qui l'avait tué. Ce n'était même pas le membre de gang qu'il avait berné. Ce qui l'avait tué, c'était le fait inexorable que de telles histoires ne connaissaient qu'une seule fin. Il était mort parce qu'il était trop faible pour s'arrêter. Pour s'échapper. Danny se surprit à repenser à la question qu'il s'était posée plus tôt : que signifiait Evan pour lui maintenant ? Il s'aperçut qu'il connaissait la réponse.

Rien.

Il était temps de rentrer à la maison.

« Écoute, frangin, ça me fait plaisir de te voir, mais je dois y aller. »

L'expression d'Evan se durcit et il se tourna vers le bar, une main posée sur sa chope.

« Ah ouais ?

– Oui, tu sais, je suis rangé maintenant. J'ai un boulot. » Il se leva, attrapa sa veste. « Dans le bâtiment.

– Exactement comme ton père.

– En quelque sorte. Mais je travaille dans un bureau. » Une voix intérieure lui conseilla de la fermer, de ne pas pousser les choses plus loin, mais les mots lui échappèrent. « Je suis chef de projet. »

Evan acquiesça tout en continuant de ne pas regarder Danny.

« Tant mieux pour toi. C'est mieux que donner des coups de pelle dans de la merde.

– Oui. Hé, encore une fois, félicitations. »

Danny tira son portefeuille de sa veste, sortit deux billets de vingt.

« Tu es pas forcé de payer ma bière.

– Merde, ça me fait plaisir. Le moins que je puisse faire. »

Mais qu'est-ce qu'il racontait ?

Evan resta silencieux.

La voix intérieure murmurait que rien ne tournait rond, que la corde raide balançait, qu'il perdait l'équilibre et que l'obscurité allait l'avaler, mais avec l'alcool, la musique, l'image de Terry se vidant de son sang sur du béton miteux, il préféra la repousser. Tout ce qu'il voulait, c'était sortir d'ici.

Evan continua de regarder droit devant lui tandis que Danny esquissait un pas en direction de la porte. Danny savait qu'il devait dire quelque chose, mais quoi ? Il finit par poser la main sur l'épaule d'Evan, sentit ses muscles aussi rigides que s'ils avaient été taillés dans la pierre.

« Bonne chance. »

Evan se contenta de hocher la tête.

6

Le ciel bleu brûlait

Un rugissement provenant de Wrigley Field traversa l'air automnal. Les Cubs avaient dû marquer. À Bridgeport, ils auraient soutenu les White Sox. Danny, lui, s'en fichait, mais il aimait sentir la chaleur du soleil sur l'escalier de secours, et il aimait les rues bordées d'arbres qui s'étiraient sous lui.

Maintenant qu'il y pensait, il adorait ce foutu quartier. Il aimait leur appartement situé au premier étage, avec son plancher et sa cheminée en état de fonctionnement. Il aimait même les après-midi du week-end passés à réparer des moulures ou à poser du carrelage. Evan aurait hurlé en voyant ça, Danny à genoux, occupé à peindre des finitions avec le soin dont il faisait autrefois preuve pour crocheter des verrous. Il éprouva un bref frisson en pensant à son ancien partenaire. Mais peu importait ce qu'aurait pensé Evan. Il n'avait plus aucune place dans la vie de Danny.

Marre-toi, mon pote. Qu'est-ce que tu veux que ça me fasse.

« Qu'est-ce que tu fais encore ici ? » Karen monta sur l'escalier de secours et sourit tout en attachant ses cheveux en queue-de-cheval. « Tu ne m'avais pas promis une sortie ? »

Il lui fit un grand sourire et l'attira à lui, sentant la douce tension de ses muscles, son corps épousant parfaitement le sien. Toutes ces années, et toujours pas lassé de la serrer dans ses bras. Il fit glisser sa paume au creux de ses reins.

« Du calme, Roméo. » Elle s'écarta de lui avec un sourire aguicheur. « Ton patron ne t'attend-il pas ?

– Richard peut attendre, grommela-t-il.

– Arrête de gagner du temps. Va bosser. Puis emmène-moi au zoo et achète-moi de la barbe à papa. » Elle se retourna pour rentrer, s'arrêta et lui jeta un coup d'œil charmeur par-dessus son épaule. « Qui sait ? C'est peut-être ton jour de chance. »

Il sourit et la suivit à l'intérieur.

Il lui fallut une demi-heure pour arriver à North Shore. Dans un quartier où l'on ne s'offrait que deux chambres avec un demi-million de dollars, le patron de Danny en possédait cinq. Située à une rue du lac, sa maison était un manoir anglais doté d'une vaste pelouse. À l'avant, la boîte aux lettres en était une réplique miniature, jusqu'à la peinture. Le facteur devait décrocher le *bow-window* miniature et ouvrir la maison pour déposer le courrier.

Danny se gara dans la rue, descendit lestement de voiture et se retrouva au beau milieu d'une explosion domestique. Tommy, le fils de douze ans de Richard, surgit à la porte d'entrée en hurlant et en pointant le doigt.

« Pourquoi pas ? Tout le monde en a une. »

Son patron le talonnait, le visage bouffi, rouge.

« Ça m'est égal. Je ne vais pas t'acheter une foutue Playstation pour que tu te pourrisses le cerveau.

– Qu'est-ce que ça peut te faire ? » Tommy jeta un regard noir à son père. « Tu n'es jamais *ici*.

– Ne me parle pas sur ce ton, jeune homme. Je suis toujours ton père.

– À peine. »

Le garçon se retourna et se sauva.

« Reviens. Thomas Matthew O'Donnell, ramène ton cul ici ! »

Le gamin lui fit un doigt d'honneur par-dessus son épaule et continua de marcher. L'adolescent furieux s'éloignait d'un pas si décidé qu'il faillit percuter Danny avant de le remarquer debout près de son 4 × 4. Danny sourit d'un air amusé et fit les gros yeux en signe de camaraderie. Il ne savait pas pourquoi – il connaissait à peine le gamin. Peut-être était-ce lié au fait que Richard lui avait aussi hurlé dessus un paquet de fois. Tommy croisa son regard, acquiesça avec colère.

« Je le déteste.

– Ah, ne dis pas ça. » Danny ferma la portière de la camionnette. « Pas à cause d'une Playstation.

– C'est pas ça, répliqua le gamin en secouant la tête. Je m'en fous de ça. C'est juste qu'il est jamais... » Il se redressa, s'essuya un œil du revers de la main. « Je préférerais vivre avec maman.

– Ne lui mets pas trop la pression. Je suis sûr qu'il t'aime. »

Et c'était vrai. Richard avait une grande gueule, mais son bureau était tapissé de photos du garçon, et à chaque début de réunion, alors que tout le monde faisait de son mieux pour avoir l'air sincèrement intéressé, Richard leur racontait les moindres faits et gestes de son fils.

« Je m'en fiche », grogna Tommy.

Il se sauva en courant, ses petits poings battant l'air. Danny secoua la tête et marcha jusqu'à la porte. Le 4 × 4 l'avait dissimulé de la vue de Richard, et son patron sembla soudain gêné de le voir, même s'il cacha son embarras derrière un sourire d'homme d'affaires aussi large que faux.

« Les mômes. Impossible de s'en passer, mais impossible de les enchaîner dans la cave non plus. » Richard portait des chaussures bateau sans chaussettes. Il tendit une main plus douce que ce qu'on aurait pu attendre de la part d'un type bossant dans le bâtiment. « Tu veux un verre ? »

Il retourna à l'intérieur de la maison sans attendre de réponse. Danny lui emboîta le pas, s'essuyant les pieds sur le paillasson avant de fouler la moquette moelleuse du salon. Des puits de lumière éclaboussaient les pièces décorées par un professionnel. Il flottait partout une faible odeur de citron. Richard lui montra le chemin jusqu'à son bureau privé situé au bout du couloir. Un somptueux divan de cuir était installé sous une toile abstraite écarlate et noire. Sur le bureau en noyer se trouvaient deux écrans plats qui affichaient des graphiques et des cours de bourse. Richard jeta un coup d'œil dans leur direction d'un air dégoûté puis se dépêcha de les éteindre.

« Et cette foutue bourse est encore plus irritante que le gamin.

– Mauvaise passe ?

– Je me suis fait lessiver. J'ai pris de ces actions technologiques soi-disant sûres. J'aurais aussi bien fait de miser l'argent des études de Tommy sur des canassons à Arlington. »

Il se dirigea vers un bar ancien et versa du single malt dans des verres Waterford. Danny n'avait jamais trop vu la différence entre jouer à la bourse et parier sur un match de football, sauf que, par l'une de ces ironies qu'offrait la vie de tous les jours, les agents de change étaient plus susceptibles que les parieurs de se pointer avec une carabine et de se mettre à tirer sur des inconnus. Richard lui tendit son verre de scotch, se laissa tomber dans un fauteuil en cuir, posa les pieds sur une ottomane faite main et continua de se lamenter sur son manque de chance.

Richard se considérait comme un self-made-man et clamait qu'il avait transformé « une caravane et une pile de factures » en une société qui employait presque quarante personnes. Lorsqu'il racontait cette histoire – autant dire souvent – il évitait d'expliquer en détail comment il y était parvenu. La raison était simple : il n'y était pour rien. Richard avait hérité de la société et, avant d'adopter Danny comme bras droit, il avait fait tout ce qu'il fallait pour la faire péricliter.

Danny, qui avait le sens de la stratégie et l'habitude de mettre les mains dans le cambouis, avait mis moins de deux ans à retourner la situation. Il avait offert à Richard la possibilité de faire des bénéfices sans avoir à apprendre quoi que ce soit aux affaires. Mais cet arrangement convenait parfaitement à Danny. Il avait toujours préféré avoir les choses en main plutôt que les subir, et Richard avait beau être parfois bouché, il était suffisamment malin pour comprendre que prendre soin de Danny revenait à prendre soin de lui-même.

Le boulot impliquait cependant bon nombre de besognes stupides comme celle-ci. Se retrouver un samedi après-midi en train d'endurer vingt minutes de bavardages sur le marché post-Internet et le danger des introductions en bourse avant que Richard ne daigne s'intéresser aux offres qu'il avait apportées.

« Les voici. » Il tira les documents de sa sacoche. « Je les ai rassemblés hier soir.

– Hé, tu ne devrais pas travailler le vendredi soir. »

Étant donné que l'occasion s'était présentée par surprise la veille au matin et que l'échéance était pour cet après-midi, Danny se demandait quand Richard croyait qu'il ferait le boulot, mais il se contenta de répondre que ce n'était pas un problème.

« Tu n'as qu'à signer la dernière page. Je les déposerai. »

Richard sourit.

« Bravo ! Service complet. » Il jeta un coup d'œil aux documents, acquiesça et griffonna son nom avec un stylo en or tiré de sa poche. « Je vais déjeuner au club. Si ça te chante, tu peux venir.

– J'ai déjà des projets. »

Son patron hocha distraitement la tête, la proposition était déjà oubliée. Ils discutèrent quelques minutes de plus, puis Richard consulta ostensiblement sa montre. Heureux de se voir mis à la porte, Danny vida son scotch et s'en alla. Il avait promis une sortie à Karen, et il comptait bien honorer sa promesse.

C'était un après-midi splendide, les feuilles rougeoyaient sur les arbres, le soleil lui chauffait les épaules. Le zoo de Lincoln Park était bondé, mais ça ne les dérangeait ni l'un ni l'autre. Ils se joignirent à la foule, regardèrent les otaries tourner en rond sans fin, s'amusèrent des poses gauches des flamants roses, éprouvèrent un frisson délicieux lorsqu'un lion utilisa sa langue râpeuse pour détacher des bouts de viande d'un os épais comme une boîte de conserve. Danny alla chercher une barbe à papa qu'ils partagèrent assis sur un banc.

Lorsqu'ils eurent fini, il se leva pour jeter le sac en plastique roulé en boule dans une poubelle. En revenant, il la vit soudain, comme cela lui arrivait parfois, telle qu'elle était vraiment. Pas à travers les yeux myopes de l'habitude et du temps, mais comme une personne réelle, confiante et souriante. Comment avait-il fait pour avoir tellement de bol ? Pas seulement de s'en sortir, mais de le faire au côté d'une femme qui, quoique connaissant son passé, était néanmoins prête à parier sur leur avenir. Il s'assit, puis pivota et posa la tête sur ses cuisses. Elle lui caressa les cheveux tandis que le ciel bleu brûlait et que les branches d'automne secouées par le vent formaient des motifs kaléidoscopiques.

« Heureux, soupira-t-il. Très heureux.

– Tu as intérêt, dit-elle en riant. Il ne me reste plus qu'à éplucher tes grains de raisin ? »

Il éclata de rire et ferma les yeux, écouta le bruissement des feuilles et le murmure joyeux de la foule du samedi. Quelque chose heurta alors leur banc. Instinctivement, Danny ouvrit brusquement les yeux et se redressa en un éclair avant de se rendre compte qu'il s'agissait d'un gamin, un petit Noir âgé de peut-être cinq ans. L'enfant marqua une brève pause et leur fit un sourire éblouissant, tout en fossettes et en dents, avant de repartir en courant dans la direction opposée. Il rejoignit un groupe d'enfants qui jouaient à chat devant la cage des gibbons et hurlaient tout en pourchassant les animaux agités. En reposant la tête sur les cuisses de Karen, Danny vit qu'elle lui souriait.

« Quoi ?

– Rien, répondit-elle d'un ton qui laissait entendre le contraire.

– Vraiment, quoi ?

– Tu as déjà pensé à en avoir un ?

– Un petit garçon noir ? »

Elle éclata de rire et lui secoua la tête avec son genou.

« Je suis sérieuse.

– Vraiment ? » Il discerna la surprise dans sa propre voix. « Un enfant ? »

Elle détourna les yeux, puis les reposa sur lui.

« Pas de pression.

– Non, c'est juste que... » En vérité, il n'y avait guère réfléchi. « Je ne sais pas. Ça fait peur. »

Il revit furtivement l'expression peinée de son père lorsqu'il avait balayé du regard le parloir du pénitentiaire de County Cook. Ç'avait été dur. Mais ne serait-ce pas infiniment plus dur de lire la même confusion et la même douleur sur le visage d'un fils ? Longtemps, il s'était promis de ne pas avoir d'enfant tant qu'il serait escroc.

Mais bon, il ne l'était plus. Ce qui continuait de le surprendre et de le ravir, comme lorsqu'on découvre une poignée de billets dans les poches d'un manteau qu'on porte rarement. Il était réglo depuis huit ans et, pour le prouver, il avait un boulot, une maison et une femme. Certes, Karen et lui n'avaient pas été jusqu'à se marier, mais c'était simplement parce que le rituel ne signifiait rien pour eux. Il n'avait pas besoin d'alliance pour être fidèle. Et ils gagnaient tous deux pas mal d'argent – bien plus que ce que lui rapportaient ses arnaques.

Peut-être pouvait-il être père dans ce nouveau monde. Peut-être une telle chose était-elle possible. Si Danny Carter pouvait avoir une mutuelle et un prêt immobilier, pourquoi pas un enfant ?

« Il s'appellerait comment ?

– Tu veux dire elle », rétorqua Karen en riant.

Et elle se pencha en avant pour poser ses lèvres douces sur les siennes, sous des cieux aussi ardents que l'espoir dans le cœur de Danny.

7

Un bon plan

Il fallut à Danny trente longues minutes pour descendre Clark Street, et dix de plus pour trouver une place de parking. Les Cubs semblaient en forme et les rues étaient envahies par les supporteurs pleins de l'espoir que peut-être ils n'auraient pas le cœur brisé cette saison. Pour sa part, Danny comptait juste finir ce qu'il avait à faire et rentrer chez lui avant le coucher du soleil. On était dimanche, encore une belle journée. Et il avait rendez-vous avec un livre d'Elmore Leonard et la chaise longue de l'issue de secours.

Il longea deux pâtés de maisons jusqu'à une boutique de photocopie et d'expédition. À l'intérieur, l'air conditionné avait quelque chose de rance. Deux dollars en pièces de vingt-cinq cents et dix minutes de formulaires plus tard, il en avait enfin fini avec le boulot. La fille au comptoir lui demanda s'il désirait autre chose.

« Juste une bière », répondit-il avec un sourire.

Elle lui retourna son sourire, lui jeta un regard aguicheur auquel Danny ne répondit pas. Il se contenta de la saluer de la main et sortit sans se presser, réfléchissant au trajet le plus simple pour rentrer chez lui. Il pouvait sans doute couper jusqu'à Halsted Street et éviter quelques embouteillages.

Evan se dressa devant lui.

Danny lâcha son sac. Son sang se glaça et il hésita entre lui sauter à la gorge ou prendre ses jambes à son cou.

Son ancien partenaire arborait un petit sourire, comme s'il était amusé d'avoir fait peur à Danny. Comme si le but du jeu avait été de le déséquilibrer. La foule déferlait autour d'eux. Les gens portaient des t-shirts des Cubs et s'interpellaient en criant, mais Danny les remarquait à peine.

« Hé ! » lança Evan. Il s'avança, lui passa un bras autour des épaules. « Allons boire un verre. »

Continue de marcher, murmura une voix dans la tête de Danny. *Pars.* Mais il se laissa entraîner dans un bar sombre au coin de la rue dans la vitrine duquel brillait une tête de mort en néon. Evan laissa retomber son bras lorsqu'ils furent à l'intérieur et désigna une table dans un coin. Lorsqu'ils l'atteignirent, Danny avait retrouvé son sang-froid. Il fit un geste à la serveuse et lui lança ce qu'il espérait être un sourire décontracté.

« Tu es ici pour le match ?

– Non », répondit Evan.

Une jolie brune au sourire chaleureux arriva d'un pas bondissant, et ils commandèrent sans jeter un coup d'œil à l'imposante liste de bières inscrite sur une ardoise. Danny attendit qu'elle s'éloigne, puis tenta d'adopter un air interrogateur.

« Alors ?

– On n'a pas fini notre conversation l'autre fois. Mais aujourd'hui on est dimanche. Alors tu vas pas te mettre à stresser à cause du boulot. »

Danny ne releva pas la remarque.

« Tu vis dans le coin maintenant, hein ? demanda Evan.

– Pas loin.

– Maison, femme, 4 × 4. Tu es casé, ça roule pépère. »

Il acquiesça en pensant : 4 × 4 ? Il se demanda si Evan avait dit ça au hasard. Pourquoi n'avait-il pas dit une voiture ? La serveuse apparut avec deux chopes sur un plateau. Evan lui tendit un billet de dix, lui dit de garder la monnaie, et ils trinquèrent en se regardant les yeux dans les yeux.

« Alors te voilà rangé.

– C'est tout ce que je veux.

– Ah oui ? Et moi, j'ai quoi ?

– Comment ça ?

– Comment ça... » Evan secoua la tête, sourit d'un air contrit tout en tapotant son paquet de cigarettes pour en libérer une. Il l'alluma avec son Zippo qu'il referma sèchement et reposa soigneusement sur son paquet. Il exhala la fumée par les narines, son regard était désormais dur. « Ça fait combien de temps qu'on se connaît ?

– Depuis qu'on est gamins.

– Exact. Juste deux mômes irlandais qui ont grandi dans un quartier ouvrier, au milieu des Latinos et des Noirs qui s'affrontaient pour voir qui était le plus rapide. C'est en se serrant les coudes qu'on s'est sortis de cette merde. »

Danny décida d'anticiper la suite.

« Tu m'en veux parce que je me suis tiré. » Evan souleva un sourcil, ce qui ne voulait dire ni oui ni non. Son regard signifiait *dur*. Il signifiait *danger*. « Va te faire foutre », lança Danny. Montrer sa force était la règle numéro un. « Tu as pété les plombs là-dedans.

– Si je l'avais pas abattu, ce type t'aurait buté.

– Conneries, répondit Danny. Il m'aurait dit de ne pas bouger et aurait appelé les flics. De toute manière, on aurait dû se tirer avec l'argent avant même qu'il se pointe. Personne n'aurait été blessé. Personne ne serait allé en prison.

– Toujours le mec parfaitement organisé. Et ça, tu en penses quoi, Einstein ? demanda-t-il en pointant sur lui sa cigarette. Tu as une dette envers moi. Tout d'abord, je sauve ton cul, puis je ferme ma gueule et je plonge seul. Douze ans qu'il m'a donné le juge avant de taper avec son petit marteau, et tu n'étais même pas dans la salle d'audience pour voir ça. Tu sais ce que je faisais pendant que tu devenais un yuppie ? Je partageais une cellule avec un membre de gang de cent vingt kilos nommé Isaiah. Il savait que je n'appartenais pas à un gang, alors il passait son temps à m'observer pour décider si j'étais une lavette ou un requin. Comment tu aurais fait pour dormir ? »

Danny leva les mains en signe de paix.

« Je suis désolé. Je ne voulais pas que ça se passe comme ça. »

Il continuait de montrer un visage de marbre, mais derrière, son esprit fonctionnait à cent à l'heure. Hier, il aurait parié toutes ses économies qu'il ne reverrait jamais son ancien partenaire. Maintenant, tout semblait indiquer qu'Evan avait d'autres projets, et si tel était le cas, Danny devait trouver un moyen de le calmer rapidement. Et de le faire sortir de sa vie pour de bon. « Je te suis reconnaissant de n'avoir rien dit. »

Evan se pencha en arrière, soupira, tira une nouvelle cigarette de son paquet.

« Ouais, c'est ça. »

Ils burent leur bière en silence. Le souvenir du temps qu'il avait lui-même passé derrière les barreaux revint à l'esprit de Danny. Une colonie de vacances comparée à Stateville, et pourtant c'était déjà moche. Le pire était ce sentiment permanent que le danger n'était pas loin. Il suffisait parfois de soutenir un regard un peu trop longtemps – ou pas assez longtemps – et bing ! vous vous en preniez plein la tronche.

« J'en sors au bout de sept ans. » Evan semblait plus calme, il parlait d'une voix égale. « O.K., une vraie galère. Mais je me dis que quand je vais rentrer je vais retrouver mon ancien partenaire avec de nouveaux projets pour qu'on se fasse du fric, qu'on va se remettre au boulot. Seulement ça se passe pas comme ça. À la place, mon partenaire est introuvable. Je suis forcé de le chercher. Et quand je le trouve ? Il me dit qu'il est réglo. Puis il me paye une bière et me souhaite bonne chance parce qu'il a du boulot le lendemain et qu'il veut pas être à la bourre. »

Danny conserva un visage calme. *Ne montre pas ta peur, ne trahis aucune émotion.*

« Mais tout ça, je m'en branle. De mon point de vue, tu as tout et j'ai rien. Tu as une dette envers moi.

– Qu'est-ce que je suis censé faire ? Aller chercher mes vieux outils et me remettre au boulot ? »

Evan haussa les épaules.

« Pourquoi pas ? On gagne plus de fric en faisant équipe. Et j'ai été éloigné trop longtemps. J'ai besoin de quelqu'un qui sache comment travailler. Quelqu'un en qui je puisse avoir confiance.

– J'ai été éloigné aussi longtemps que toi. Si tu as besoin de quelqu'un du milieu, je ne suis pas la bonne personne.

– Je ne parle pas des receleurs. Je parle de repérer la bonne occase. De me filer un coup de main pour qu'on soit quittes.

– Non, répondit Danny sans hésitation.

– Non ?

– Je ne replonge pas, dit Danny. Point final. Hors de question.

– Alors je devrais juste regagner mon trou en rampant.

– J'ai beaucoup de respect pour toi, mais ma vie est différente maintenant. Je ne replonge pas.

– Alors, dit Evan en se penchant en arrière et en allumant une nouvelle cigarette, nous avons un problème. »

Attention. Fais très attention. Il ne se souvenait que trop bien du tempérament d'Evan, de ses coups de sang, du feu brûlant qui consumait ses sens et sa maîtrise de lui-même.

« Je n'ai aucun problème. » Une idée lui était venue à l'esprit depuis le soir où Evan l'avait surpris avec McCloskey. Un peu dingue, certes, mais tout de même... elle valait peut-être le coup. « En fait, j'ai quelque chose pour toi.

– Ouais ?

– Mais écoute, tu vas devoir te calmer et y réfléchir. Ne m'envoie pas promener, d'accord, *compadre* ? » Il inspira pour se calmer les nerfs. « Je ne peux pas replonger. Mais je peux t'aider à gagner du fric. »

Evan se pencha en avant, tête inclinée.

« Je peux te trouver un travail.

– Tu as un bon plan ?

– Non, je parle d'un *boulot*. Un boulot honnête. »

Tout en parlant, il fixait Evan du regard, cherchant à déceler la moindre réaction. Avec un peu de chance, Evan prendrait son offre comme une proposition de paix. Ou peut-être même comme une possibilité de l'arnaquer, d'avoir le fric sans avoir à bosser. Danny ne pouvait pas laisser cela se produire, mais il serait heureux qu'Evan tente le coup. Ça signifierait qu'ils étaient à la table de négociations. Toujours mieux que de camper sur ses positions.

« Un boulot honnête. » Le visage d'Evan était un masque. Il porta la cigarette à ses lèvres, tira une longue bouffée. « Dans le bâtiment, poursuivit Danny. Penses-y. Tu sais faire plein de choses pour commencer, et ça paye bien. »

Evan secoua la tête tout en riant intérieurement.

« Incroyable.

– Je gagne plus d'argent que nous n'en avons jamais gagné – plus – et personne ne peut me regarder de travers. C'est une chance de repartir sur de bonnes bases. C'est une proposition intéressante. » Danny attendit, mais eut pour toute réponse un silence. « Je ne peux rien faire de mieux. »

Silence. Evan ne mordait pas à l'hameçon. Ce n'était pas un problème – Danny ne s'attendait pas vraiment à ce qu'il accepte, du moins pas sur-le-champ. Mais peut-être qu'il y réfléchirait, s'apercevrait que c'était une opportunité de fuir l'ombre de la prison. Et dans le cas contraire... eh bien, Danny ne voulait pas être assis face à lui dans le cas contraire. Il se leva.

« Penses-y. Fais-moi savoir si tu es intéressé. »

Evan écrasa sa cigarette.

« Et merci pour la bière. »

Malgré le martèlement de son cœur, Danny s'efforça de marcher lentement et d'un pas régulier, et il ne se retourna pas lorsqu'il poussa la porte de l'épaule et s'enfonça dans l'après-midi.

8

Par la vitre

« Enfoiré de baratineur ! Il se prend pas pour de la merde ! cracha Evan.

– Qui ça, mon chou ? »

Debbie Lackey – elle détestait « Deb » et « Deborah », toujours « Debbie », comme Debbie Harry – fit sa plus belle moue, rejetant ses cheveux blonds par-dessus son épaule. Evan la regarda d'un air énervé, comme s'il était surpris de la trouver là.

« Le type qu'on attend. »

Il se retourna pour regarder par la vitre du côté conducteur de la Mustang. Elle aurait bien aimé qu'il la laisse mettre un peu de musique. Ça faisait une demi-heure qu'ils étaient assis là, et il n'avait pas prononcé un mot de tout ce temps. Elle observa de nouveau la rue, espérant que quelque chose attirerait son attention. C'était joli, plein d'arbres avec des feuilles d'octobre colorées, des rangées de résidences en pierres grises devant lesquelles étaient garées des voitures hors de prix. Les gens qui promenaient leurs chiens transportaient de petits sacs en plastique pour ramasser les crottes.

« Ton ami habite un joli quartier. » Il acquiesça, toujours sans prendre la peine de la regarder. « Il y a de l'argent ici. Tu te souviens que j'ai bossé pour une société de ménage ? On travaillait beaucoup dans le coin.

– À piquer plein de montres et de boucles d'oreilles.

– Va te faire foutre, Monsieur Vol à Main Armée. »

Il grogna.

« Combien de temps on va rester ici ?

– Jusqu'à ce qu'on ait fini, répondit-il. C'est pas comme si tu avais autre chose à faire, hein ? Tu as démissionné. » Il attrapa son paquet de cigarettes, en tapota le fond et tira une cigarette avec les dents, comme un caïd de cinéma, ce qui fit frissonner Debbie malgré elle. « Qu'est-ce que tu faisais déjà ?

– Thérapie par le massage. J'ai suivi un cours du soir au centre de la communauté parce que n'importe quoi valait mieux qu'être serveuse. Je croyais que je bosserais dans un de ces jolis salons, tu sais, avec des bougies et de la musique thaïlandaise et où tout sent bon ? Mais au bout du compte, ils demandent tous de l'expérience. Alors j'ai atterri dans cette boîte de la Vingt-cinquième Rue avec l'espoir d'y faire mon trou. Seulement, se souvint-elle en riant, ces types, je commençais par leur dos, mais quand ils se retournaient, ils avaient la trique. Et c'était pas comme ça que je comptais faire mon trou, tu vois ? »

Il se mit à rire en rejetant la tête en arrière, comme il le faisait toujours. Ça lui allait bien. Il était devenu tellement plus calme que ce dont elle se souvenait. Au début des années 90, ils avaient passé du bon temps. À foncer à toute allure dans Lakeshore Drive avec la radio à fond et sa main dans sa culotte, le compteur était à 175 quand elle avait joui. Ou la fois où ils avaient vidé sa réserve d'alcool en commençant par le bourbon et la tequila, puis, quand il n'y avait plus eu rien de potable, en attaquant les restes de la fête : rhum à la noix de coco, vermouth, et pour finir des petits verres de crème de menthe alors que le soleil levant déversait sa lueur rose sur le lino de la cuisine. Bon sang, un sacré bon temps. Ça ne lui déplaisait pas de recommencer.

Au bout du pâté de maison, une porte en verre trembla, projetant le reflet vacillant des arbres embrasés, puis elle s'ouvrit d'un coup.

« Salut, partenaire », dit Evan en écrasant sa cigarette sans quitter le bâtiment des yeux.

Le même homme que celui qu'ils avaient filé l'autre jour sortit. Un type pas mal avec un pantalon de toile et une chemise à col ouvert qui se retourna pour sourire à la brune qui l'avait suivi dehors.

« Comment elle s'appelle ? » Debbie se tourna vers Evan, mais il l'ignora. « Elle est mignonne. »

La femme se pencha en avant et se souleva sur la pointe des pieds pour embrasser le type. Elle avait les mains autour de son cou tandis qu'il avait placé les siennes au creux de ses reins. Ç'avait l'air d'un vrai baiser, pas la petite bise qu'on voyait les couples échanger d'habitude.

« Pour des gens qui baisent ensemble depuis des années, songea Evan, ils ont l'air salement bien ensemble. »

Elle les revit au zoo, lui étendu sur le banc, la tête posée sur les cuisses de la femme. Evan était resté dans la voiture, lui avait demandé de les suivre, de s'approcher aussi près que possible. Mais bien qu'elle se fût assise sur le banc d'en face, elle n'avait pas appris grand-chose. Ils parlaient trop bas, juste l'un pour l'autre. Ils étaient dans leur monde à eux.

« Je suppose qu'ils forment une famille.

– Hein ? dit Evan en se retournant pour la regarder.

– Une famille... Ils sont amoureux. »

Elle s'aperçut que sa voix était teintée de mélancolie. Elle afficha rapidement son air distant, celui qu'elle utilisait avec les types au bar, celui qui signifiait, *tu peux regarder, mais c'est tout ce que tu auras*. Evan la fixait néanmoins du regard comme si elle avait dit quelque chose de profond. C'était la première fois qu'il la regardait vraiment de toute la matinée. Une bouffée de chaleur lui vint aux joues et elle se sentit stupide d'avoir baissé la garde, de s'être ainsi exposée.

« Quoi ?

– Rien, dit-il en secouant la tête. Juste... rien. »

Le type avait ouvert la portière d'un 4 × 4 gris métallisé et balancé son sac sur le siège du passager. Il monta et la femme recula, adoptant une pose déhanchée que Debbie avait vue dans des magazines de cinéma. Comme le 4 × 4 s'éloignait, la femme se retourna avec un grand sourire et reprit la direction de l'appartement. Evan ne démarra pas la Mustang et se contenta de regarder le 4 × 4 descendre la rue.

« On ne le suit pas ? »

Evan secoua la tête.

« Non.

– Pourquoi ?

– Parce que je viens de penser à un moyen de devenir riche et de prendre ma revanche en même temps », répondit-il en lui faisant un sourire, ce petit sourire qui avait un petit quelque chose de dangereux, celui qui lui tournait un peu la tête.

9

Flottant sur des reflets

Au-dessus, le métro aérien passa dans un grand fracas sur les rails circulaires qui donnaient son nom au Loop[1]. Une pluie sinistre assombrissait les façades de parkings en ruine tandis que Danny sortait de la bibliothèque Harold Washington. Huit étages plus haut, des gargouilles d'un vert terni surplombaient la rue telles de sinistres incarnations de sa confusion. De toutes les nombreuses idées qui se bousculaient dans sa tête, l'une dominait les autres.

Venir ici avait été une idée stupide.

Qu'est-ce qui avait bien pu l'inciter à quitter le boulot plus tôt, à conduire jusqu'au centre-ville, à payer un prix exorbitant pour se garer, et à passer trois heures à faire des recherches sur les prisons ? Comment on pouvait appeler ça ? Honte ? Culpabilité ? Idiotie ?

On dit toujours que la connaissance de première main est essentielle, et c'est bien vrai. Aucun livre ne pouvait exprimer

1. Quartier central de Chicago ainsi nommé à cause de la boucle formée par le métro aérien qui le circonscrit (Loop signifie « boucle »). (N.d.T.)

la terreur solitaire qu'on éprouvait lorsqu'on se réveillait dans une cellule de deux mètres cinquante de long, la marque que laissait sur vous le fait de vivre si intimement avec la peur. Aucune quantité de soleil ni d'air frais ne lavait jamais la tache laissée sur votre âme. Ça faisait presque dix ans qu'il avait plongé pour la dernière fois, mais certains matins il confondait encore la sonnerie du radio-réveil avec le signal du comptage des prisonniers, et il lui arrivait encore de devoir se reconstruire au milieu de la nuit après qu'un rêve eut tranquillement détruit sa vie. Aucun doute, la connaissance de première main était une saloperie.

Mais la connaissance de deuxième main avait aussi quelque chose d'horrible. Partageant une table avec un clodo qui piquait du nez sur un oreiller de livres non ouverts, Danny avait lu une prose érudite qui avait réveillé ses démons. Les informations du Bureau de la Justice étaient à elles seules ahurissantes. Avec près de deux millions de détenus, les États-Unis emprisonnaient plus de gens que n'importe quelle autre nation – même que la Russie, nom de Dieu ! De nombreux États dépensaient plus d'argent pour les prisons que pour les écoles. Amnesty International avait même condamné le système carcéral américain.

Et le plus diabolique concernait les détails. Soixante-dix pour cent des détenus étaient illettrés, deux cent mille, des malades mentaux. Si vous étiez un homme de race noire, vous aviez une chance sur quatre de vous retrouver derrière les barreaux à un moment ou un autre, et vous pouviez vous attendre à y rester plus longtemps. Par-dessus le marché, en de nombreux endroits, les anciens délinquants perdaient leurs droits constitutionnels. Le résultat était que dans certains États du Sud, jusqu'à trente pour cent de la population afro-américaine avait à jamais perdu le droit de vote.

Au moins Evan n'est pas noir. Le veinard.

Danny tourna la tête vers le ciel, la pluie était douce sur son visage. Il connaissait plutôt bien la machine qu'il avait dans les tripes, mais ce qu'il ne comprenait pas, c'était ce qui l'avait mené ici aujourd'hui. Était-ce la culpabilité ? Mais pourquoi ? Parce qu'il était parti de la boutique, il y avait si longtemps de cela ? Il revit l'expression sur le visage d'Evan, cette impression que quelque chose d'obscur avait été libéré en lui, une excitation malsaine. Non. Il n'éprouvait aucune culpabilité d'avoir échappé à cette folie. Il aurait vraiment aimé que ça ne se produise jamais, aurait voulu ne jamais voir le sang de l'homme former une flaque par terre, ne jamais entendre les sons qu'émettait une personne endurant ce genre de douleur. De cela il se sentait coupable, aucun doute. Simplement parce qu'il s'était trouvé là, qu'il y avait pris part. Mais ce n'était pas ce qui l'avait mené ici aujourd'hui.

Il s'adossa au mur de briques humide. Des taxis glissaient sans bruit dans State Street, flottant sur les reflets de leurs feux arrière. La pluie avait chassé les sans-abri du parc voisin, et ils se tenaient blottis sur les pas de porte et sous le métro, fumant, le regard fixe. De l'autre côté de la rue, des étudiants de Columbia munis de sacs à dos et de sandales piquaient des sprints sous l'averse, leurs rires terriblement jeunes. La vie continuait.

C'était ça.

La vie continuait. À moins de se retrouver menotté un beau matin à bord d'un bus scolaire aux vitres grillagées, entouré d'une escorte policière. Un bus depuis lequel vous voyiez les gens aller au boulot ou prendre leur petit déjeuner ou rentrer chez eux, des gens normaux pour qui vous aviez cessé d'exister. Parce que, plus que toute autre chose, la prison, c'était l'exil. Il le savait de première et de deuxième main. La prison, c'était l'attente, la routine, un monde où la violence était la seule rupture remarquable dans une suite infinie de jours identiques.

Ils venaient du même endroit, mais lorsqu'Evan avait appuyé sur la détente dans la boutique du prêteur sur gages, leurs chemins s'étaient irrévocablement séparés. À cette idée, Danny éprouva ce vieux sentiment confus qu'il connaissait si bien. Après tant d'années, il n'aurait toujours pas su dire avec certitude si le propriétaire l'aurait descendu cette nuit-là.

Il pensait que non. À sa façon de dégainer son arme, à sa posture, il semblait trop entraîné pour tirer. Et de toute manière, ça ne justifiait pas de l'abattre, de tabasser la femme et de tenter de la tuer. Mais au plus profond de la nuit, se demanderait-il toujours si Evan lui avait sauvé la vie ?

Probablement. Et peut-être était-ce en partie ce qui l'avait amené ici. Mais comme il se tenait là, sous des cieux qui s'assombrissaient, il prit conscience qu'il n'était pas juste question de culpabilité.

Il y avait aussi la peur.

Chaque fois qu'il pensait à Evan, il le revoyait dans la boutique du prêteur sur gages, consumé par la colère et n'ayant pas hésité à faire feu. Celui qui était devenu dingue, qui avait perdu la tête et toute humanité. Mais néanmoins, dans ses moments de calme, un copain. Un partenaire. Un ami d'enfance qu'il avait toujours soutenu.

Mais ça ne fonctionnait pas ainsi. Dans tous ces songes, Danny avait oublié que le temps avait passé pour l'un comme pour l'autre. Il n'avait plus affaire au même homme. Le vrai Evan avait vécu un cauchemar dans une prison de haute sécurité durant sept interminables années. Il en était sorti deux fois plus musclé et deux fois moins bavard. Il s'était adapté à un monde conçu pour dissimuler les plus dangereux des hommes.

Danny releva son col et traversa à la hâte la rue battue par la pluie.

Qui pouvait en sortir indemne ?

10

Ne pas détourner les yeux

Danny reconnut les bottes. C'étaient les mêmes bottes de travail noires cabossées qu'Evan avait portées cette nuit-là, dans une autre vie, sept ans plus tôt. Coque en acier, et une semelle rigide qui faisait bien plus de bruit que les chaussures de jogging pour lesquelles avait opté Danny. Mais ce n'était pas ce qui le souciait maintenant. Ce qui le souciait, c'était qu'il les avait trouvées sur sa table de cuisine en rentrant chez lui.

L'horloge rétro fixée au mur semblait bruyante. Danny pensa aux as de la gâchette du vieil Ouest, le silence avant l'orage des balles. Il posa son sac sur un tabouret, balança ses clefs sur le comptoir. Il conserva un ton calme lorsqu'il parla : « Fais comme chez toi. » L'adrénaline lui chatouillait les doigts, mais il était maintenant trop tard pour faire marche arrière. Il n'y avait pas que les chiens qui pouvaient sentir la peur ; les criminels avaient eux aussi un sacré flair.

« C'est quoi ces Heineken dans le frigo ? »

Penché en arrière, Evan se basculait sur sa chaise, parfaitement à l'aise. Il y avait déjà trois bouteilles vides sur la table, une quatrième était bien entamée.

« Elles sont à Karen.

– Ça a un goût de pisse. »

Danny balaya tranquillement la pièce du regard. Si d'autres surprises l'attendaient, il voulait être au courant. La table était située dans une alcôve sous la fenêtre, inondée du soleil de l'après-midi. Le reste de la cuisine n'offrait guère de lieux où se cacher, juste un petit comptoir et un garde-manger à l'autre extrémité de la pièce. Le garde-manger serait peut-être assez grand pour abriter une personne, mais ses portes en accordéon rendraient la sortie difficile. Depuis combien de temps Evan était-il là ? Et comment savait-il que Danny rentrerait avant Karen ?

« Ça ne t'a pas empêché d'en boire.

– Ça fait un bout de temps que j'ai pas eu le loisir de siroter une bière fraîche. Je rattrape le retard. Évidemment, ajouta-t-il avec un regard dur, toi tu as eu tout le temps, pas vrai ? »

Quelque chose se crispa dans le ventre de Danny, une agitation humide dans ses entrailles, comme le souffle précédant l'arrivée du métro. C'était une vieille sensation familière, mais qui ne lui manquait pas.

Il se retourna, marcha jusqu'au réfrigérateur, attrapa une bouteille, se demanda quoi faire pour avoir l'air détendu, en saisit une deuxième. Il les décapsula et en tendit une à Evan en s'asseyant.

Evan finit d'une traite la bière qu'il avait entamée. Les lignes de ses muscles saillaient sous son t-shirt noir. Les courbes supérieures d'un tatouage bleu-noir dépassaient de son col. Le motif était irrégulier et bâclé. Les tatouages de prison l'étaient toujours. Difficile d'être précis avec une épingle et un stylo-bille.

Danny la joua décontracté, déboutonnant le bouton supérieur de sa chemise et retroussant ses manches, mais son esprit était en surchauffe. Pas moyen de voir d'un bon œil le fait qu'Evan était entré chez lui par effraction. Ça ne faisait qu'accroître la tension entre eux, exigeait de passer à l'action. L'affront était forcément intentionnel. Une seule conclusion à tirer.

Evan passait à la vitesse supérieure.

Il était donc d'autant plus important d'avoir l'air décontracté. La décontraction était une monnaie d'échange. Elle suggérait une absence de peur, un pied d'égalité. Il leva sa bière.

« À la tienne.

– À la tienne. » Ils trinquèrent en se regardant dans les yeux, chacun faisant mine d'ignorer la tension. « Comme au bon vieux temps, hein ? Deux potes qui papotent autour d'une bière, dit Evan d'un ton jovial. Tu sais ce que ça me rappelle ? »

Danny flaira un piège, décida de jouer le jeu.

« Non, quoi ?

– Ce détenu que j'ai rencontré à Stateville. Chico. C'était la tapette de la prison. Il se rasait le torse et portait son survêtement à moitié ouvert. Tu vois le genre ? Il te suçait la bite pour deux paquets de clopes ou un paquet de menthols. Il appartenait à Lupé, ce Mexicain *norteño* balèze, mais ils avaient passé un accord. Chico pouvait s'offrir des à-côtés, tant qu'il partageait les bénéfices. »

Evan s'interrompit, tenant sa bière par le goulot, son regard perçant, implacable, rivé sur Danny. Danny soutint son regard, conscient qu'il valait mieux ne pas détourner les yeux. La tension dans son ventre s'accentua.

« J'étais au trou depuis deux mois quand Chico a eu un nouveau compagnon de cellule, un transféré de dix-huit ans. La rumeur prétendait que c'était le grand amour, que Chico se foutait à genoux devant ce nouveau type sans lui demander de clopes. En vérité, Lupé aurait peut-être toléré ça – il était plus escroc que pédé – mais Chico a poussé le bouchon trop loin. Il a dit à Lupé que c'était fini. Qu'il était une nouvelle femme et arrêtait de travailler. »

Evan marqua une pause pour boire une gorgée de bière.

« Tu sais quoi ? Je commence à changer d'avis sur cette Heineken. »

Danny ne répondit rien, jeta un coup d'œil à l'horloge. Karen allait bientôt rentrer. S'il entendait sa clef dans la serrure, il n'aurait d'autre choix que de faire monter lui-même les enchères. Il aurait trop peur de sa réaction pour lui parler du retour d'Evan. Ce n'était pas l'idée de se faire prendre qui l'effrayait. Il n'avait juste aucune envie de les voir tous deux dans la même pièce. Jamais.

« Enfin bref, deux jours plus tard, Chico et le petit ami sont dans leur cellule à partager un verre lorsque Lupé et ses acolytes débarquent. L'alcool, c'est ça qui m'y a fait penser. Tu connais ce truc, l'alcool qu'on fabrique en prison ? Tu piques des fruits au réfectoire, tu les écrases avec du ketchup et un peu d'eau. Tu laisses le tout fermenter dans un sac pendant quinze jours. La couleur de la moisissure sur le dessus dépend des fruits que tu utilises ; parfois elle est verte, parfois d'un orange dégueulasse. Si tu l'enlèves, le liquide qui reste te démolit. Mais cette saloperie est pire que le gros rouge qui tache. Elle te file un tel mal de tête que tu préférerais être mort, expliqua-t-il en souriant. Rien à voir avec la bière d'importation que tu buvais. »

Où voulait-il en venir ? Cherchait-il juste à montrer combien il était devenu dur ? Pas franchement nécessaire – à le voir, on se disait que si vous le percutiez avec un semi-remorque, c'était le camion qui finissait en charpie. Il y avait autre chose, Danny le savait. Mais il ne voyait pas encore quoi.

« Donc les potes de Lupé sont des membres de gangs sérieux. Au fait, tu sais comment les types des gangs appellent une incarcération pour un jeune ? L'école des gladiateurs. Pas mal, hein ? Enfin bon, ils mettent la main sur nos tourtereaux et ils les bâillonnent sur-le-champ. Lupé entre en dernier dans la cellule. Il s'assure que Chico regarde, et il saigne le petit ami. Il laisse le couteau planté dans la gorge du type. »

Danny ne sentait plus le goût de la bière. Il essayait de conserver un masque impassible, de rester au-dessus de tout ça. Le tic-tac de l'horloge lui faisait penser à une bombe à retardement, à un dispositif au bord de l'explosion.

Evan se pencha en avant, tendit ses bras noueux. Il sentait la bière et les cigarettes.

« Alors Lupé touche le visage de Chico très doucement. Il lui sourit, se retourne et s'en va. Chico pressent ce qui l'attend, il commence à se débattre. On voit qu'il veut tuer ces types, mais c'est juste la tapette de la prison. Ce qu'il veut n'a aucune importance. Après tout, c'est ces trois types les gladiateurs. L'un d'eux l'attrape par la gorge et un autre lui soulève le pied sur la couchette. Les mecs se marrent, deux d'entre eux s'engueulent pour savoir qui va le faire, comme si Chico n'était pas là. Finalement celui sur le lit maintient la jambe de Chico bien tendue, genou bloqué. Le troisième prend son élan et lui saute dessus, un simple bing ! en plein sur le genou. Ça a craqué comme du petit bois. Chico se met à hurler, à tel point qu'on l'entend même malgré le bâillon. Et putain, c'est pas étonnant vu que son os ressort à l'arrière de sa salopette. Les membres de gangs se congratulent et se tapent dans le dos pendant que Chico braille. En tout, ça a pris une minute. Le maton trouve l'alcool, le couteau, le corps du petit ami, et ils décident de faire passer ça pour une querelle amoureuse entre compagnons de cellule. Plus facile que chercher à savoir ce qui s'est passé. C'est ça la mentalité en taule. »

Danny avait la bouche sèche et la tension dans son estomac lui donnait des aigreurs. Il n'y avait pas la moindre trace d'émotion sur le visage d'Evan, rien. Juste le regard intense qui les reliait et qu'il n'osait rompre. Il ravala lentement sa salive.

« Après ça, reprit Evan à voix basse, Chico marchait plus trop bien. Mais je vais te dire. » Il marqua une pause, et le masque de son visage se fissura lorsque ses lèvres fines dessinèrent un sourire cruel. « Il a jamais oublié ce qu'il était. Ni à qui il appartenait. »

Danny, les pieds posés sur le sol, se bascula sur sa chaise. Il avait les mains moites. Il tenta de rassembler ce qui lui restait de décontraction et but une gorgée de bière chaude et éventée.

« Dommage pour Chico. »

À ces mots, Evan se fendit d'un large sourire, mais dénué de toute l'affection que Danny se rappelait de leur enfance.

« J'ai réfléchi à ta proposition. »

Nous y voilà.

« Plie-la en deux et enfonce-la-toi dans le cul. »

Danny haussa les épaules, termina sa bière.

« Tu as une dette envers moi, Danny. Mais j'ai réfléchi à un moyen de régler nos comptes. Et tu vas m'aider, que ça te plaise ou non. »

11

Quelque chose de primaire

La cigarette était aussi douce qu'un baiser volé.

Drôle d'expression, songea Evan, celle de sa mère. Elle disait ça les bons jours, ceux où elle chantait, ceux où elle n'avait pas trop de bleus. Il n'avait pas pensé à elle depuis un bout de temps, mais maintenant, tandis qu'il déambulait dans Lincoln Park, regardant les familles se vautrer dans leurs conneries domestiques, elle lui était venue à l'esprit. Il n'en était pas certain, mais il aurait parié qu'elle n'avait pas eu beaucoup de baisers volés.

Après avoir forcé la fenêtre de Danny et s'être introduit dans l'appartement, Evan avait erré de pièce en pièce. Il ne cherchait rien de particulier. Il regardait simplement. Il s'était attardé sur une photo de Karen souriante en bikini, abritant ses yeux du soleil d'un après-midi perdu. Il avait chié dans la salle de bains principale, avait songé à laisser sa merde flotter dans la cuvette en guise de petit cadeau mais s'était ravisé. Puis il s'était assis et avait attendu, sentant son plaisir croître. C'était agréable d'être à nouveau dans le jeu.

Et le jeu n'en avait été que meilleur quand Danny était arrivé.

Il tira une nouvelle bouffée, fuma la cigarette jusqu'au filtre, sentant la résistance fondre sous l'effet de la chaleur. C'était le meilleur moment, lorsque la cigarette capitulait. Il fit tomber le bout incandescent et jeta d'une chiquenaude le mégot dans l'herbe. L'une des mères présentes dans le parc qui avait à peu près son âge – toujours bien roulée et arborant une coupe de cheveux hors de prix – le fusilla du regard. Il cligna de l'œil puis éclata de rire tandis qu'elle récupérait son fils aux balançoires et s'éloignait en le poussant.

Attention au méchant, gamin. Ta maman, elle a encore un joli petit cul, et suffisamment d'instinct pour comprendre que mieux vaut décamper. Marrant comment ça fonctionnait. Plus vous possédiez – un boulot, une maison, un amant, un gamin – plus vous aviez à perdre. La petite-bourgeoise ne l'aurait peut-être pas exprimé ainsi, elle aurait peut-être choisi de proscrire une telle vérité de son monde bien décoré, mais quelque chose de primaire en elle le comprenait.

Evan sortit son paquet de cigarettes de sa poche de chemise et en tira une. Le soleil lui chauffait le dos et le sommet du crâne, mais le vent était frais. Un après-midi parfait.

Danny avait dit non. Ou du moins il avait essayé. Au bout du compte, il avait accepté d'y réfléchir. Avec le vieux Danny, celui qu'il avait connu, ç'aurait été différent. Mais maintenant il n'était qu'un pion à manipuler, et il flippait autant qu'une tapette de prison ou qu'une petite-bourgeoise.

Mais bon, il possédait tant. Avait tant à perdre.

12

Boulets

« Bon sang. » Patrick se retourna, une main toujours posée sur la rampe, pour regarder Danny de face. « Tu es sérieux ? »

Karen avait cuisiné des pâtes en vitesse, avec de la sauce épicée et une bouteille de rouge. Elle détestait le criminel en Patrick, craignait son impact sur Danny, mais adorait sa personnalité. Ils avaient donc dîné tous les trois, avaient bien ri et passé du bon temps, mais Danny, derrière un masque paisible, bouillonnait et attendait désespérément de parler à Patrick seul à seul.

« Plus jamais.

– Je ne peux pas croire qu'il t'ait demandé ça.

– Ça n'était pas vraiment une question, dit Danny, plutôt un ordre.

– L'encu...

– Baisse la voix. »

Patrick se tourna de nouveau vers le vaste ciel nocturne. Après dîner, Danny l'avait amené sur l'escalier de secours, soi-disant pour que Patrick puisse fumer, mais en réalité pour pouvoir discuter en privé. Un match venait de se terminer mais Wrigley Field brillait encore de mille feux. Les rues grouillaient de supporteurs ivres qui interpellaient des taxis en criant.

« Qu'est-ce que tu vas faire ?

– Je n'en sais rien. » Danny secoua la tête. « Je n'en sais vraiment rien. »

Était-ce seulement l'après-midi de la veille qu'il s'était retrouvé assis à la table de la cuisine, les doigts serrés autour d'une bouteille de bière, à écouter Evan lui proposer un plan qui anéantirait sa vie ? Difficile de croire que si peu de temps s'était écoulé. Il n'avait pensé à rien d'autre depuis, avait à peine dormi, avait passé la nuit à se torturer l'esprit pour trouver une porte de sortie.

« Ton patron, avait dit Evan, il a un môme, pas vrai ? »

Danny avait immédiatement compris ce qui l'attendait, et la peur avait grimpé le long de sa colonne, vertèbre après vertèbre.

À écouter Evan, c'était tout simple, pas de quoi fouetter un chat. Ils enlevaient Tommy ensemble, le planquaient dans un endroit sûr. Ils forçaient Richard à cracher autant de pognon que possible – pas trop avait dit Evan, faut qu'il puisse payer – en échange de la vie de son fils. Ils partageaient le butin et étaient quittes, la dette de Danny était réglée.

« Bon sang ! » Patrick tira sur sa cigarette et le rougeoiement de la cendre laissa voir ses yeux écarquillés et soucieux. « Qu'est-ce que tu lui as dit ?

– Qu'est-ce que tu crois ? Évidemment que non. Et tu sais ce qu'il m'a répondu ? "Réfléchis bien." Il est assis dans ma cuisine, les pieds sur la table, et il me dit de réfléchir. Puis il se balance un peu en arrière et sa chemise se relève. Et il a un flingue enfoncé sous sa ceinture.

– Il t'a menacé avec une arme ?

– Il me l'a juste laissée voir, comme par accident. Puis il a demandé quand Karen rentrait. »

Patrick poussa un soupir.

« Alors il est bien décidé.

– D'après lui, soit on est partenaires, soit je n'honore pas ma dette.

– Tu n'as pas de dette envers lui. »

Danny haussa les épaules.

« Il ne voit pas les choses comme ça. »

Danny était dans de sales draps. La première fois qu'ils s'étaient revus, il y avait eu de la gêne et même un peu de crainte, mais aussi une légère affection contenue. Ils avaient grandi ensemble, enduré le catéchisme ensemble, partagé des menthols chapardés pour impressionner les filles de septième qui portaient des blousons de cuir et trop de laque dans les cheveux. Ils avaient regardé le soleil se lever depuis le toit d'un parking, et Evan, alors âgé de douze ans, avait eu peur de rentrer chez lui après s'être pris un œil au beurre noir en s'interposant entre ses parents. Ils avaient une histoire commune.

Mais lorsqu'il avait trouvé Evan à sa table de cuisine, il n'avait éprouvé que de la peur, un tiraillement dans son ventre qui n'avait fait que croître à mesure qu'il l'écoutait. Son ami était sorti de Stateville changé. Il le filait. L'espionnait. Entrait chez lui par effraction. Et s'il avait fait tout ça, qu'est-ce qui pourrait l'empêcher d'aller plus loin ? Danny frissonna.

« Je dois trouver un moyen de me sortir de ce mauvais pas.

– Mais pourquoi est-ce qu'il a besoin de toi ?

– Je connais Richard. Je connais ses habitudes, je suis allé chez lui. Je connais même l'état de ses finances. Et puis, ajouta Danny, élaborer des plans était ma spécialité.

– Evan a toujours été une brute, rien d'autre. »

Danny secoua la tête.

« C'est ce qu'il aime faire croire. Il est impulsif, et il n'a rien à foutre des gens qui se trouvent sur son chemin, mais il est… » Il laissa sa phrase en suspens, cherchant le mot juste. « …rusé. Il sait néanmoins qu'il aura plus de chances de réussir si c'est moi qui conçois le plan. »

Patrick acquiesça, alluma une cigarette.

« Tu pourrais toujours... commença-t-il avant de marquer une pause. Je veux dire, tu pourrais toujours faire le coup. »

Danny se retourna vivement.

« Tu déconnes, non ?

– Eh bien, c'est juste une hypothèse. Ce serait facile, personne n'est blessé, et Evan te lâche les baskets.

– Tu ne piges pas vraiment la situation, si ?

– Je sais, tu as raccroché, je dis juste...

– Juste cette fois, c'est ça ? Mais c'est des conneries, ça ne marche pas comme ça. C'est toujours la dernière fois qu'on se fait choper. Tu sais pourquoi ? Parce que si on ne se fait pas choper, on recommence. En plus, quand on était dans la boutique du prêteur sur gages à minuit, il n'y avait pas un chat, même à l'intérieur, et pourtant on finit par... » Il s'interrompit, se ressaisit, soupira. « Je ne veux pas retourner dans ce monde. »

Plus loin dans la rue, un taxi klaxonna, produisant un vacarme qui dura cinq secondes, six, huit. Quelqu'un hurla avec colère. Au-dessus de leurs têtes, des nuages indigo filaient sur le ciel noir. Patrick s'écarta de la rampe, ses bottes firent résonner le caillebotis métallique de la sortie de secours.

« Je vais lui parler pour toi. »

Ces paroles arrachèrent Danny à ses pensées.

« Quoi ? Non. »

Il ne lui manquait plus que ça, que Patrick s'en mêle. Il avait assez de personnes à protéger, assez de boulets.

« Écoute, c'est encore mon monde. Laisse-moi t'aider.

– Pas question, répondit Danny. Je vais te dire, ce n'est plus l'Evan de notre enfance.

– Ouais, eh bien, moi aussi j'ai grandi.

– Écoute, dit Danny de sa voix la plus posée. Je sais que tu essaies de m'aider, et j'apprécie. Mais c'est un sale plan. »

Patrick le fixa du regard, comme s'il s'apprêtait à protester. Puis il haussa les épaules, se retourna, jeta sa cigarette dans la rue.

« Comme tu veux. »

Danny acquiesça et vint se poster près de lui.

« Qu'est-ce que tu vas faire alors ?

– J'ai une idée, mais elle ne me plaît pas. » Danny marqua une pause. « Tu te souviens de Sean Nolan ?

– Bien sûr. J'ai tripoté sa sœur au terrain de jeux de St. Mary. Il m'a pourchassé pendant une semaine. Il comptait bien me casser la gueule. Maintenant il est flic, toujours à la paroisse. Pourquoi ? »

Danny se contenta de regarder fixement le ciel, laissant Patrick deviner par lui-même. C'était marrant, la réponse, bien que parfaitement évidente, était si contraire aux anciens principes de Danny que Patrick mit une minute à comprendre.

« Bon Dieu ! lâcha-t-il, sa surprise laissant poindre une trace de l'accent irlandais de son père. Tu vas aller voir les flics ?

– Juste un flic. Un type avec qui nous avons grandi, un type du quartier. »

Patrick siffla entre ses dents.

« Enfin, je ne suis pas encore sûr. J'y songe juste.

– Mais...

– Qu'est-ce que vous fabriquez, les garçons ? »

Karen grimpa sur l'escalier de secours, tenant avec une aisance professionnelle trois bouteilles de bière dans une main. Elle se retourna pour fermer la porte derrière elle et Danny jeta à Patrick un petit coup d'œil de mise en garde. Il n'avait pas parlé à Karen de la visite d'Evan. Soi-disant pour ne pas l'effrayer. Mais il savait que ce n'était qu'en partie vrai.

« On mate juste les ivrognes, répondit-il.

– Et les filles, hein ? » Elle sourit, leur tendit à chacun une bouteille. « À ce propos, Patrick, j'ai une amie que tu dois rencontrer. Une infirmière. »

Les deux hommes échangèrent un regard. Puis ils éclatèrent de rire, un fou rire qui venait de l'intérieur, sonore, incontrôlable, chacun entraînant l'autre jusqu'à avoir les larmes aux yeux et le souffle coupé, jusqu'à avoir mal aux côtes tandis qu'ils se laissaient tomber dans des chaises longues. Karen leur jeta un regard dubitatif.

« Qu'est-ce que j'ai dit ? »

Et ils se remirent à rire de plus belle.

13

Mieux vaut rugir

Le fil du couteau à cran d'arrêt chatoyait déjà d'un éclat liquide, mais il avait tout de même sorti la pierre à aiguiser. Patrick inclina le couteau à trente degrés et l'affûta d'un geste appliqué. Une, deux, trois fois. Et à chaque coup, il repensait à la veille au soir et sentait sa colère croître.

« Il t'a menacé avec une arme ?

– Il me l'a juste laissée voir, comme par accident. Puis il a demandé quand Karen rentrait. »

Le pauvre Danny avait tenté de paraître relax, mais il n'avait eu aucun mal à discerner la fureur derrière ses paroles. Et il y avait aussi autre chose. Une espèce d'impuissance étrange qui rendait Patrick malade. Il savait ce que c'était : Danny était devenu un citoyen honnête.

Et les citoyens honnêtes étaient des proies.

Après avoir obtenu un beau tranchant, il retourna le couteau pour s'attaquer à l'autre côté de la lame.

Après l'arrivée de Karen, ils avaient bu quelques bières en discutant de sujets anodins. Patrick leur avait raconté l'histoire de cette fille qu'il avait rencontrée deux ans plus tôt, une nana de vingt ans qui lui avait expliqué qu'elle vivait chez son père. Ils avaient bu quelques verres et, une chose menant à une autre, avaient fini chez elle, sur le comptoir de la cuisine par-dessus le marché.

« Vous voyez le topo : on est en pleine action, tout se passe bien. Puis j'entends une porte s'ouvrir. Alors je panique, j'attrape mes fringues en me disant que je ferais mieux de me tirer par la fenêtre avant que son père ne me braque avec un fusil de chasse, pas vrai ? » Danny avait éclaté de rire et Karen avait roulé des yeux. « Mais vous savez ce qu'elle dit ?

– Quoi ?

– Elle dit, "C'est bon... papa aime bien regarder." » Il avait marqué une longue pause jusqu'à ce que Karen et Danny trépignent d'impatience, puis avait repris. « Elle n'arrêtait pas de parler de son *cher papa*. Mais le type en question était un courtier de soixante ans qui aimait bien regarder sa strip-teaseuse s'envoyer d'autres types. »

Ils avaient tous éclaté de rire et la conversation avait repris son cours normal, ils s'étaient raconté des histoires, des plaisanteries. Danny était assis dans l'une des chaises longues et Karen s'était installée sur l'accoudoir, appuyée contre lui, l'air parfaitement heureuse, deux moitiés d'un tout. Et Patrick avait dû regarder l'éclat des yeux de Karen, la peur dans ceux de Danny, et faire comme si de rien n'était. Ç'avait été dur.

Mais c'était devenu encore pire.

Comme il partait, ils l'avaient tous deux raccompagné jusqu'à sa moto, le vent d'octobre faisant s'entrechoquer les branches nues, les nuages filant au-dessus de leurs têtes. En voulant prendre ses clefs dans la poche de son blouson, il s'était aperçu qu'il ne l'avait pas sur lui, qu'il l'avait oublié dans l'appartement. Danny avait proposé d'aller le chercher et l'avait laissé seul avec Karen.

« Écoute, encore merci. Les seules fois où je mange de la nourriture qui ne vient pas d'un restaurant, c'est quand vous m'invitez.

– C'est tout bon », avait-elle répondu en riant.

Puis elle avait croisé les bras pour se protéger du froid, avait souri. Et un silence s'était installé. Juste l'un de ces moments qui se produisent lorsque deux personnes habituées à la présence d'une troisième se retrouvent seules et ne savent pas vraiment quoi se dire. Il avait essuyé une tache sur le chrome de sa moto, elle avait levé les yeux vers le ciel. Puis, sans prévenir, elle l'avait surpris.

« Est-ce que Danny est heureux ?

– Hein ? » Il s'était redressé, cherchant à afficher un masque impassible. « Qu'est-ce que tu veux dire ?

– Je veux dire, je sais qu'il est *heureux*, plus ou moins. » Elle avait repoussé ses cheveux derrière ses oreilles. « Mais parfois j'ai le sentiment qu'il... je ne sais pas, que son ancienne vie lui manque.

– Qu'est-ce qui te fait croire ça ?

– Rien de particulier. Il est parfois distrait, comme s'il pensait à autre chose. Et je me suis dit, tu sais, qu'il ne me le dirait pas, mais qu'il t'en avait peut-être parlé. »

Elle le regardait avec sérieux, comme si elle voulait vraiment savoir.

« Je ne peux pas... Enfin, Danny est comme mon frère.

– Je sais, je ne te demande pas de...

– Attends. » Il soupira. « Écoute, je suis un truand. C'est ça mon boulot, d'accord ? Et c'est bien comme ça. Mieux que bien. Et Danny faisait la même chose, lui aussi. Les fois où on a bossé ensemble, ç'a été les coups les plus faciles que j'aie jamais eus. Et j'ai une confiance absolue en lui. Alors j'adorerais que Danny revienne bosser avec moi. »

Elle acquiesça, plissant légèrement les yeux.

« Mais il y a une chose que je préférerais le voir faire. » Il marqua une pause. « Tu sais quoi ? »

Karen secoua la tête.

« Ne pas revenir. » Il l'observa tandis que ses mots produisaient leur effet. « Il est heureux, Karen. Je ne l'ai jamais vu aussi heureux. Peut-être que le passé lui manque de temps à autre, l'espace d'une seconde. Mais sa place est avec toi. Et il le sait. »

Elle lui avait alors fait un sourire, pas de ceux qu'on fait sur demande, mais de ceux qui proviennent du plus profond de soi. De ceux qu'on ne peut éteindre.

« Merci. »

Elle l'avait serré dans ses bras et il l'avait laissée faire. Mais il savait ce que Danny lui cachait. Il savait que les craintes de Karen n'étaient rien à côté de la vérité. Et c'est à cet instant qu'il avait pris sa décision.

Il acheva d'aiguiser le couteau et testa le tranchant sur l'ongle de son pouce. Une infime pression suffit à laisser une marque. Il le replia et le glissa dans sa botte, puis il attrapa ses lunettes de soleil et sortit de ce qui avait été autrefois un bureau de direction mais qui était désormais sa chambre.

La station-service était abandonnée depuis trois ans quand Danny lui avait suggéré l'idée. Après tout, y avait-il un meilleur endroit pour garer une dépanneuse ? Il pouvait même y entreposer des marchandises en cas de force majeure. Non pas qu'il gardât les choses très longtemps – il aurait fallu être complètement idiot pour laisser traîner des preuves dans son jardin – mais ça ne faisait pas de mal d'avoir une planque à disposition.

De plus, contre toute logique, les femmes adoraient l'endroit. Une fois les taches d'huile nettoyées au jet d'eau, les chambres repeintes et la douche astiquée, même les types plutôt classieux y trouvaient un côté artistique. Que Dieu bénisse les yuppies et leurs lofts.

Ses bébés étaient à l'abri dans le garage. Il envisagea brièvement la dépanneuse, puis écarta l'idée. Bonne couverture, mais pas assez de style. Mieux valait se pointer sur une moto rugissante. Il caressa de la paume la Triumph qu'il avait reconstruite de ses propres mains, 750 centimètres cubes de moteur étincelant et de chromes personnalisés fixés au même châssis que celui qu'enfourchait Marlon Brando dans *L'Équipée sauvage*. Pas la peine d'être un mauvais garçon si vous n'aviez pas d'allure. Il déverrouilla la porte roulante à l'avant du garage et la souleva dans un fracas de ferraille.

Il marqua une pause pour embrasser le bout de ses doigts et tapoter le médaillon suspendu à son établi. C'était la mère de Danny qui le lui avait donné, des millions et des millions d'années plus tôt. Saint Christophe, à demi voûté, portant sur son dos un petit Jésus plein de bourrelets. Le saint patron des voyageurs. Un type qui aidait ses potes.

Ça l'ennuyait de ne pas tenir promesse, mais il ne voyait pas d'autre solution. Tout était allé de travers. Danny aurait dû se rappeler que la seule manière de faire reculer un type comme Evan était de s'imposer. Ça fonctionnait ainsi. La force ne respectait que la force. Mais Patrick pouvait comprendre sa position, voir comment il en était arrivé à oublier une règle aussi élémentaire. Il était rentré dans le rang, et il devait penser à Karen.

Mais c'était à ça que servaient les amis. Et Patrick estimait que son plus vieil ami serait plus heureux s'il prenait lui-même les choses en main.

Alors c'est ce qu'il allait faire. Tout comme saint Chris.

Il enfourcha la moto, sentit le cuir moelleux entre ses jambes. L'engin se mit à rugir au premier tour de clef. Il fit craquer ses doigts, chaussa ses lunettes de soleil et délogea la béquille. Il sortit du garage et prit la direction du sud, laissant son casque derrière lui.

14

Entre deux mondes

Evan était là. Quelque part.

À travailler sur sa voiture, la radio branchée sur une station de rock classique, un chiffon dans sa poche revolver. À suer sur son banc de musculation. Ou peut-être assis de l'autre côté de la rue avec un flingue sur les genoux.

Ce qui signifiait qu'il était hors de question de se lever pour aller bosser. Danny avait besoin de temps pour réfléchir. De plus, il ne voulait pas regarder Richard dans les yeux, pas encore. Alors il avait téléphoné, prévenu qu'il avait besoin de la journée pour régler des affaires personnelles.

Puis il s'assit et but une tasse de café avec son défunt père.

Il passait ses choix en revue lorsque ça se produisit. D'après lui, il n'en avait que quatre. Il pouvait refuser d'aider Evan et courir le risque que celui-ci s'en prenne à lui, qu'il anéantisse sa vie. Il pouvait décamper, quitter sa maison, son boulot et la ville dans laquelle il avait passé toute sa vie. Il pouvait balancer Evan aux flics, ce qui allait à l'encontre de tous ses principes. Ou il pouvait aider Evan et mettre en danger son couple, son estime de soi, voire sa liberté.

Son père apparut alors qu'il en était à la dernière option, sa mâchoire carrée dessinant une grimace désapprobatrice.

« Je sais, dit Danny. Je sais. Je suis juste en train de réfléchir, O.K. ?

Après l'accident, son père avait commencé à venir assez régulièrement. Danny se réveillait dans la prison de County Cook et le trouvait perché sur le bord de sa couchette. Ou assis à la place du mort tandis qu'il allait retrouver Evan pour un coup. Il avait cessé d'apparaître à l'époque où Danny avait raccroché, sept ans plus tôt. Mais maintenant, paf ! Il était de nouveau là, un bras posé sur le dossier de la chaise, sa main gauche tapotant la table, faisant jouer l'arête blanche de la vieille cicatrice causée par une scie circulaire. Danny se l'imaginait rarement en train de parler, mais, comme lors de son vivant, ses yeux en disaient long.

« Tu sais ce qu'il me faut, papa ? demanda Danny. Un joker. »

Le truc pour résoudre un problème, avait-il découvert, était de l'envisager comme un jeu de cartes. Au premier coup d'œil, un rectangle implacable. Mais si vous étaliez les cartes en éventail, si vous commenciez à considérer que vous aviez le choix, vous trouviez généralement une solution. Le mieux, c'était le joker, la carte à laquelle personne ne pensait au cours d'une partie normale. Le joker était la solution à laquelle les gens ne pensaient pas, la carte qui vous donnait l'avantage.

Le seul problème était qu'il avait beau battre le jeu et redistribuer, il ne tombait jamais que sur des variations mineures des quatre options déjà envisagées. Il ne voyait pas de solution qui ne mettrait pas en danger tout ce à quoi il tenait. Une solution qui ne laisserait pas son passé empoisonner son avenir.

Son père cessa de tapoter la table, retourna la main pour examiner ses ongles tout en conservant un silence accusateur. Danny lui lança un regard furieux.

« Ah, qu'est-ce que tu peux comprendre ? Tu es mort. »

Il écarta son père de son esprit et recommença de battre les cartes. Il était encore à table deux heures plus tard, lorsque

Karen entra dans la pièce vêtue d'une culotte et d'un t-shirt blancs de *baby-doll* en se frottant les yeux d'une main.

« Tu vas bien ? » demanda-t-elle.

Il acquiesça, lui expliqua qu'il avait des choses à régler à la maison. Elle se versa du café et se laissa glisser sur une chaise, serrant la tasse pour se réchauffer les doigts.

« C'était sympa de voir Patrick hier soir, dit-elle en bâillant.

– Hein ? Ah, oui. »

Elle but une gorgée de café, lâcha un grand soupir de contentement.

« Hé, pourquoi est-ce que vous rigoliez ?

– Juste parce que… eh bien, Patrick trouve amusant le fait que tu cherches à lui faire rencontrer quelqu'un. Il pense que tu essaies de le sauver. »

Elle sourit.

« Je suppose qu'il a raison.

– Il va bien, Kar. Il est heureux.

– Je sais. Je me rends compte que je peux être un peu vache à son égard. C'est idiot de ma part, mais parfois je lui en veux d'être toujours… tu sais. Je me fiche de la manière dont il gagne sa vie, c'est juste que…

– Je sais, chérie.

– Mais bon, j'ai réfléchi à hier soir et j'ai décidé que c'était stupide. C'est ton ami, point final. Enfin quoi, je sais que tu ne vas pas revenir en arrière. »

Il conserva un regard neutre tandis que son cœur et sa tête se livraient un combat. Il aurait voulu lui parler d'Evan, tout lui raconter, vider son sac. Trouver du réconfort dans ses bras et discuter. Peut-être qu'elle l'aiderait à trouver son joker.

Ou peut-être qu'elle déciderait que le moment était venu de passer la main. Elle ne lui avait lancé qu'un seul ultimatum depuis le début de leur liaison – s'il replongeait, elle partait pour de bon.

« Donc, poursuivit-elle, je vais essayer d'être adulte et de ne pas en vouloir à Patrick. »

Il se sentait sale mais continua de parler d'un ton léger :

« Je crois qu'il serait heureux si tu arrêtais de lui monter des cabanes.

– O.K. Même s'il devrait vraiment rencontrer Jenny. »

Malgré tout – malgré lui-même – il éclata de rire.

Elle se leva, alla de son côté de la table et se glissa sur ses genoux, un bras autour de ses épaules. Elle portait encore sur le visage les légères marques rouges de l'oreiller et le café couvrait à peine son haleine du matin, mais même ainsi, elle était rayonnante.

« Je t'aime, chéri. »

Son cœur se serra à tel point qu'il ne put plus parler, et il se contenta de l'embrasser, la serrant contre lui, sentant sa peau douce et chaude. Lorsqu'elle se releva et s'éloigna doucement, il la regarda partir, ses pieds nus sales, roulant légèrement des hanches.

Il attendit jusqu'à entendre la douche puis décrocha le téléphone sur le comptoir et composa un numéro. Certains jeux n'avaient pas de joker.

« Pourrais-je parler à Sean Nolan ? »

Le restaurant de West Belmont était coincé entre des ateliers de mécanique automobile et des entrepôts. De l'autre côté de la rue, des immeubles de trois appartements étaient couverts de panneaux arborant des logos d'agences immobilières sélectes, en anticipation du jour où Wicker Park et Lakeview seraient définitivement et irrémédiablement pleins. Mais pour le moment, il y avait plus de panneaux que de locataires. À l'intérieur du restaurant, la lueur vive des éclairages au néon se reflétait sur les lambris et la caisse enregistreuse. Un cuisinier chauve, pas obèse, mais gros façon Chicago, s'activait derrière le gril.

Assis au milieu du comptoir, Nolan scrutait d'un œil soupçonneux un menu plastifié tout en faisant tourner son alliance. Son costume brun était trop bien ajusté pour qu'il portât un gilet pare-balles en dessous.

« Bonjour, Sean.

– Danny. »

C'était un salut neutre qui ne donnait aucune indication sur son état d'esprit. Malgré ses yeux humides et ses pattes d'oie, il avait bonne mine.

« Ça fait un bail.

– Dix ans ? Depuis le jour où tu as récupéré Marty Frisk à la sortie de la cellule de dégrisement. »

Danny secoua la tête.

« Je t'ai vu il y a deux ans quand tu étais toujours en uniforme.

– Ah oui ?

– Tu ne m'as pas vu. Tu sortais d'un 7-Eleven dans le quartier du Loop.

– Pourquoi tu n'as pas dit bonjour ? »

Parce que ça ne faisait pas assez longtemps qu'il avait raccroché. Parce qu'il n'était pas assez ancré dans sa nouvelle vie. Parce qu'il avait peur que le regard de Sean ne le mette en miettes et confirme qu'il n'était jamais qu'un voleur avec une adresse dans les beaux quartiers.

« Je t'ai appelé. Tu n'as pas dû m'entendre. »

Le flic grommela. Danny se glissa sur le tabouret recouvert de vinyle, retourna la tasse posée sur le comptoir pour faire venir le cuisinier. L'odeur du bacon qui crépitait sur le gril lui noua l'estomac.

Était-il dingue d'être assis là avec Nolan – l'inspecteur Nolan – pour résoudre un problème ? Son instinct d'ancien escroc lui disait que oui.

D'un autre côté, son instinct ne l'avait pas mené bien loin.

Le cuisinier approcha, une cafetière dans une main, une spatule dans l'autre. Danny commanda un sandwich bacon, laitue, tomate. Nolan, des blancs d'œufs, du lait écrémé et des toasts.

« J'ai entendu dire que tu étais marié.

– Oui, répondit Nolan. Deux enfants, un garçon et une fille.

– Toujours dans le quartier ?

– Ma famille a déménagé à Beverly il y a dix ans, et Marie-Louise et moi avons suivi quand Tracy est née. C'est bien. Pas de gangs, tout le monde vient dire bonjour à la parade de Saint-Patrick. Le dimanche, je fume un cigare et j'arrose ma pelouse. Tu veux voir des photos ou tu vas me dire pourquoi je suis ici ? »

Danny but une gorgée de café. Il lui trouva un goût amer.

« Tu sais que j'ai aussi quitté le quartier.

– J'ai entendu ça.

– Je travaille dans le bâtiment, en tant que directeur de projets. J'ai un appartement à Lakeview. Rien d'extraordinaire, mais il est à moi, tu vois ? »

Nolan acquiesça légèrement, sans rien trahir.

« C'est agréable d'avoir un endroit à moi. Quelque chose... » Il hésita, ses vieilles habitudes le rendant nerveux à l'idée de faire la moindre confession. « Quelque chose d'honnête. »

Le cuisinier posa leurs commandes devant eux sur des assiettes en plastique blanc, puis, d'un geste vif, il ôta la graisse de la spatule qu'il reposa avant de regagner le bout du comptoir. Nolan plaça un peu d'œuf sur son toast, prit une bouchée. Sa froideur, son refus de s'impliquer contrariaient Danny.

« Je croyais que les flics aimaient les beignets, dit-il d'un ton enjoué, tentant d'engager la conversation sans le mettre en rogne.

– Je croyais que les criminels restaient des criminels. »

Danny rit.

« Je suppose qu'on se trompait l'un comme l'autre. »

Nolan le jaugea longuement.

« Peut-être. »

Le café ne valait peut-être pas le détour, mais le sandwich était délicieux. Danny mordit à nouveau dedans avant de poursuivre.

« C'est marrant. Quand j'ai commencé à bosser dans le bâtiment, tu sais ce dont je me suis rendu compte ? Que le fait d'avoir été un voleur m'avait aidé à m'en sortir.

– Comment ça ?

– Des petits trucs. Savoir marchander, négocier. Être capable de prévoir. Mais surtout, dans les deux cas, il faut savoir quand prendre des risques.

– C'est ce que tu fais en ce moment ? Tu prends un risque ? »

Danny acquiesça.

« Parce que je suis de la police, dit-il en insistant sur ce dernier mot.

– Oui.

– Donc, tu n'es pas irréprochable.

– Oh, à cent pour cent. Je bosse, je paie mes impôts. Je suis un type honnête. »

Nolan haussa les épaules.

« Alors pourquoi tu m'offres un petit déjeuner ? Dis-moi juste pourquoi. »

Danny sentit son estomac se serrer.

« J'ai un problème. »

Nolan remit de l'œuf sur son toast, se contentant d'attendre la suite.

C'est le moment d'entrer dans la danse, gamin.

« Quelqu'un me harcèle. Me traque. Ma petite amie, Karen, je crois qu'il la surveille aussi. Vendredi, il est entré chez nous par effraction. »

Cette déclaration attira l'attention de l'inspecteur.

« Il a volé quelque chose ?

– Non. Il m'attendait. »

Nolan plissa les yeux.

« Il t'attendait pour faire quoi ?

– Pour parler. Nous menacer.

– C'est donc quelqu'un que tu connais. »

Danny fit signe que oui.

« Tu as porté plainte ?

– Ce n'est pas si simple.

– Pourquoi ?

– Parce que... » Danny but une nouvelle gorgée de son café amer. « Tu sais le genre de réponse qu'obtient un ancien criminel quand il demande de l'aide ?

– Pourquoi crois-tu que je t'aiderai davantage ? »

C'était une question sur laquelle Danny n'avait pas voulu se pencher de trop près. Nolan avait trois ou quatre ans de plus que lui, et s'ils avaient eu des amis communs – impossible d'y échapper quand on grandissait dans un quartier irlandais de South Side qui leur appartenait de moins en moins chaque jour – ils n'avaient jamais été proches. Mais même lorsque Nolan était entré à l'école de police et que le reste de ses amis avait commencé à le mépriser, Danny était demeuré respectueux. Pas la peine de se le foutre à dos, avait-il pensé à l'époque. Pas la peine d'attirer son attention.

Le raisonnement était un peu maigre pour placer ses espoirs en Nolan, il le savait. Mais c'était lui ou personne. Qu'était-il censé faire ? Appeler les flics ? Il n'avait rien à leur dire, enfin pas vraiment, et il connaissait trop bien la procédure policière pour vouloir qu'on s'intéresse à lui. Karen savait tout de son passé, bien sûr, de même que Patrick, mais pour ce qui était du reste du monde, Danny avait toujours bossé dans le bâtiment. Il avait menti pour obtenir son premier boulot d'ouvrier – plein de gens le faisaient, la plupart du temps des Latinos sans papiers – mais il avait atteint un stade où ce genre d'attention lui serait nuisible. Comment réagirait Richard s'il découvrait qu'il avait confié la direction de son affaire à un homme dont le casier comportait deux condamnations ?

Et ça, c'était en supposant que tout se passe *bien*. Car il risquait bien plus qu'une simple atteinte à sa réputation. Si Evan le balançait pour l'affaire du prêteur sur gages, il pouvait être inculpé. Perdre son boulot, sa liberté, voire même Karen. Retourner sept ans en arrière – plus, si l'on comptait le temps qu'il passerait en prison.

Cette conversation n'en était donc que plus délicate. Danny comptait sur la discrétion de Nolan, ce qui était pour le moins risqué. À cette idée, Danny sentit une brûlure d'estomac.

« Nous ne nous devons rien, je le sais. Mais ça fait des années que je me comporte de façon exemplaire. J'ai bossé comme toi pour gravir les échelons, comme tout le monde. Je n'ai rien demandé à personne – je l'ai fait seul, et dans les règles. » Il hésita. « Je suis inquiet. Pour moi, pour Karen, pour... »

Il s'interrompit. Inutile d'évoquer Richard ou Tommy.

Nolan reposa sa fourchette, se tourna vers lui pour la première fois et scruta le visage de Danny comme s'il y cherchait un indice.

« Qu'est-ce que tu ne me dis pas ? »

La brûlure dans son estomac empira. Il détacha un morceau de bacon, mâcha lentement. La viande n'avait plus aucun goût. Point de non-retour. Une fois cette ligne franchie, il ne lui resterait plus rien de cet honneur qui unissait les voleurs. *Cartes sur table, gamin.*

« C'est Evan McGann. »

Nolan demeura un moment silencieux. Il se pencha de nouveau vers son assiette, planta sa fourchette dans un bout d'œuf et le porta à sa bouche avant de mâcher vigoureusement. Lorsqu'il eut fini, il regarda de nouveau Danny.

Et éclata de rire.

« Je ne plaisante pas, Sean. »

Danny s'accrocha au comptoir. Il avait l'impression qu'il allait tomber de son tabouret, de la surface de la planète.

« Oh, je te crois. »

Nolan, hilare, avait le visage rouge, ses taches de rousseur sombres ressemblaient à une projection de chevrotine. Danny l'observa en silence, laissant les secondes s'écouler, sentant la pression croître dans son ventre. Le rire s'atténua enfin. Toujours joyeux, Nolan termina son assiette et lança, la bouche pleine, faisant gicler des petits bouts d'œuf :

« C'est le moment de payer pour tes erreurs, hein, Carter ? »

Le cœur de Danny se serra. Nolan ne l'aiderait pas plus qu'un autre flic. Il avait franchi la ligne pour rien.

« Sean, dit-il, tentant de conserver un ton neutre et calme. Nous avons peur. Evan ne plaisante pas.

– Je n'en doute pas. Il te fait sans doute un peu la gueule d'être tombé seul la dernière fois, hein ? Bien sûr, tu n'es au courant de rien. Tu n'étais pas là, pas vrai ? »

Danny s'efforça de regarder fixement l'inspecteur.

« J'ai toujours été un petit joueur. Tu le sais. Bon sang, on a grandi dans le même quartier.

– Conneries. » Du rouge de l'hilarité, le visage de Nolan passa à une teinte plus dangereuse. « Conneries, Danny. Ne me la fais pas.

– Tu ne vas pas m'aider.

– T'aider à quoi ? Ton ancien partenaire est en ville, il attend quelque chose de ta part ? Tu es dans le bâtiment, pas vrai ? Alors qu'est-ce qu'il veut ? »

Danny ne répondit rien.

« Ouais, c'est ce que je pensais. Quoi, il veut un vieux magot que tu as dépensé au lieu de le partager ? Ou il est juste furax que tu l'aies planté ? Tu étais dans la boutique du prêteur sur gages, n'est-ce pas ? »

Danny ne pouvait l'avouer, mais il ne voyait pas à quoi ça servait de discuter.

« Tu me fais marrer, vraiment. Tu es honnête ? Grand bien te fasse. La plupart des gens l'ont été toute leur vie. Tu voudrais un traitement de faveur sous prétexte que tu t'es amendé ?

– Le même traitement que les autres me suffirait.

– Un citoyen ordinaire appellerait la police pour lui raconter toute l'histoire. Mais tu ne peux pas faire ça, pas vrai ? »

Danny secoua la tête.

« Et ça me dit tout ce que j'ai besoin de savoir. Il est temps de payer les putains de conséquences. Il est même un peu tard, à mon avis.

– Sean...

– On m'appelle inspecteur. » Nolan se leva en époussetant les miettes sur son pantalon. « Eh Danny ! Un bon conseil. Puisque c'est toi qui m'as appelé, je ne vais pas pousser les choses plus loin. J'ai mieux à faire que ressortir des casses vieux de dix ans. Mais je vais te surveiller. Au moindre faux pas, même le plus infime, je t'envoie direct à Stateville. Là où tu devrais être. » Il jeta sa serviette froissée sur le comptoir. « Merci pour le petit déjeuner. »

La cloche tinta lorsqu'il sortit, laissant Danny seul au comptoir, officiellement entre deux mondes. Il se prit la tête entre les mains et soupira. À cet instant, s'il en avait eu la possibilité, il aurait peut-être recommencé sa vie depuis le début.

15

Étoiles blanches

Trouver ce salopard s'avérait plus difficile qu'il ne s'y attendait.

Patrick avait commencé par Murphy's. C'était une institution chez les ouvriers, un bar de quartier mal éclairé et tout en longueur coincé entre des lotissements grisâtres. Dans la devanture, une poussière épaisse recouvrait une enseigne Guinness éteinte. À l'arrière se trouvait une table de billard cabossée.

Ça faisait trente ans que Smilin' Jimmy servait des pintes sans jamais se départir de son éternelle mine renfrognée qui lui avait valu son surnom. Patrick le salua, commanda un whiskey et une bière. Jimmy savait tout ce qui se passait dans le quartier, mais vous ne pouviez pas le questionner de but en blanc. Il fallait y mettre la manière. Pour le faire parler, vous deviez commencer par les chevaux, aussi Patrick écouta-t-il – pour ce qui devait être la centième fois – Jimmy lui expliquer son système infaillible pour miser sur les gagnants. Il savait que mieux valait ne pas demander pourquoi l'inventeur d'une martingale aussi infaillible avait toujours besoin de faire le serveur dans un bar.

Lorsque Jimmy fut plus détendu, Patrick lui posa la question sur un ton badin, comme s'il demandait juste des nouvelles d'un ami.

« Evan McGann ? répéta le serveur en lui jetant un regard noir. Le type balèze qui faisait de la boxe ? Oui, il est venu.

– J'ai entendu dire qu'il est sorti de Stateville récemment. Je ne l'ai pas vu depuis. J'aimerais le revoir.

– Il repassera à coup sûr.

– J'ai peut-être du boulot pour lui, mentit Patrick. Il a dit où il habitait ?

– Non. »

Le serveur se mit à essuyer le bar en bois avec un chiffon crasseux. Les jointures de ses doigts étaient épaisses et noueuses.

« Il n'a même pas dit s'il était dans le quartier ? »

Jimmy cessa d'astiquer, leva la tête. Ses yeux froids et distants étaient ceux d'un homme qui avait passé sa vie à interrompre des bagarres entre jeunes délinquants.

« Il a rien dit, et je pose pas de questions. »

Patrick saisit le message. Murphy's était un bar de quartier. On ne demandait pas à un type comme Jimmy de faire courir des ragots. C'était une violation de neutralité.

Il passa le reste de l'après-midi à parcourir sa carte personnelle de Chicago. Pas une carte pour touristes, mais un méli-mélo de réserves pleines de caisses d'alcool, de boîtes de paris clandestins, de petits restaus qui puaient le chou, de ranches miteux aux cuisines transformées en labos de fabrication de drogue. Si Evan projetait de se remettre au boulot, il devait faire savoir qu'il était de retour en ville. Ce n'était pas comme dans les films où chacun travaille dans son coin. Il y avait une communauté, et la réussite dépendait en partie du fait que les gens reconnaissaient ou non votre bonne foi.

L'après-midi n'avait mené nulle part. Pour un homme qui prétendait vouloir réintégrer le milieu, Evan avait été étonnamment discret. Patrick rentra chez lui en se disant qu'il serait peut-être obligé de passer les quelques jours suivants chez Murphy's en attendant qu'Evan se montre.

Le lendemain matin, un lundi, il eut une idée. Evan était fauché le jour où il avait attendu Danny dans sa cuisine.

Il y avait de nombreuses manières de se procurer un pistolet. La plus sûre était d'en voler un à un type qui n'était pas du milieu. Comme ça, vous saviez que le flingue n'avait pas servi – les flics pouvaient toujours vous inculper pour possession d'arme, mais vous n'auriez pas à répondre d'un meurtre commis par un autre. Mais ça exigeait du travail sur le terrain, et plus de patience qu'Evan n'en avait. Et Patrick ne l'imaginait pas non plus traquant l'un de ces gamins noirs qui revendaient des armes planquées dans un coffre de voiture.

Ce qui signifiait qu'il était allé chez un prêteur sur gages.

Il trouva la boutique au troisième essai. AAA – PRÊTS SUR GAGES, proclamait l'enseigne. NOUS ACHETONS ET VENDONS DE L'ÉLECTRONIQUE ET DES BIJOUX EN OR ! Ce qu'elle ne disait pas, c'était que Rashid faisait un commerce illégal et florissant de pistolets volés.

« Patrick, mon ami ! »

C'était un immigré de la seconde génération qui parlait parfaitement anglais mais affectait des structures de phrases maladroites par une sorte de prétention inversée qui déconcertait Patrick.

« Mais bien sûr je l'ai vu. Nous avons fait des affaires juste la semaine dernière.

– Quel genre d'affaires ?

– Ton ami avait de jolis bijoux pour moi, des boucles d'oreilles et un collier.

– Et tu lui as fait un bon prix.

– Bien sûr, bien sûr. Comme toujours.

– Une partie en échange, dit-il. Pas vrai ? »

L'homme hésita, ne répondit rien.

Patrick produisit son portefeuille, feuilleta lentement et ostensiblement ses billets.

« Mon ami t'aurait-il dit où il vivait ? »

Rashid sourit.

« Je crois qu'il me l'a dit, mais je ne me souviens plus exactement où. »

À partir de cet instant, il n'eut plus qu'à marchander.

Rashid ne connaissait pas l'adresse exacte, il savait juste qu'Evan louait un logement dans la partie sud de Pilsen. Le vent froid poussait des nuages sinistres tandis que Patrick arpentait les rues, passant devant des *taquerias* et des boutiques de vente au rabais dont les enseignes étaient en espagnol. Si la chance lui souriait, il repérerait la vieille Mustang d'Evan. Sinon, il reviendrait plus tard et essaierait à nouveau.

De fait, la chance lui sourit. La voiture de sport était garée avec son capot ouvert devant un bungalow en ruine. Penché au-dessus de la calandre, Evan observait le moteur, une cigarette pendue aux lèvres. Il était si absorbé qu'il ne réagit pas jusqu'à ce que Patrick lui roule quasiment dessus. Il se retourna en vitesse, serrant une clef anglaise, les muscles de ses épaules et de ses bras tendus et prêts à frapper.

Patrick lui jeta un regard froid sans trahir la moindre émotion, puis il fit vrombir le moteur de sa moto pour ajouter une note dramatique. Evan tira un chiffon de sa poche, essuya la graisse sur ses mains et tira une dernière bouffée sur sa cigarette qu'il jeta d'une chiquenaude dans la rue.

« Viens à l'intérieur », dit-il avant de se retourner pour s'engager sur le trottoir lézardé.

Il flottait dans la vieille maison une légère odeur de moisissure. Patrick examina instinctivement les lieux. Aucun tableau aux murs. Le seul meuble du salon était un banc de musculation surmonté de cent quinze kilos de fonte. Il suivit Evan dans un couloir miteux jusqu'à la cuisine. Une table à jouer et des chaises pliantes étaient installées dans un coin. Patrick tira une chaise, s'assit et posa les pieds sur la table. Evan partit d'un petit rire, secoua la tête.

« Ça fait quoi, huit ans ? » Il tira d'un placard une bouteille de Jameson à moitié vide et deux verres à whisky. Il passa un moment à farfouiller dans un tiroir, présentant son dos à

Patrick, et en tira un torchon. Il posa le tout sur la table, versa deux doubles et s'assit. « Qu'est-ce que tu as en tête ? »

Sous l'effet de l'adrénaline, Patrick avait l'impression que son crâne sifflait comme du cristal, ce qui n'était pas pour lui déplaire.

« Je sais ce que tu fais à Danny.

– Vraiment ? C'est lui qui t'envoie ?

– Je suis ici pour lui. »

Inutile d'y aller par quatre chemins.

Evan but la moitié de son whiskey, reposa doucement le verre.

« C'est entre Danny et moi.

– Il n'est plus dans le milieu.

– C'est ce que j'arrête pas d'entendre. »

Patrick ôta ses pieds de la table, se redressa. Il souleva son verre, en profita pour repositionner sa chaise. Il avait besoin d'être suffisamment écarté de la table pour bouger rapidement.

« Pourquoi est-ce que tu fais ça ? Vous étiez comme des frères.

– Il a une dette, répondit Evan d'une voix plate mais ferme. Si Danny la paye, on sera à nouveau frères.

– Conneries. Personne ne t'a arnaqué. C'est toi qui as merdé. »

Evan sourit.

« C'est ça que tu es venu me dire ?

– Non. » Il se pencha en avant, lui lança un regard dur. « Je suis venu te le demander gentiment. Laisse Danny tranquille. »

Evan but d'un trait son restant de whiskey. Son t-shirt était maculé de graisse et avait des taches jaunes sous les aisselles.

« Va te faire foutre. »

Patrick sourit, but une gorgée de whiskey. Au moins il avait essayé la méthode douce. Le moment était venu de passer aux choses sérieuses. Lorsqu'il reposa son verre, il prolongea le mouvement de sa main, nonchalamment, jusqu'à ses jambes. Il sentit le cran d'arrêt qui saillait au niveau de son mollet.

« Qu'est-ce qui t'est arrivé en taule, mec ? Tu t'es trop habitué à être une pute ? »

Evan plissa les yeux et ses épaules se tendirent, comme s'il était sur le point de passer à l'action.

« Patrick, tu causes trop. Tu étais déjà comme ça tout môme quand tu nous suivais partout comme si le soleil brillait dans le cul de Danny. » Il remplit son verre et celui de Patrick. « Un jour, ça te vaudra une raclée. »

Patrick continua de laisser glisser sa main, prenant soin de ne pas baisser l'épaule. C'était la partie délicate. Il souleva le pied pour approcher le couteau de sa main sans jamais quitter Evan des yeux. Il devait attraper le cran d'arrêt sans qu'Evan ne s'en aperçoive. Il enfonça doucement les doigts sous le cuir souple de sa botte.

« Ça ne signifie donc rien pour toi, tous les coups que vous avez réussis ensemble ? »

Les négociations étaient finies, mais il devait continuer de le faire parler.

« Ça signifiait plus avant qu'il t'envoie me chercher des noises », répondit Evan en souriant.

Son index toucha le bout du couteau, il le pinça doucement et le fit glisser. Après avoir été en contact avec sa peau, le manche était chaud. Il avança légèrement un pied, prit fermement appui, prêt à bondir. L'astuce était d'agir calmement, vite mais sans précipitation.

« Et qu'est-ce que tu penses de ça ? Tu fous la paix à Danny ou c'est moi qui te tombe dessus. »

Il s'imagina la succession de mouvements. Ouvrir le cran d'arrêt, bondir en avant, flanquer une gauche à Evan – pas le plus facile, mais ça lui ferait mal – lui coller le couteau sous la gorge. Enfoncer suffisamment pour faire perler un peu de sang. Evan n'était pas le seul méchant sur ce terrain de jeu.

Evan sourit, plaça sa main sur le torchon posé sur la table. « Va te faire foutre, Patrick. »

Maintenant.

Il se redressa d'un bond, renversant la chaise en arrière tandis qu'il actionnait le cran d'arrêt. Le couteau s'ouvrit en douceur dans sa main droite. Evan le suivait des yeux mais n'avait pas bougé de sa chaise. Pris par surprise. Patrick arma son poing gauche tout en poursuivant son mouvement. Il sentait le sang déferler dans son corps, rien ne pouvait l'arrêter, il était invincible...

La bouteille de whiskey explosa. Il ressentit un impact, quelque chose de brûlant à la poitrine. Il n'avait pas mal, mais fut stoppé net comme s'il avait heurté un mur invisible. Il regarda la table, les fragments verts de la bouteille et l'écusson détruit du Jameson. Evan avait la main posée sur le torchon. De la fumée s'en échappait par un trou irrégulier dont les bords brûlés étaient noirs de poudre.

Oh. Non.

Evan se leva au ralenti, l'esquisse d'un sourire sur son visage, et le gifla du revers de la main. Le monde explosa en un millier d'étoiles noires et blanches tandis que Patrick se sentait tomber. Son dos heurta le linoléum, expulsant l'air de ses poumons. C'était la première chose qui faisait mal.

Il ressentit une nouvelle douleur lorsqu'Evan posa le pied sur sa main qui tenait le couteau, écrasant ses doigts, ses putains de doigts !

Puis la coque d'acier d'une botte percuta sa tempe, et l'obscurité l'enveloppa comme une lourde couverture de laine.

16

Muettes et lointaines

Il était trois heures du matin et le restaurant était presque vide. Evan s'installa à un box de la section fumeur et balaya la pièce du regard. Deux flics penchés au-dessus de tasses de café au comptoir. À une table, des types soûls âgés d'une vingtaine d'années racontaient trop fort des histoires qui commençaient toutes par « Hé, les gars », comme s'ils étaient dans un film de Scorsese. Ces temps-ci, les Italiens surpassaient en nombre les Irlandais à Bridgeport, mais il n'y avait pas de quoi être fier. Il y avait un temple bouddhiste là où, autant qu'il s'en souvienne, se trouvait jadis une église catholique. La plupart des panneaux étaient en espagnol. Quant aux Asiatiques, ils avaient mis la main sur McGuane Park et tentaient de prendre la pose et de jouer au basket comme des Noirs.

Une fois qu'il aurait son fric, il serait temps de mettre les bouts.

La serveuse l'appela chéri et lui toucha l'épaule, ses seins distendant son uniforme bon marché. Il songea à lui rendre la politesse, à lui demander quand elle terminait son service, mais elle ne semblait pas en valoir la peine. Il commanda, puis alluma une cigarette et inspira profondément.

Danny lui avait donc envoyé Patrick. Surprenante manœuvre.

Mais typique, vu le type qu'il était devenu. Deux ans en col blanc, et Danny avait oublié ce qui était important. Evan était irrité à l'idée que, pendant qu'il purgeait sa peine, ce salopard suffisant s'appliquait à effacer son passé.

Le hamburger que la serveuse finit par poser bruyamment sur la table était si fin qu'il aurait pu lire le journal à travers. La soupe ressemblait à de la crème de maïzena. Elle lui rappela la nourriture de prison, et il s'imagina Danny faisant la queue à la cafétéria de Stateville pour avoir sa ration de macaronis au fromage avec de la purée dans une assiette en plastique, plus du lait tiède pour faire passer le tout. L'image lui plaisait. Lui plaisait beaucoup. Une cellule de deux mètres sur trois était peut-être exactement ce dont Danny avait besoin.

Ça valait le coup d'y réfléchir.

Il mangea du bout des lèvres, gardant un œil sur les flics au comptoir. Ils discutaient calmement, profitant au mieux de leur pause, leur attitude semblant dire au reste du monde d'aller se faire foutre. Il remarqua que la serveuse leur avait aussi touché l'épaule, cherchant à exciter le client dans l'espoir d'un pourboire. Chacun se démerdait comme il pouvait.

Dehors, les lumières des gratte-ciel brûlaient au-dessus de la Mustang, et, tandis qu'il cherchait ses clefs dans sa poche, il regarda fixement les tours, symboles d'argent et d'influence. Elles étaient muettes et lointaines.

L'air froid était piquant – on devait être à environ une semaine d'Halloween – mais il conduisait tout de même avec les vitres baissées. Un fouillis de lotissements et de bungalows s'étalait de chaque côté de Loomis Street. Johnny Cash lui chantait une chanson, l'histoire d'un homme qui venait, notait des noms et affirmait que tout le monde ne serait pas traité de la même manière, et tandis qu'il roulait seul dans ce quartier qui avait été le sien, passait sous la monstruosité de béton de la voie express Stevenson et se dirigeait vers une rivière qui s'écoulait à l'envers, il savait que c'était vrai.

Brandenburg était une société de démolition industrielle dont les locaux, situés des deux côtés de la rue, devaient représenter six hectares d'entrepôts et d'équipements. Un muret courait le long de la rivière, l'eau épaisse léchant les flancs rouillés de péniches flottant tels des géants pourrissants. L'activité de la société consistait à détruire des choses puis à se débarrasser des débris. Quel meilleur endroit ?

Il pénétra sans bruit dans le parking, au point mort, tous phares éteints. L'endroit était probablement gardé par deux ou trois vigiles qui occupaient leur service de nuit à jouer au gin-rummy, mais inutile d'attirer leur attention. Il s'arrêta dans une zone d'ombre et enfonça le bouton d'ouverture du coffre.

La bâche noire brillait comme de l'encre fraîche à la lueur de la veilleuse. Il grogna un peu en se mettant à la tâche – l'angle était une galère – mais une fois la bâche sortie, il n'eut aucun problème à la porter sur son épaule. Il soulevait deux fois par semaine plusieurs fois le poids de Patrick.

Un drôle d'endroit, Chicago. Quelque chose comme neuf millions d'habitants, quarante mille délits avec violence par an, plus de bagnoles volées que vous ne pouviez en compter, mais au cœur de la nuit, au cœur de la ville, vous pouviez trouver un coin paisible. Il n'entendait que le son de sa propre respiration et le clapotis humide de l'eau. Evan s'engagea sur l'embarcadère qui longeait la rivière. L'eau noire scintillait quelques mètres plus bas.

Il se pencha, déposa son fardeau sur le béton. Une botte sortait de la bâche comme pour dire au revoir. Evan poussa le paquet du pied. Le plastique racla le bord de l'embarcadère, la friction provoquant une résistance, puis le lourd paquet bascula et tomba. Un demi-battement de cœur plus tard, il l'entendit heurter l'eau tel un poisson obscur bondissant. Et Patrick disparut.

Evan tira une cigarette de son paquet, l'alluma. Les ondulations se déployaient en demi-cercles qui vinrent embrasser une péniche quarante mètres plus loin. Sur la montagne de déchets qu'elle transportait, il distingua presque la silhouette d'adolescents étendus, tenant des bouteilles d'alcool volées, les yeux pleins de la lumière des gratte-ciel. Qu'étaient devenus ces gamins, lui et Marty et Seamus ?

Et Patrick ? Et Danny ?

Le travail de cette nuit était accompli. Demain, il songerait à la suite des événements. Il n'en revenait pas que Danny lui ait envoyé Patrick. Evan avait tout fait pour bien se faire comprendre, cet abruti pouvait-il vraiment être si bouché que ça ?

Apparemment, discuter ne suffisait pas.

Il allait devoir trouver un moyen de communiquer plus clairement.

17

Débarrassée de son vernis

Les gaz d'échappement formaient des volutes blanches dans l'air froid, mais il n'y avait personne dans la Mercedes.

Danny laissa la porte du White Hen se refermer derrière lui et but une gorgée de café. Une berline E500, V8, probablement soixante mille dollars prix clefs en main, et un connard était allé s'acheter du lait en laissant tourner le moteur. Il pouvait être dans le centre-ville dans dix minutes, trouver un acheteur par le biais de Patrick, et se faire deux semaines de salaire avant le déjeuner.

Danny secoua la tête, se retourna et grimpa dans son 4 × 4. Richard l'attendait, et avec la circulation du milieu de journée, il allait avoir du mal à faire en quarante minutes un trajet qui en prenait d'ordinaire vingt.

Il s'autorisa un dernier coup d'œil avant de s'engager dans Diversey Avenue.

Le boulot avait été dur. Il devait continuer la routine, faire comme si de rien n'était – ce cauchemar avait beau l'ébranler, il ne pouvait se permettre le moindre froncement de sourcils. Il avait passé la matinée à surveiller les derniers préparatifs pour l'hiver du complexe de lofts de Pike Street. Le contremaître, McCloskey, avait les choses bien en main. L'infrastructure de la totalité du bâtiment était en place, et les murs ouverts avaient été bâchés. Les outils et le matériel avaient été entreposés, et à la fin de la semaine, le site serait protégé par un grillage. Le complexe inachevé et la caravane resteraient tels quels durant le long hiver solitaire, dans l'attente, comme le reste de la ville, de la résurrection du printemps.

Comme il s'engageait dans Lakeshore Drive, le vent faisait déferler des vagues d'acier sur les rochers, les embruns s'élevant à hauteur d'homme. Ce temps convenait à son humeur. Presque une semaine depuis qu'il avait découvert Evan dans sa cuisine. Il n'allait pas tarder à refaire surface et à exiger une réponse. Presque une semaine, et Danny n'avait toujours pas de plan. Tout ce qu'il était parvenu à faire, c'était se rappeler au bon souvenir d'un inspecteur. Et rendre Karen soupçonneuse. Il pensait être parvenu à ne rien laisser paraître, mais elle le connaissait trop bien.

« Encore des cauchemars, chéri ? »

Elle avait touché les cercles sombres sous ses yeux et lui avait fait un sourire tendre dans le miroir de la salle de bains.

« Juste occupé », avait-il répondu en adoptant un visage impassible.

Elle avait acquiescé, mais il savait qu'elle continuait de ruminer le problème. Ça le rongeait de ne rien lui dire. Il n'avait pas pour habitude de lui faire des cachotteries. Au contraire. Elle voyait toujours les choses sous un angle différent, avec un nouveau point de vue, et il n'y avait guère de problème qu'ils ne pouvaient résoudre à eux deux.

Mais le plus dangereux de tous ceux rencontrés au cours des sept dernières années ? Celui-là, il ne le partageait pas.

Mercredi. Les équipes chargées de l'entretien des pelouses étaient venues proposer leurs services aux riches. Les journaliers s'interpellaient en espagnol tout en poussant des tondeuses et en ratissant les feuilles. Un Blanc avec un bloc-notes était assis dans la cabine chauffée d'un pick-up devant la maison de

Richard. Fin octobre. Danny savait que les ouvriers devaient commencer à être nerveux, conscients qu'ils étaient que les affaires cesseraient avec l'arrivée de l'hiver. Il se revit rentrant chez lui l'après-midi pour trouver son paternel assis à la table de la cuisine devant une cigarette qui se consumait seule dans le cendrier, et comprendre qu'une nouvelle société de travaux venait de les baiser ; que cet hiver, comme le précédent, son père se lèverait à quatre heures du matin pour aider Kevin O'Bannon avec le chasse-neige.

Richard ouvrit la porte, vêtu d'un pantalon de golf et d'un polo, comme s'il comptait se faire un neuf-trous après le déjeuner.

« Qu'est-ce qui t'a pris si longtemps ?

– Ça n'avançait pas dans Lakeshore. »

Richard acquiesça.

« Entre. Fais pas attention au bazar. » À la façon dont il avait prononcé ces mots, Danny se demanda s'il faisait allusion aux feuilles sur la pelouse ou aux types qui les ratissaient. « Tu as apporté ces contrats ?

– Oui. »

Il entra, referma la porte derrière lui. Richard était déjà au milieu du couloir et Danny le suivit jusqu'à la cuisine. Le soleil d'automne s'engouffrait par les velux, inondant les comptoirs en granit et les appareils en inox. Avec ses deux fours, deux éviers, plus un énorme plan de travail au milieu, sa cuisine aurait suffi à un restaurant, mais il remarqua que les casseroles en cuivre suspendues au-dessus du billot étaient couvertes de poussière.

« Tu as tout vérifié ? Je veux pas me faire baiser une fois de plus. »

La dernière fois que Richard s'était fait baiser, c'était parce qu'il avait ignoré les estimations de coûts de Danny, mais Danny garda ça pour lui.

« Ils sont nickel. »

Son patron acquiesça, but une gorgée d'*espresso* tout en feuilletant les documents.

« Où en est Pike Street ? demanda-t-il sans lever les yeux.

– McCloskey aura fermé le site à la fin de la semaine.

– Bien. Et nous l'avons sous contrat pour le printemps ? »

Danny sursauta.

« Hein ?

– McCloskey. On l'a prévu pour le printemps. »

Danny se rappela la conversation qu'il avait eue avec le contremaître dans la caravane, combien il avait été heureux de traiter avec lui d'homme à homme, de lui expliquer la situation au lieu de simplement appliquer la règle comme tant de directeurs l'avaient fait avec son père.

« Nous gardons McCloskey pendant l'hiver, tu te rappelles ? »

Richard ne leva pas les yeux de ses papiers.

« Oui, j'y ai réfléchi. J'ai fait quelques calculs, et ça va pas marcher. »

Avait-il bien entendu ?

« Quoi ?

– Jeff Teller s'occupe d'autres projets et il est moins cher. On laisse tomber McCloskey et son équipe pendant l'hiver, on les reprendra au printemps. »

Danny se mit à réfléchir à toute vitesse. Il avait promis que personne ne perdrait son boulot.

« Teller est bien, mais pas aussi bien que McCloskey. Et son aide pourrait nous être utile pour préparer les contrats du printemps prochain. »

Richard haussa les épaules, son esprit seulement à demi absorbé par la conversation.

« J'ai pas besoin d'un contremaître pour me dire comment préparer un contrat. »

Danny tenta une nouvelle approche.

« Tu sais, McCloskey a pas mal de relations. Si on le laisse partir, il ne reviendra peut-être pas.

– Le marché ne va pas tellement s'améliorer d'ici là. De plus, on peut toujours trouver quelqu'un d'autre. »

Il ne pouvait plus y aller par quatre chemins.

« Je leur ai donné ma parole qu'on aurait du boulot pour eux », dit Danny.

Son patron releva brusquement la tête, l'air surpris.

« Tu as fait quoi ?

– J'ai expliqué le marché à McCloskey, pourquoi on était obligés de fermer Pike Street pour le moment, et je lui ai dit qu'il y avait du travail pour lui et son équipe.

– Pourquoi as-tu fait ça ? »

Richard plissa les yeux comme s'il cherchait à voir Danny plus clairement.

« Tu ne te rappelles pas ? Nous en avons discuté et étions d'accord pour les garder. »

Richard secoua la tête.

« J'ai jamais rien dit de tel. J'ai peut-être dit que ce serait sympa de les garder, mais c'est tout. »

Danny réprima une soudaine envie de lui casser le nez.

« On était assis dans la salle de réunion. On examinait les budgets. Tu voulais les laisser partir et j'ai suggéré qu'on pouvait les garder à mi-temps pendant l'hiver. Tu étais d'accord. »

Richard referma la chemise de documents et le toisa. Danny croisa son regard sans sourciller. Son patron finit par lâcher un soupir.

« Je sais ce que tu ressens. Mais tu sais que les temps ont été durs. Crois-moi, personne n'a été saigné plus que moi. »

Il but une gorgée de café et rouvrit la chemise tout en faisant tourner un stylo entre ses doigts.

Danny cherchait quelque chose à dire, ses yeux parcourant le mobilier luxueux comme pour la première fois. Une photo encadrée de Richard sur son yacht, la tête couverte d'une stupide casquette de capitaine. La machine à cappuccino italienne. Un ordinateur portable, négligemment posé en équilibre au bord du comptoir.

Richard gribouilla sa signature sur les contrats et les poussa vers Danny.

« Tiens. Assure-toi que le site de Pike Street est bien fermé. Je ne veux pas qu'il se transforme en squat. »

Par le *bow-window*, Danny vit deux Mexicains portant des vestes de chasse et des mitaines ramasser des fagots de branches tombées durant l'orage de la semaine précédente. Il se demanda ce qu'il fichait de ce côté-ci de la fenêtre.

Plus tard, en roulant vers le sud, Danny n'aurait su dire pourquoi il avait décidé de passer la sortie de Michigan Avenue et de continuer vers la I-55 ; pourquoi il était sorti à Archer et s'était retrouvé en train de traverser Bridgeport. Mais ça avait peut-être quelque chose à voir avec le fait que son patron, dans sa tenue de golf, se servait de son beau stylo en or pour foutre des ouvriers dehors.

Ce n'était pas la première fois qu'il conduisait dans le quartier depuis qu'il en était parti, mais, par le passé, il l'avait traversé à toute vitesse en prenant soin de ne pas trop regarder à droite ou à gauche pour ne pas raviver de vieilles blessures. Cette fois-ci, il roulait lentement et gardait les yeux ouverts, bien décidé à rouvrir les plaies.

Les choses avaient changé. Les choses étaient restées les mêmes.

Des bungalows brun clair et orange s'entassaient toujours sur les trottoirs bordés de chaînes distendues. Les flèches gothiques d'une demi-douzaine d'énormes églises s'élevaient au-dessus de lotissements délavés. Des drapeaux des White Sox pendouillaient sous des cieux brumeux. Des cheminées et des gratte-ciel se dressaient à l'horizon, aussi troubles que des rêves enfiévrés.

Il s'arrêta à un feu rouge tandis qu'un groupe de jeunes Latinos paradait sur le trottoir. Ils portaient de longs maillots de basket et des chaussures de sport de couleurs vives, des casquettes inclinées pour indiquer leur allégeance à un gang. Un gamin à la peau claire et aux cheveux rasés reluqua le 4 × 4 de Danny et esquissa un sourire menaçant qui laissa voir des dents plaquées d'or.

Il y avait donc toujours de jeunes lions à Bridgeport après tout.

Danny lui lança un regard dans lequel il tenta de mettre tout son poids. Ce n'était pas un regard qui s'apprenait dans une école privée de North Shore comme celle où allait le fils de Richard. Il exigeait un environnement moins paisible.

Le gamin ne détourna pas le regard et ralentit son allure pour laisser ses amis prendre de l'avance. L'espace de quelques secondes, ils se regardèrent, un jeune prédateur et un ancien, tous deux baignés dans la lumière ambrée de la fin d'après-midi. Puis le gamin sourit de nouveau, cherchant sans vraiment y parvenir à adopter une expression méprisante avant de se retourner et de rejoindre ses copains en roulant des mécaniques comme un maquereau. Danny le regarda s'éloigner.

Avait-il tout caché à Karen pour la protéger ?

Ou parce qu'il songeait à faire le coup ?

Était-ce pour ça qu'il était venu ici, pour ça que ses yeux avaient avidement cherché les signes de différence de classe entre lui et Richard ? Sa nouvelle vie ne pouvait être si fragile, si aisément débarrassée de son vernis.

N'était-il vraiment qu'un voleur qui vivait dans un beau quartier ?

Le feu passa au vert. Il tourna et prit la direction du nord.

18

Sécurité

La salsa battait son plein.

Penchée par-dessus le balcon pour soulager quelque peu ses pieds du poids de son corps – ses talons la tuaient – Karen avait une vue imprenable sur la piste de danse. Les clients étaient jeunes, la plupart d'entre eux avaient dans les vingt-cinq ans, les filles portaient des robes moulantes qui scintillaient jusqu'à l'endroit où commençait la chair, les hommes transpiraient dans des chemises en lin noir. C'était un bar festif, les gens y restaient jusqu'aux premières lueurs du jour, descendant leurs verres à un rythme de plus en plus effréné tels des rêveurs craignant de s'éveiller.

Elle se redressa, rejeta la tête en arrière en l'inclinant de chaque côté pour soulager les muscles de son cou. La fumée lui avait donné un mal de tête dont elle voulait se débarrasser avant de rentrer. Dernièrement, Danny avait été renfermé, secret. De toute évidence, quelque chose le souciait, mais il n'en parlait pas. Peut-être que si elle partait tôt et rentrait avec une bouteille de vin et un air coquin elle parviendrait à le détendre.

Elle sourit à cette idée, s'écarta de la balustrade pour se frayer un chemin à travers la foule à l'étage. Quand elle avait été nommée directrice du bar, sa première décision avait été de convertir le balcon en salon VIP. Il y avait des types prêts à payer trois cents billets une bouteille de Stoli qui en valait vingt pour impressionner une fille en robe décolletée, et elle avait d'un seul coup fait grimper les bénéfices du bar de quarante pour cent. Il lui revenait donc de s'assurer que chaque client à l'étage avait l'impression d'être une Personne Très Importante. Elle se déplaça à travers la foule, échangeant un mot avec les clients réguliers, touchant les biceps des hommes et complimentant les femmes sur leurs chaussures. C'était la routine, mais ce soir, quelque chose clochait. Elle éprouvait un fourmillement étrange sur la nuque. Un instinct animal, comme si quelqu'un la regardait. Pas un regard hébété – elle était habituée à ça – mais quelque chose de différent. Elle se sentait observée.

Traquée.

Le mot lui vint à l'esprit malgré elle et son sang se glaça. Elle s'immobilisa, regarda autour d'elle, décochant des coups d'œil aux hommes en Armani, aux femmes qui sirotaient des Cosmos, à une blonde anorexique qui vérifiait son maquillage dans le miroir de son poudrier. Rien d'alarmant. Elle retourna à la balustrade, se pencha vers le rez-de-chaussée et balaya des yeux la masse transpirante en dessous. Une fille aux longues jambes tournoyait au milieu d'un triangle d'hommes dont le visage trahissait un désir douloureux. Un couple était penché contre la colonne près des toilettes, uni dans un baiser de fin de soirée, la cuisse de l'homme allant et venant entre les genoux de la femme. Un briquet s'alluma brièvement près du mur du fond. La lueur révéla un visage dur encadré par des cheveux bouclés. L'homme la regardait fixement. Pas la zone VIP. Elle.

Puis il referma le briquet et disparut.

Elle plissa les yeux, tentant de le repérer à nouveau. La lumière qui se réfléchissait sur la piste de danse l'aveuglait, le mur du fond était une masse floue de silhouettes indissociables voilées par trop de fumée de cigarettes. Mais quelqu'un s'était tenu là-bas. Elle en était certaine.

Qui était-ce ? Au cours de cette fraction de seconde, il lui avait semblé étrangement familier. Une vieille connaissance ? Sa nervosité lui suggérait que non. Elle ignorait de qui il s'agissait, mais elle était sûre qu'ils n'étaient pas amis.

« Karen ! »

Elle sursauta, pivota en vitesse, son cœur battant à tout rompre. Deux clients réguliers lui souriaient ; Louis, un grand Noir élégant, serrait la taille de son petit ami Charles.

« Tu viens boire un verre avec nous ? »

Adoptant son plus beau sourire d'hôtesse, Karen s'éloigna de la piste de danse. Si elle voulait partir tôt, elle n'avait pas le temps de se laisser effrayer par des ombres.

C'était à ça que ressemblait la sécurité de l'emploi dans le business des bars : minuit dix en pleine semaine et il y avait toujours une file d'attente à la porte. La foule était bruyante, déjà remontée par l'alcool et pressée d'entrer pour échapper au froid. Karen se fraya un chemin à travers la file à la recherche d'Hector. D'ordinaire elle regagnait sa voiture seule, mais l'inconnu à l'intérieur l'avait rendue nerveuse.

Elle trouva le gorille au début de la file, qui regardait méchamment un type maigrichon avec un bouc et lui imposait la puissance de ses cent dix kilos de muscles tatoués.

« Tu ferais bien d'y réfléchir à deux fois, mec.

– Hé, va te faire mettre, Latino. » L'homme avait le visage rouge, mais Karen n'aurait pu dire si c'était à cause de l'alcool ou de la colère. « Je t'ai dit que j'étais juste sorti de la file pour passer un coup de fil.

– Qu'est-ce qui se passe ? demanda Karen d'un ton ferme.

– Ce monsieur ne veut pas faire la queue », répondit Hector.

De près, Karen s'aperçut que les yeux du type au bouc n'étaient plus que deux grosses pupilles dilatées. Ecstasy, probablement, peut-être agrémenté d'un peu d'amphés pour accentuer les effets. Normalement, elle s'en serait moquée ; la moitié des clients était dopée à quelque chose. Mais personne n'emmerdait son personnel. Elle secoua la tête.

« Virez-le ! »

Le gorille se fendit d'un grand sourire. Il plaqua ses deux mains épaisses sur les épaules de l'homme qui se mit à protester, le fit pivoter et le poussa hors de la file d'attente. La foule avança soudain tandis que deux types habillés comme l'homme au bouc, ses amis peut-être, poussaient en direction de la porte désormais non gardée.

« Merde. Hector ! »

Le gorille se retourna à temps pour voir les deux hommes foncer à l'intérieur parmi la foule. Il grommela et regagna d'un bond la tête de la file.

« Où est Rodney ? demanda Karen.

– Il ne se sentait pas bien, alors j'ai pris sa place. » Hector la regarda d'un air penaud. « C'était seulement pour une heure ou deux, je pensais que ça ne vous dérangerait pas. »

Elle fit la grimace.

« C'est juste que j'allais vous demander de m'accompagner jusqu'à ma voiture. »

Hector tira sa radio.

« Laissez-moi appeler Kevin ou Joe. »

C'étaient deux serveurs. Le bar était bondé, les clients bataillaient pour avoir leurs deux dernières tournées. Monopoliser un serveur ralentirait les choses, rendrait la vie de tout le monde plus compliquée, et diminuerait les bénéfices. Tout ça à cause d'une impression bizarre. Elle se sentit soudain idiote.

« Laissez tomber, dit-elle. Ça va aller.

– Vous êtes sûre ? »

Elle fit signe que oui, sortit le porte-clefs muni d'une bombe lacrymogène ; Danny insistait pour qu'elle le garde sur elle.

« Pas de problème. »

Il lui fit un clin d'œil, se tourna de nouveau vers la file d'attente.

Karen franchit le cordon de velours et se mit à marcher dans Ontario Street. Elle avait la chair de poule au niveau de ses épaules. Bientôt il faudrait à nouveau superposer les couches de vêtements et ressortir manteaux et gants. L'attirail désagréable d'un hiver à Chicago.

L'homme du bar la hantait. Qui était-il ? Ses années à bosser au milieu d'ivrognes avaient affûté ses instincts, et quelque chose chez ce type lui avait laissé une mauvaise impression.

Comme pour confirmer ses craintes, elle entendit un bruit de pas derrière elle. Quelqu'un qui marchait prudemment. Des pas lourds et étouffés. Une démarche d'homme. Avait-elle eu tort de ne pas se faire accompagner par un serveur ? Elle accéléra le pas et serra plus fermement la bombe lacrymogène. Elle aurait aimé se retourner, mais avait peur de ce qu'elle verrait. Devait-elle courir ? Elle sentit les battements rapides de son cœur contre ses côtes. Si quelqu'un – l'homme du bar – la suivait, il n'aurait aucun mal à la rattraper.

Elle s'engagea dans Franklin Street. L'Explorer était garée dans une allée, une rue plus loin. Si elle parvenait à l'atteindre, elle serait en sécurité.

Le bruit des pas se rapprochait. Elle se dit qu'elle n'y arriverait pas, pas à cette allure. La bouche sèche, elle pivota sur ses talons et leva sa main droite qui tenait la bombe lacrymogène tout en s'appuyant de la gauche contre un bâtiment. Un homme grand marchait vers elle, le visage caché dans l'ombre. Sa main tremblait. Elle ouvrit la bouche pour hurler – c'était un lieu public, il y avait des gens à proximité, quelqu'un viendrait sûrement l'aider. L'homme fit un nouveau pas. Juste à l'instant où elle allait crier, le faisceau des phares d'une voiture qui passait balaya son visage.

Il avait le front sillonné de rides profondes et les yeux enfoncés. Il marchait prudemment, certes, mais à la manière d'un vieil homme. Il devait en fait avoir dans les soixante-dix ans. Lorsqu'il passa devant elle, il regarda au loin et resserra son imperméable beige.

Elle se détendit et faillit éclater de rire. Pourquoi le fait que quelqu'un lève les yeux vers le salon VIP l'avait-il rendue si nerveuse ? C'était le principe même d'un salon VIP – c'était l'endroit où tout le monde voulait être.

Elle secoua la tête et reprit son chemin. L'allée n'était pas à proprement parler un parking, mais les flics fermaient l'œil quand les employés s'y garaient, du moment que personne ne se plaignait. Elle vit le reflet du pare-brise exactement à l'endroit où elle avait laissé le 4 × 4. Elle se dirigea vers le véhicule, se demandant comment elle raconterait son histoire à Danny pour lui faire comprendre sa peur absurde. Elle décida qu'elle entrerait dans les détails – le vieil homme, ses rides, son imper de pervers.

Une ombre se détacha du mur et tendit le bras vers elle.

Le souffle coupé par la surprise, elle leva brusquement la bombe lacrymogène, consciente que cette fois-ci le danger était bien réel. Il était presque sur elle avant que son pouce ait trouvé le bouton de la bombe. Elle l'enfonça pour l'asperger de poison aveuglant.

Rien ne se produisit.

Il lui saisit le bras, le tordit en arrière. Elle pivota sur elle-même, l'épaule et le coude en feu. Une main gantée à l'odeur de cuir et de cigarette étouffa ses cris. Elle sentit qu'on arrachait les clefs de ses doigts engourdis.

« Avant d'appuyer, dit l'homme dont le souffle était chaud contre son oreille, il faut ôter la sécurité. »

Elle se rappela le bouton qu'il fallait faire glisser sur le côté avant d'appuyer. Elle en aurait pleuré. Tout s'était passé si vite. Des images horribles lui traversèrent l'esprit, elle vit sa vie s'achever en un fait divers édifiant, s'imagina abandonnée, souillée dans une allée, sa culotte enroulée autour des chevilles. Elle se débattit, tenta de se libérer, mais il était comme une machine, ses muscles semblaient mus par une force mécanique.

« Du calme, mon petit chat, dit-il d'un air amusé. Je vais pas te faire de mal ce soir. Mais tu devrais être plus prudente. Chicago peut être un endroit dangereux pour une femme. »

Avant même qu'elle ait pu comprendre ses paroles, il la poussa tout en continuant de lui tenir un bras comme s'ils dansaient. Puis il la lâcha et, sous l'effet de la vitesse, elle s'étala de tout son long. Le gravier s'enfonça cruellement dans ses jambes et elle poussa un petit cri – pas un hurlement à proprement parler – de surprise et de douleur. Elle était libre. Elle leva les bras pour se protéger de son assaillant et inspira profondément pour hurler.

Et elle s'aperçut qu'elle était seule.

L'inconnu s'éloignait. À l'entrée de l'allée, il s'arrêta, lui tournant le dos. Il avait des épaules de joueur de football. Elle le vit briser quelque chose et entendit le cliquetis des clefs sur le trottoir.

Puis il s'engagea dans Franklin Street et disparut.

Karen aurait voulu pleurer, s'asseoir dans la boue de l'allée et hurler, laisser s'échapper le hurlement qu'elle avait senti monter en elle. Puis elle pensa à ces bimbos de cinéma qui restaient là sans réagir et qu'elle détestait tant. Au cours des deux dernières années, sa vie avait été tranquille et douce, mais elle avait grandi avec deux frères aînés qui n'avaient pas toujours eu la loi de leur côté et qui lui avaient appris à encaisser les coups.

De plus, elle était indemne. Il ne l'avait pas violée. Pas même volée. Elle n'y comprenait rien. Mais comprendre, comme pleurer, pouvait attendre.

Elle se releva en s'appuyant de la main sur le métal sale d'une benne à ordures. Une douleur lui courait à l'arrière de la cuisse, mais sa jambe tint bon. Elle aurait quelques bleus – que ses frères se délectaient à appeler des framboises – mais rien de cassé.

Rectification. Un de ses talons s'était brisé dans sa chute.

Curieusement, ça la fit rire, à gorge déployée, debout au milieu de l'allée. Un rire dur et strident qui avait quelque chose d'étrange, un rire qui avait le goût rance de la panique.

Reprends tes esprits, Karen. Ne va pas piquer une crise d'hystérie au beau milieu de cette allée. Récupère tes clefs, cours à ta voiture, verrouille les portières et mets le contact.

Et après, pique ta crise d'hystérie.

Elle se dirigea jusqu'au trottoir en clopinant et ramassa ses clefs. Plus loin dans la rue, elle vit une douzaine de fêtards, des filles aux cuisses lumineuses, des hommes qui riaient fort. Ils étaient à moins d'une rue de distance. Ils semblaient à l'autre bout du monde.

Les phares dans Lakeshore Drive étaient aussi flous que ces photos surexposées qu'on voyait sur les brochures.

L'Explorer avança brutalement lorsqu'elle enfonça l'accélérateur, optant pour la vitesse plutôt que la sécurité.

Le doux éclat vert des lumières du tableau de bord.

Le claquement du bouton de la radio lorsqu'elle l'éteignit.

Le panneau peint à l'aérographe d'un salon de manucure dans Belmont.

Des arbres bordant les trottoirs, le frémissement des ombres projetées par les réverbères.

Puis soudain, elle se retrouva devant chez elle, regardant par-dessus son épaule pour garer le 4 × 4, son clignotant allumé comme si tout était normal. Elle se sentit réintégrer brutalement son corps. Comme si elle avait été traînée au bout d'une ficelle de cerf-volant. L'appartement était à vingt mètres. À travers le *bow-window*, elle vit le salon où brillait une lumière, et elle se sentit nue. Pouvait-on les voir si facilement ? Se promenaient-ils chez eux sans se rendre compte que des yeux les observaient ? L'homme l'avait-il surveillée ?

Continuait-il de le faire ?

Cette idée la déchira comme dix mille volts d'adrénaline. Elle tourna brutalement la tête, certaine qu'il se tenait à côté de la voiture.

Il n'y avait rien.

Idiote, espèce d'idiote.

Elle arracha les clefs du contact et ouvrit violemment la portière. Elle descendit en oubliant son talon cassé, perdit l'équilibre et se cogna un genou contre le montant de la portière. Une douleur lancinante lui remonta le long de la jambe.

Elle envoya promener ses chaussures, s'engagea sur la pelouse et se mit à clopiner aussi vite que possible. Porte d'entrée. Clef bleu ciel. À l'intérieur, claquer la porte, verrouiller. Porte de la cage d'escalier. Clef bleu foncé. Monter l'escalier.

Elle était à mi-chemin lorsque les larmes jaillirent. La peur et le soulagement entremêlés créaient une émotion trop crue pour qu'on pût lui donner un nom. S'aidant de la rampe, elle poursuivit son ascension en sanglotant, entendit la porte de leur appartement s'ouvrir, aperçut Danny dans l'encadrement obscur, vit sa silhouette se mettre à courir. Lorsqu'il arriva à sa hauteur, elle jeta ses bras autour de lui, laissant désormais libre cours à ses larmes, ses doigts agrippant sa chemise plus pour se cramponner que pour l'étreindre.

Ils étaient assis dans la cuisine avec toutes les lumières allumées. La rampe de spots, l'éclairage au-dessus de la gazinière. La porte du garde-manger ouverte et la lumière également allumée à l'intérieur. Elle sentait la chaleur du thé à travers la tasse, celle du whiskey dans ses entrailles. Danny avait posé les mains sur les siennes pour la réconforter.

Elle lui avait tout raconté dans le couloir, les mots jaillissant comme un torrent. Puis il l'avait entraînée à l'intérieur, l'avait écoutée décrire une nouvelle fois l'incident. Il s'était contenté de dire que maintenant c'était fini, que tout allait bien, qu'il n'y avait plus de raison de s'inquiéter. Elle avait laissé couler ses larmes et le t-shirt de Danny avait une tache noire au niveau de l'épaule. Ça lui avait fait du bien de pleurer. Maintenant, elle était heureuse d'être chez elle, avec les trois verrous tirés.

« Bon sang, je me sens si... » Elle marqua une pause, cherchant le mot exact, choisissant le plus simple. « Stupide.

– Ce n'était pas ta faute.

– Se garer dans une allée, regagner la voiture sans être accompagnée...

– Chut... » Il lui caressa les mains. « Tu es sûre que ça va ? Tu ne veux pas aller à l'hôpital ? »

Elle fit signe que non.

« Ça va. Juste secouée. » Elle essaya d'esquisser un sourire. « Vraiment, je vais bien. J'ai juste bousillé une jupe et une paire de chaussures en tombant. Il ne m'a même pas volé mon sac.

– Qu'est-ce qui l'a fait fuir ?

– Je ne sais pas. Je ne pense pas que quoi que ce soit l'ait fait fuir. Il m'a juste laissée partir.

– Pardon ? » Il la regarda. « Comment ça ?

– J'ai essayé d'utiliser la bombe lacrymogène que tu m'as achetée, mais j'ai oublié d'enlever la sécurité et il m'a tordu le bras pour me l'arracher des mains. Il y avait tellement de choses qui me passaient par la tête, tu sais, des choses moches, est-ce qu'il en voulait juste à mon sac, ou est-ce qu'il allait me violer, est-ce que c'était une espèce de cinglé. Mais il m'a juste poussée et j'ai glissé, et quand j'ai relevé la tête, il s'éloignait. »

C'était ce souvenir qui était le plus cuisant... les muscles des épaules de l'homme dessinant des lignes nettes à la lueur des réverbères. Elle était persuadée qu'il allait revenir vers elle et commencer à défaire son ceinturon. Elle secoua la tête tandis que les deux images, l'une réelle, l'autre imaginaire, se superposaient dans son esprit. Danny la regardait fixement avec une expression des plus bizarres.

« Quoi ? demanda-t-elle.

– Il t'a juste laissée partir ?

– Oui. Bon, il a d'abord dit quelque chose. » Elle lâcha un rire nerveux. « Il m'a dit que Chicago était dangereux pour une femme.

– Il... quoi ? »

Elle répéta en se demandant à quoi il pensait, pourquoi il avait l'air si effrayé. Danny resta un moment silencieux.

« Est-ce que tu as pu le voir ?

– Pas vraiment. Enfin, je l'ai vu au club, mais furtivement, et il faisait sombre dans l'allée. Il était un peu plus grand que toi. Très costaud. Cheveux bouclés. Il portait des gants. » Elle s'interrompit, tentant de se souvenir. « Ses gants sentaient la cigarette.

– Bon Dieu. »

Il se leva soudain, marqua une hésitation, puis alla chercher la bouteille de scotch sur le comptoir. Il attrapa deux verres. Elle voyait bien que son esprit travaillait, qu'il avait quelque chose en tête, mais il se contenta de verser le liquide ambré jusqu'à remplir les verres à ras bord.

« Qu'est-ce qu'il y a ?

– Hein ? » Il leva les yeux, l'air surpris. « Oh, rien, chérie. Je suis tellement heureux que tu t'en sois tirée sans trop de mal.

– Tu es sûr qu'il n'y a rien d'autre ?

– Oui. » Il posa la bouteille sur la table et se rassit. L'espace d'un moment, il sembla préoccupé, comme s'il avait quelque chose à lui dire. Mais elle le vit se raviser, et lorsqu'il s'aperçut qu'elle le regardait fixement, il sourit doucement, ses yeux à la fois pleins d'inquiétude et de détermination. « Je suppose que je prends peur après coup. Tu sais, comme une mère découvrant que son enfant a fait une bêtise des années plus tôt. C'est tout. »

Il y avait autre chose, mais ça n'avait aucune importance. Pas pour le moment. Il poussa un verre vers elle.

« Bois, dit-il. Ça t'aidera à dormir. »

Elle souleva le verre. Elle n'avait pas vraiment envie de scotch, mais détestait l'idée de ne pas fermer l'œil de la nuit. La brûlure repoussa toutes les autres sensations et ça, c'était ce qu'elle voulait.

« Je crois que je vais aller prendre une douche. »

Il acquiesça.

« Est-ce que tu… » Elle marqua une pause, gênée. « Est-ce que tu veux venir avec moi ? Je n'ai pas envie d'être seule.

– Bien sûr. » Danny lui fit un sourire réconfortant qui l'enveloppa comme une couverture. « Et chérie… je te promets que je ne laisserai jamais personne te faire de mal. Toujours, je te protégerai, quel qu'en soit le prix. »

Sa voix était ferme.

Comme s'il venait de prendre une décision.

19

Exactement la question

Evan jeta le mégot par la vitre tout en attendant que le feu passe au vert. Un gamin vêtu d'un t-shirt fluorescent cessa de demander aux passants s'ils avaient un moment à accorder à Greenpeace pour lui jeter un regard noir. Evan lui rendit son regard et le gamin détourna rapidement les yeux.

Lorsque le feu passa au vert, il enfonça l'accélérateur et la Mustang se mit à rugir comme si elle avait reçu un coup de pied. Il avait enfin quitté la section de Halsted Street bordée de boutiques pour yuppies et se dirigeait vers Boystown, le quartier qui abritait la plupart des pédés de la ville où il devait rencontrer Danny. Il fila devant un drugstore, une boutique d'alcool, et traversa Belmont à toute vitesse avant que la circulation ne s'interrompe à nouveau. Sur le trottoir, deux types balèzes, un Blanc et un Noir, marchaient avec chacun la main dans la poche revolver de l'autre. Marrant à voir. En taule, c'était différent. Pas comme à la télé, du moins la plupart du temps. Hormis pour les vrais pédés, se taper des mecs était presque une façon de passer le temps. Une autre forme d'humiliation. Des types qui se taillaient des pipes juste pour rompre la monotonie. Sauf qu'à un moment, quand ça faisait un bout de temps que vous suciez votre compagnon de cellule, vous étiez bien obligé de vous demander si vous étiez vraiment différent de ces types dans la rue.

Evan avait cassé le nez au premier connard qui avait tenté sa chance, et il était resté fidèle à la branlette.

Deux rues plus loin, tandis que la voiture roulait encore au pas, il aperçut Danny qui se prélassait à l'arrêt de bus, les bras appuyés sur le dossier du banc. Un journal était posé sur ses genoux mais il ne le lisait pas. Il avait la tête levée et parcourait la circulation du regard. Danny Carter, toujours trop malin pour que ça lui vaille du bon. Il repéra Evan mais attendit que la Mustang se gare devant lui avant de se lever lentement et de se diriger vers la voiture. Evan se pencha pour déverrouiller la portière.

« Hé, partenaire. »

Danny lui jeta un regard froid en grimpant dans la voiture.

« Roule, connard. Prends Lakeshore Drive vers le nord. »

Evan lâcha un petit rire, quitta Halsted Street pour emprunter une rue résidentielle, coupa à travers une allée et rebroussa chemin en direction du lac. Il préféra ignorer la mauvaise humeur de Danny maintenant que celui-ci semblait avoir pris la bonne décision. C'était lui qui était entré en contact après tout, qui était passé chez Murphy's et avait laissé un message au serveur. C'était donc lui qui avait pris l'initiative. Mais que comptait-il faire ? Jouer les durs, lui dire qui si jamais il posait encore la main sur Karen et blablabla ? Ça ne semblait pas son style, mais comme il n'avait de cesse de le lui rappeler, ce type n'était plus celui avec lequel il avait grandi.

Ils s'engagèrent dans Lakeshore Drive, la Mustang ronronnant tandis qu'elle filait devant un arrêt de bus dont le côté arborait une publicité pour un quelconque truc informatique. Ils avaient parcouru trois kilomètres et Evan songeait à allumer la radio lorsque Danny parla.

« Sors ici. »

Evan le regarda d'un air dubitatif, décida de jouer le jeu et sortit à Montrose. Danny fit un geste vers l'est, en direction du lac, et Evan pénétra dans un parking. Peut-être trente voitures, principalement des superbagnoles, des BM et des Mercos.

« Coupe le moteur. On va faire un tour. »

Les rives du lac grouillaient de gens à vélo ou en rollers, quelques-uns faisaient du jogging. Deux vieux types glandaient sur leurs voiliers dans la marina, passant du Jimmy Buffet, faisant comme s'ils étaient à Margaritaville au mois de juin et non à Chicago une semaine avant Halloween. En été, la piste cyclable était prise d'assaut par des filles en bikini, mais ces temps-ci, tout le monde portait un sweat-shirt. Danny, qui avait pris les devants, les mena au-delà de la marina jusqu'à un endroit qui formait une saillie dans le lac. C'était un coin tranquille où l'herbe fine laissait place à des rochers au bord de l'eau. Danny grimpa sur l'un d'eux et contempla l'horizon comme s'il y cherchait des réponses. L'air était immobile, l'eau, calme.

Evan sortit son paquet de clopes, en tira une. Il actionna la molette de son Zippo argenté, alluma la cigarette et laissa brûler la flamme un peu plus longtemps que nécessaire, regardant le lac à travers, comme s'il y mettait le feu.

« Bon, on est arrivés. Et maintenant ? Tu veux me serrer dans tes bras et admirer le coucher du soleil ?

– Parlons des règles, répondit Danny sans se retourner.

– Les règles ?

– Les règles pour notre coup. »

Regardez-moi ça. Deux semaines à essayer de lui faire comprendre, et il avait finalement pigé. Apparemment, Karen était le levier qu'il fallait actionner pour faire basculer le monde de Danny. Ça valait le coup de s'en souvenir.

« Donc tu en es.

– Pas tellement le choix, pas vrai ? J'ai saisi le message.

– Bien, dit Evan d'un ton léger avec juste une pointe de dureté.

– Si tu veux que je t'aide, il y a trois règles à respecter.

– Ah oui ? »

C'était Danny tout craché de discuter de règles au lieu de penser au fric qu'ils allaient se faire. Toujours inquiet, jamais content.

« Tout d'abord, on ne fait de mal à personne. Pas une égratignure, tu entends ? Surtout pas à Tommy.

– C'est qui, ce Tommy ? »

Danny soupira, jeta un coup d'œil par-dessus son épaule.

« C'est le garçon, Evan. Celui que tu veux kidnapper. Enfin quoi, tu comptais appeler son père et dire "Je tiens ce gamin qui traîne chez vous" ? »

Evan serra rapidement les poings, puis se força à sourire. Tant que Danny jouerait le jeu, il le manierait avec des pincettes.

« Ensuite, poursuivit Danny en balayant à nouveau du regard les flots gris du lac, tu m'écoutes. Tu veux que je t'aide ? Soit. À ma façon. Pas de conneries sur ce coup. Compris ? »

Evan acquiesça tout en pensant, *Et comment tu vas contrôler ça, Danny-boy ?* Mais il se contenta de répondre :

« Et la troisième ?

– La troisième règle, c'est qu'après, on est quittes. On fait ce coup, et je ne te revois jamais. Si je te revois, ne serait-ce qu'une fois, tant pis pour les conséquences, j'appelle les flics et on tombe ensemble. Toi et moi, poursuivit-il d'un ton toujours aussi neutre et dénué de colère, on ne se connaît plus. »

Evan resta silencieux. Ses espoirs de fraternité étaient morts juste avant Patrick. Le type avec qui il se trouvait n'était qu'un pion à manipuler.

« D'accord. »

Evan porta la cigarette à ses lèvres, regarda à son tour l'horizon en se demandant ce que Danny pouvait bien y voir de si fascinant.

« Une dernière chose. »

Le ton de sa voix aurait dû l'alerter, mais il avait déjà baissé la garde. Danny lui décocha un coup de poing, trop rapidement pour qu'Evan ait le temps de lever le bras. Le poing l'atteignit en plein menton, envoyant promener la cigarette. Le monde sembla rebondir devant ses yeux, et puis, merde, son pied glissa sur l'herbe humide. Il tomba, ses bras battant l'air. Le choc lorsqu'il heurta le sol lui coupa le souffle et il sentit la rage s'emparer de lui. Parfois il ne vous restait plus que ça, cette détermination animale à tuer ou à être tué.

Mais Danny ne poussa pas l'attaque plus avant. Il regagna le bord du rocher en agitant la main.

« Ça, c'est pour Karen, enfoiré. »

Avant même d'avoir repris son souffle, Evan avait la main sur le pistolet enfoncé sous son pantalon. Il commença à dégainer, puis se rappela où ils se trouvaient. Lincoln Park. Probablement deux cents témoins, et nulle part où se planquer.

Evan lâcha l'arme, inspira. Maintenant il comprenait pourquoi ils étaient venus ici. Il se souleva sur le coude et se mit à rire. Il s'était fait avoir. À l'ancienne, comme l'aurait sans doute fait le Danny qu'il connaissait.

Laisse tomber. Juste cette fois.

Danny s'avança, main tendue, et Evan la saisit pour se relever.

« Mettons-nous au travail, dit Danny d'un ton déterminé.

– Maintenant ?

– Maintenant. »

Comme ils pénétraient dans Evanston, l'humidité lugubre laissa finalement place à l'une de ces pluies silencieuses d'octobre qui imprégnaient tout. Les feuilles en décomposition dessinaient des tatouages orange et jaune sur l'asphalte. La maison du boss, de Richard – il s'avérait que c'était son nom – avait l'air gaie. Des lumières étaient allumées de chaque côté de la porte en chêne sculpté.

« Laisse tourner le moteur. »

Danny regarda par la vitre. Sa voix était moins confiante, comme si le simple fait de voir la maison lui avait ôté quelque chose.

« Pourquoi ?

– On ne reste pas. Les gens de ce quartier payent pour avoir des agents de sécurité qui patrouillent, et il ne faudrait pas qu'ils s'arrêtent. »

Evan acquiesça. Ces connards de riches avaient toujours tout prévu. Plus ils avaient de fric, plus les murs étaient hauts, plus les lumières étaient vives. Autant porter une cible autour du cou – ça rendait les bons coups plus faciles à repérer. Il se frotta le menton. Il était encore un peu endolori, mais il n'aurait probablement pas de bleu.

« Alors, qu'est-ce qu'on fait ?

– On regarde la maison. Par où veux-tu entrer ?

– Maintenant ? »

Evan était surpris, mais prêt.

« Bien sûr que non. » Danny se tourna vers lui. « On ne sait même pas qui est à l'intérieur. »

Evan fit comme s'il avait voulu tester Danny.

« C'est ce que je pensais. On pourrait frapper à la porte un jour où on saura que le gamin est seul ? Lui mettre la main dessus quand il ouvrira ?

– Y aller sans masques ? On a l'air un peu vieux pour se faire passer pour des mômes qui demandent des bonbons. » Danny resta silencieux un moment, puis déclara : « On entrera par-derrière, en forçant la porte.

– Une baraque comme ça, il y a forcément une alarme.

– Oui, mais Maria – la femme de ménage de Richard – l'éteint tout le temps. Ils ne la mettent que la nuit. »

Evan acquiesça.

« Quand ?

– La semaine prochaine. Quand il sera rentré de l'école.

– Et la femme de ménage ?

– Je sais quand elle vient. » Danny se détourna de la vitre. « Allons-y, avant qu'un gentil voisin ne nous remarque. »

Evan enclencha la vitesse et la voiture démarra, ses pneus filant sur la chaussée. Il baissa la vitre pour écouter la pluie.

« La plupart des alarmes ont un bouton d'urgence, non ?

– Oui.

– Comment on s'assurera que le gamin l'atteindra pas avant nous ?

– Ou qu'il n'appellera pas la police ? Je vais y réfléchir. »

Danny se retourna pour regarder derrière eux.

« C'est ça, réfléchis. En attendant, j'ai une question à te poser, dit Evan en souriant.

– Oui ?

– Tu as faim ? »

Il s'avéra que ce qu'ils voulaient l'un comme l'autre, c'était une bière. Quatre ou cinq bouteilles d'Old Style arrondirent suffisamment les angles entre eux pour rendre la situation tolérable. Le bar était désert, hormis deux Mexicains derrière le comptoir qui ne faisaient pas attention à eux. Evan acheva la dernière bouchée de son deuxième hot-dog au chili con carne, froissa le papier paraffiné et le laissa tomber sur le bar.

« J'adore boire de la bière l'après-midi. » Il sourit. « Tu te souviens quand on séchait l'école avec Marty et les frères Jimmy et qu'on emportait de la bière en douce aux matches de foot ? »

Danny sourit à son tour, comme malgré lui.

« Les gradins du pensionnat de St. Mary. Toutes ces filles en short.

– Oui. Et Marty près de la ligne de touche qui proposait des massages. »

Ils se mirent à rire, burent au goulot de leur bouteille. Au beau milieu d'une gorgée, Evan remarqua néanmoins un petit rictus sur le visage de Danny. Comme si celui-ci s'était souvenu qu'il n'était pas censé s'amuser. Ils restèrent un moment silencieux, Danny faisant tourner la bouteille sur le comptoir, les yeux perdus dans le vide.

« Il va nous falloir un endroit où le planquer, dit Evan. Le gamin. »

Danny regarda autour de lui comme pour s'assurer que personne n'écoutait. Plus nerveux que jamais.

« Oui.

– Un endroit tranquille. Où même si quelque chose tourne mal... » Ces mots attirèrent l'attention de Danny. « Même s'il fait du bruit, ça sera pas un problème. »

Danny acquiesça, ne répondit rien. Evan but une nouvelle gorgée de bière.

« Je pense à un million tout rond.

– C'est trop.

– Conneries. Tu as vu cette baraque ?

– Elle n'a que cinq chambres, ce n'est pas un château. Ce type ne garde pas des liasses de billets de cent dans une valise.

– Combien de chambres il y avait chez toi quand tu étais gosse ?

– Ce n'est pas la question.

– Conneries. » Evan reposa brutalement sa bouteille et Danny leva les yeux vers lui. « C'est exactement la question. Tu te souviens pas comment ça marche ? Les mecs comme ça, ils font en sorte qu'on reste là où on est. Ils nous prennent pour faire le boulot de merde au salaire minimum, et on se retrouve dans des lotissements de deux-pièces sans fenêtres. Ils nous racontent que le monde a besoin de gens pour creuser des fossés, mais ils envoient leurs mômes dans des écoles privées. Et ils construisent des prisons au cas où ça nous énerverait d'être du côté merdique de la barrière. Qu'ils aillent se faire foutre. Je vais le faire à ma manière. C'était ce que tu faisais, toi aussi, avant de commencer à te prendre pour quelqu'un d'autre.

– Quoi, je suis censé voter républicain sous prétexte que j'ai un boulot ? rétorqua Danny. Va te faire foutre, mec. Ça ne marche pas comme ça.

– Ça marche comment, alors ?

– Ça ne marche pas... » Danny se pencha en arrière. « ... à ta manière. Ça ne marche pas. Tu crois qu'en enjolivant un peu les choses, ça les rend acceptables. Mais tu es un voleur, Evan. Tu peux en vouloir à la société, ou aux flics, ou à ton père, très bien, mais ça ne change rien au fait que tu es un criminel. Et à la fin, les criminels se font attraper. »

Evan sentit un martèlement dans sa tempe, le bourdonnement du sang qui déferlait dans ses veines. Il s'efforça de garder un ton calme.

« Mon père était un pauvre con. Ça n'a rien à voir avec lui. »

Ils se regardèrent un moment dans les yeux, puis Danny leva les mains en signe de paix.

« Oui, soit. »

Evan but le restant de sa bière. Tiède, elle avait un goût d'eau de vaisselle.

« Mais écoute-moi, reprit Danny. Je sais ce que je dis à propos de l'argent. Si on demande trop, il va appeler les flics.

–Alors combien ?

–Deux cent cinquante, ce serait le plus sûr.

–Un demi-million », surenchérit Evan.

Danny acquiesça à contrecœur.

« Et puis il nous faut une personne supplémentaire. Pour le surveiller.

–Pourquoi pas tout simplement le ligoter et le laisser là ? On passera le voir une fois par jour pour lui donner un peu d'eau et le laisser pisser.

–Bon Dieu, Evan. C'est juste un gamin.

–Et après ? C'est seulement pour deux ou trois jours. »

Danny lui jeta un regard mauvais, un regard qui réveilla les vieilles animosités et donna envie à Evan de lui balancer un coup de poing par-dessus la table et de lui écrabouiller la tronche.

« J'ai dit qu'on ne faisait de mal à personne. On ne laissera pas un gamin de douze ans ligoté dans le noir, d'accord ?

–Alors c'est toi qui le surveilles.

–Je ne peux pas. Je dois faire comme si tout était normal. Et toi non plus, parce que le moment le plus risqué sera quand on l'emmènera. Il vaut mieux qu'après ça il ne nous voie plus. Pour qu'il ait plus de mal à décrire quoi que ce soit d'utile aux flics quand on l'aura relâché.

–Alors qui ?

–Je ne sais pas. Patrick, peut-être, dit Danny en secouant la tête. Mais je n'ai vraiment aucune envie de l'impliquer là-dedans. »

Evan continua de le regarder sans trahir la moindre émotion. Danny n'était pas le seul à pouvoir afficher un visage de marbre. Il apprendrait tôt ou tard pour Patrick, mais pas la peine de compliquer les choses pour le moment.

Cependant, Danny voyait juste. Evan n'avait pas besoin de passer trois jours à garder un chiard. Mais il leur fallait quelqu'un qu'ils pouvaient contrôler. Pas le premier venu qui pourrait essayer de les berner. *Boum*. Il avait trouvé.

« Je sais.

–Qui ?

– Ma copine. Ça fait un bout de temps que je la connais.

– Elle sera d'accord pour faire ça ?

– Elle est prête à tout. Elle fera ce qu'on lui dira.

– D'accord. Je crois que j'ai un endroit.

– Oui ? Tranquille ?

– On ira y jeter un coup d'œil ce week-end. Dimanche matin.

– Pourquoi pas maintenant ?

– Parce que maintenant je rentre chez moi. » Danny se leva et enfila son blouson de cuir noir et souple qui paraissait neuf. « Bonne soirée. »

Evan lui fit un signe de tête et le regarda franchir la porte. Danny s'arrêta et regarda des deux côtés, comme s'il prenait des photos de la rue, puis il traversa le parking en direction de Belmont.

« Bon retour parmi nous », prononça Evan à voix basse.

20

Mieux à faire

« Bonjour, ici Patrick. Donnez-moi une bonne raison de m'intéresser à votre appel. »

Danny jura. Ça faisait la troisième fois qu'il essayait, en vain. Connaissant Patrick, il se l'imaginait pelotonné dans un lit avec trop d'oreillers, élaborant un plan pour échapper à la fille qui dormait à ses côtés.

Il se pencha en avant pour raccrocher, tendit le bras trop loin et érafla ses articulations contusionnées contre le mur. La sensation soudaine le fit grimacer, puis sourire. Cogner Evan lui avait fait du bien.

Mais pas autant que s'il avait pu lui faire tout ce qu'il aurait aimé lui faire.

Jeudi soir, quand Karen était rentrée en pleurant, Danny avait eu envie de massacrer Danny avec une putain de batte de baseball, rien à foutre des conséquences. Mais il était resté calme pour elle. Il lui avait dit des choses réconfortantes, l'avait mise au lit puis s'était glissé à côté d'elle, lui avait caressé les cheveux jusqu'à ce qu'elle s'endorme.

Puis il s'était retourné pour faire face au rougeoiement du réveil et s'était imaginé abattant son ami d'enfance d'une balle en pleine face.

Non, pas imaginé – il avait conçu un plan, avait cherché le moyen d'y parvenir. C'était marrant, tout ce temps passé à chercher la faille sans jamais envisager l'option la plus radicale, celle à laquelle Evan aurait songé en premier. Mais cette nuit-là, il y avait pensé.

Cette nuit-là, une allée sombre et un pistolet à la crosse entourée de bande adhésive avaient semblé la solution.

Mais au matin, il s'était ravisé. La dernière fois qu'il avait tenu un pistolet, il avait treize ans et faisait le con avec un flingue taché de rouille que Joey Biggs avait piqué sous des pulls dans le placard de son père. Ils avaient arpenté les allées, passé un moment à dégommer des corbeaux, des boîtes de bière et, à l'occasion, des fenêtres d'usine. Des jeux de mômes qui n'avaient rien à voir avec braquer un être humain et appuyer sur la détente, voir la tête d'Evan exploser.

Et à la vérité, ça n'avait pas d'importance. Parce qu'une fois la colère passée, il avait réfléchi et compris que tuer Evan n'était pas une solution. Dès qu'on découvrirait le cadavre, l'inspecteur Sean Nolan lèverait le nez de son bureau et se demanderait qui pouvait bien vouloir se débarrasser d'Evan McGann. Environ cinq secondes plus tard, des voitures de police débouleraient devant chez lui, et ce ne serait que le début des emmerdes qui tomberaient sur Danny. Non, tuer Evan n'était pas une solution.

Et il ne pouvait pas non plus aller voir les flics et courir le risque de tout avouer. À ce stade, ils n'auraient peut-être rien contre Evan si ce n'était une violation de sa liberté conditionnelle. Au mieux, une inculpation pour port d'arme. Tandis qu'Evan pouvait balancer Danny pour le cambriolage de la boutique au cours duquel un homme avait été abattu et estropié, et une femme salement passée à tabac. Sa nouvelle vie s'envolerait en fumée.

En faisant ce coup, il protégeait Karen. Bon Dieu, il protégeait aussi Tommy et Richard en contrôlant la situation et en faisant en sorte que personne ne soit blessé. Et quand tout serait terminé, il pourrait reprendre une vie normale.

C'était une option pourrie, mais c'était ce qu'il avait de plus intelligent à faire.

Une porte s'ouvrit au bout du couloir et il entendit le plancher grincer tandis que Karen se dirigeait vers la cuisine. Il avait compté partir pendant qu'elle serait sous la douche. Il saisit ses clefs, pivota sur ses talons comme elle entrait dans la pièce.

« Tu pars ?

– Le boulot. »

Le mensonge lui fit mal. Il y en avait eu trop ces derniers temps, mais quel autre choix avait-il ?

« On est dimanche. Tu travailles trop, chéri. »

Elle lui fit un sourire tout en levant une main pour ajuster une bretelle de soutien-gorge. Sept ans qu'ils étaient ensemble, mais chaque fois qu'elle faisait ce geste, il ne pouvait plus se concentrer. Et il y avait fort à parier qu'elle le savait.

Il se retourna, farfouilla dans le placard histoire de gagner un peu de temps pour échafauder son baratin.

« Oui, tu sais. Avec l'hiver et tout. »

Il attrapa un verre sur la deuxième étagère, le tint sous le robinet.

« Danny, dit-elle d'une voix sérieuse, qu'est-ce qui ne va pas ?

– Hein ? » Il lui fit un sourire forcé par-dessus son épaule. « Comment ça ?

– Quelque chose te turlupine. Quelque chose d'important. »

Il avait lu quelque chose sur des patients en psychiatrie qui étaient pour ainsi dire catatoniques parce que les fragiles connexions qui reliaient les deux hémisphères du cerveau avaient été endommagées. Le résultat était que les deux moitiés de leur cerveau se faisaient la plupart du temps la guerre.

Depuis quelque temps, il savait l'impression que ça faisait.

Il avait terriblement envie de lui dire la vérité, dans son intégralité, depuis la réapparition d'Evan dans sa – dans leur – vie jusqu'à ce matin. Mais la moitié la plus prudente de son cerveau lui conseillait de la boucler et de la rassurer. La femme qui avait juré de décamper ne serait-ce que pour un simple vol à l'étalage accepterait-elle qu'il reprenne du service ? Même s'il le faisait pour elle, pour eux ? Mieux valait la jouer malin.

« Comment ça, chérie ? Rien ne me turlupine. »

Elle lui lança un regard interrogateur.

« Si tu me disais ce qui ne va pas, je pourrais peut-être t'aider.

– Tout va bien. »

Il but une gorgée d'eau, posa le verre.

« Danny. »

Elle ajusta de nouveau la bretelle de son soutien-gorge et le regard de Danny se porta sur son corps vêtu d'un sweat-shirt qu'elle lui avait emprunté et d'un caleçon noir.

« Je... » Il s'interrompit. « Je ne sais pas de quoi tu parles. »

Quelque chose changea dans les yeux de Karen et toute la chaleur en disparut.

« Soit. »

Elle pivota sur ses talons, ouvrit un tiroir dans lequel elle se mit à fouiller en lui tournant le dos.

« Karen. »

Elle fit semblant de ne pas l'entendre.

« Karen, bon sang, ce n'est rien. Juste... juste beaucoup de travail. L'hiver, toutes ces choses à gérer avant que la neige arrive, tu sais. »

Ses excuses lui semblaient minables. Il était d'ordinaire un bon menteur – mais pas avec elle. Jamais avec elle. Elle acquiesça tout en continuant de lui tourner le dos.

« Je te verrai quand tu rentreras. »

Elle lui adressa un minuscule sourire et s'en alla, le bruit de ses pas décidés indiquant qu'elle ne plaisantait pas. Il se tourna vers l'évier et y vida son verre d'eau.

« Merde. »

La fille qui accompagnait Evan lui sembla familière. Blonde, jolie malgré sa dégaine de strip-teaseuse. Trop de maquillage, et des vêtements un peu démodés, une jupe plissée façon *pom-pom girl* et deux t-shirts. Il l'avait déjà vue quelque part.

« Je te présente Danny Carter, dit Evan en le désignant de la tête, les mains dans les poches. Danny-boy, voici Debbie.

– Debbie ? demanda-t-il en levant les yeux et en se demandant quelle femme de trente ans préférerait se faire appeler ainsi plutôt que Deborah ou Deb.

– Comme Debbie Harry », dit-elle d'un ton amical.

Danny ne put s'empêcher de remarquer qu'elle connaissait son nom de famille tandis que lui ne connaissait pas le sien. Il désigna le côté opposé de la table. Debbie balança son sac à main avant de s'y glisser en montrant un petit sourire furtif et un décolleté généreux. Evan laissa tomber ses clefs sur la table, son blouson sur la banquette du box.

« Je vais chier. Prenez-moi des œufs s'ils viennent pour la commande. »

Danny soupira et secoua la tête. De l'autre côté de la table, Debbie saisit l'un des menus sur le présentoir, l'ouvrit et se mit à tourner les pages sans trop y prêter attention. Il ne la quittait pas des yeux, la jaugeait. Pas impressionnée. Joli visage, mais elle commençait à avoir cette mine usée de ceux qui ont passé beaucoup de temps à boire de la bière bon marché dans des bars enfumés. Ses cheveux blonds avaient des racines plus sombres. Il était sûr de l'avoir déjà vue quelque part.

« Donc... » Elle leva les yeux, le visage à demi dissimulé par le menu. « Evan m'a dit que vous étiez un voleur. »

Danny se pencha en arrière. Il sentit la fraîcheur du dossier en vinyle à travers sa chemise.

« Je travaille dans le bâtiment.

– Ah oui ? Il a dit que vous étiez son partenaire.

– C'était il y a longtemps.

– Ça doit vous donner une impression de déjà-vu, hein ? » Elle lui fit un sourire, pas du tout le visage impassible auquel il était habitué au cours de ce genre de conversations. « Donc c'est juste pour un coup unique, comme au cinéma ?

– Oui, juste un coup unique. Mais non, ça n'a rien à voir avec du cinéma. »

Elle acquiesça, baissa de nouveau les yeux vers le menu. Elle tourna une nouvelle page et son visage s'illumina comme celui d'une gamine.

« Voilà ce qui me dirait. Pancakes aux pépites de chocolat et aux framboises. »

Il secoua la tête, but une nouvelle gorgée de café. C'était donc *elle*, la femme dont Evan estimait qu'ils pouvaient l'embarquer dans un coup qui risquait de les envoyer devant une cour fédérale ? Danny allait devoir rappeler Patrick. Même s'il n'avait aucune envie de l'impliquer dans cette histoire, il leur fallait quelqu'un de capable. Pas n'importe quelle bimbo sous prétexte qu'Evan la baisait.

Il s'aperçut que Debbie le regardait et fit un effort pour sourire.

« Laissez-moi voir votre main. »

Sa bulle de chewing-gum éclata.

« Pardon ?

– Je vais vous lire les lignes de la main. »

Il haussa les épaules, posa la tasse et se pencha en avant. Elle saisit doucement sa main, la retourna en la tenant au niveau du poignet. Lorsqu'elle se pencha par-dessus la table, il perçut une odeur de parfum bon marché, quelque chose d'acidulé comme un bonbon.

« Humm, fit-elle en regardant de plus près. Intéressant. »

Il préféra ne pas mordre à l'hameçon, demeura silencieux.

« Je vois deux choses. »

Elle traça une ligne en travers de sa paume.

« Ah oui ? dit-il en étouffant un bâillement.

– Je vois que vous me prenez pour une débile. »

Il fut surpris et son bâillement se transforma en sourire.

« C'est écrit dans les lignes de ma main ?

– Non, dans vos yeux, dit-elle d'un ton neutre tout en continuant de regarder sa main. Dans votre main je vois que vous travaillez dans le management.

– Comment ?

– Vous avez dit que vous étiez dans le bâtiment. Il y a quelque temps, je suis sortie avec un ferronnier. Il avait les mains comme des gants de baseball. Les vôtres sont douces.

– Quoi d'autre ? demanda-t-il en riant.

– Vous ne portez pas d'alliance. Mais vous ne m'avez pas reluquée. » Elle repoussa une mèche de cheveux blonds derrière son oreille. « La plupart des types le font. Alors je parie que vous avez une petite amie sérieuse, quelqu'un que vous aimez vraiment. »

Il songea à Karen ajustant sa bretelle de soutien-gorge ce matin même, au petit frisson qui l'avait parcouru alors qu'ils étaient au milieu d'une dispute et qu'il lui mentait.

« Encore exact. Que lisez-vous d'autre dans ma main ?

– J'y lis que je ferais bien de lire un livre sur la chiromancie. »

Elle lui lâcha la main, releva la tête en souriant. Leurs regards se croisèrent un moment, puis il éclata de rire, d'un rire sincère qui provenait du bas de son ventre. Ça faisait du bien.

« Qu'est-ce qu'il y a ? » demanda Evan qui se tenait au bord de la table.

Debbie regarda Danny d'un air innocent et fit à nouveau éclater sa bulle de chewing-gum. Il rit à nouveau.

« Je crois que nous allons bien nous entendre. »

C'était une de ces journées d'automne flamboyantes avec un ciel d'un bleu lancinant et une lumière dorée jaillissant de l'autre côté du capot de l'Explorer. Ce mois d'octobre était plus froid que d'ordinaire : il faisait ce jour-là moins de dix degrés, mais le soleil était si vif que ça n'était pas désagréable, surtout avec Dylan à la radio qui racontait l'histoire d'une fille qu'il avait tirée d'une galère mais en utilisant un peu trop la force.

Il prit Randolph Street sur la droite, la silhouette des gratte-ciel oscillant dans son rétroviseur, les angles aigus de la tour Sears et du Hancock se détachant sur l'horizon. Derrière lui, il voyait la Mustang d'Evan, Debbie les pieds posés sur le tableau de bord. Il s'interrogeait à son sujet. Elle n'avait pas l'air d'une crapule. Peut-être une groupie, une de ces filles futées qui aiment les hommes dangereux. Quoi qu'il en soit, il était heureux de l'avoir avec eux, ne serait-ce que pour tenir Evan à distance de Tommy. Ils avaient beau être à nouveau partenaires, il n'avait aucune intention de baisser la garde. Juste faire le coup de façon intelligente, récupérer l'argent, puis leurs chemins se sépareraient.

L'argent. Il n'y avait même pas réfléchi. Bon Dieu, il avait juste décidé de faire le coup pour se débarrasser d'Evan. Que ferait-il de l'argent de Richard ?

Il pensa aux ouvriers qui s'occupaient de la pelouse, à la suffisance de Richard dans sa maison d'architecte. À son propre père assis à la table de la cuisine, une cigarette se consumant sans qu'il y touche dans le cendrier.

Disons que l'argent serait un bonus. Un dédommagement karmique pour toutes les fois où on avait baisé son père. Il le mettrait dans un coffre et l'aurait toujours sous la main pour se mettre à l'abri en cas de tempête.

Il s'obligea à se concentrer sur la route, observa les complexes de lofts laisser place à des zones industrielles. Il entendit le fracas du métro aérien deux rues plus loin. Les nouveaux chantiers résidentiels se propageaient sans cesse plus à l'extérieur de la ville, mais c'était calme par ici, peu de voitures et personne sur le trottoir.

Lorsqu'il s'engagea dans Pike Street, il vit le complexe de lofts qui dressait tranquillement devant lui ses cinq étages d'acier enveloppés dans du plastique gris sale. Un grillage encerclait la totalité du chantier. Danny se gara devant le portail et descendit de voiture, farfouillant dans la poche de son blouson à la recherche d'un porte-clefs muni d'une chaîne. Il ouvrit le cadenas et poussa le portail, fit signe à Evan d'avancer, puis regagna l'Explorer et s'engagea sur le terrain de boue plein d'ornières.

Evan s'appuya contre la portière et regarda autour de lui. Il approuva d'un geste de la tête.

« Pas mal. Ils te laissent te balader avec les clefs ?

– C'est mon boulot. Viens. »

Il se tourna vers la caravane dont le flanc portait en lettres nettes la mention O'DONNELL CONSTRUCTION. Ça lui faisait bizarre d'arpenter le chantier sans son casque. Derrière lui il entendit une portière s'ouvrir, Debbie descendre de voiture. Il se retourna, croisa le regard d'Evan et secoua la tête.

« Chérie, attends dans la voiture, d'accord ? » lança Evan d'une voix qui indiquait que ce n'était pas une question.

Danny ouvrit la porte de la caravane, entra et la sentit tanguer légèrement sous ses pieds. L'intérieur était tel qu'il se le rappelait, mais plus propre. Une odeur de vieux café empestait l'air. La lumière du soleil filtrait en filets poussiéreux par les fenêtres. Il alla tirer les volets.

« Bien sûr. » Evan regarda autour de lui, s'approcha du divan, en souleva une extrémité puis la laissa retomber lourdement comme s'il estimait son poids. « Ça a l'air tranquille.

– Cette zone est encore assez industrielle, il n'y a pas beaucoup de maisons. Les propriétaires ont eu les terrains pour pas cher, alors ils font monter les prix en construisant des lofts.

– Ça rapporte du fric ? demanda Evan d'un air curieux, comme s'il songeait à investir.

– Aucun doute. Avant, les gens voulaient vivre en banlieue. C'est pour ça que Daley Senior[1] a placé les cités dans la ville. Sauf que maintenant, les gens reviennent, tout le monde veut habiter en centre-ville, aller au boulot en métro. Alors tout change. Tu connais Green ? »

Evan acquiesça.

« Cabrini Green est l'une des pires cités du pays. Quelque chose comme quatre-vingt-dix pour cent de chômeurs. Ça craint tellement qu'ils ont installé ces murs de grillage le long des passerelles pour que les flics puissent voir à l'intérieur depuis la rue. » L'idée que des gens sortaient de chez eux pour se retrouver exposés comme dans des cages avait toujours rendu Evan un peu malade. Des gamins appuyés au grillage,

1. Richard J. Daley, maire de Chicago de 1955 à 1976. (N.d.T.)

des bouteilles d'alcool à la main, de la colère dans les yeux. « Mais la cité est située sur un terrain génial. Près de la ville et des trains. Le seul truc qui cloche à Green, c'est Green. Alors Daley Junior[2] fait abattre les immeubles que son père a construits, l'un après l'autre. Techniquement, ils reconstruisent des logements pour tous types de revenus, mais la vérité, c'est qu'il y a maintenant un centre commercial avec un Starbucks juste à côté et que le parking est rempli de bagnoles hors de prix. Et les lofts partent pour trois cent mille dollars. » Danny s'assit à la table. « Si tu veux gagner du fric à Chicago, trouve un endroit où vivent des pauvres, et déloge-les. »

Evan haussa les épaules. Ça ne l'intéressait plus.

« Ça craint d'être pauvre.

– Ouais. »

Tout en parcourant les murs des yeux, Danny sentit ses vieux instincts lui revenir, accompagnés d'un bouillonnement étrange. Était-ce de l'excitation ? De la culpabilité ? De l'espoir ? Un peu de tout ça. Il se sentait à cran, l'estomac noué comme s'il avait bu trop de café. Il se demandait ce qu'il fichait ici tout en sachant qu'il n'avait pas le choix.

« D'accord. On attrape le gamin, on lui bande les yeux, on l'amène ici. On l'attache au divan. » Evan marqua une pause. « Qu'est-ce qui se passe si un flic passe et voit les voitures ?

– Rien, tant qu'on ne se comporte pas comme des idiots. Ils voient tout le temps des voitures ici. » Danny se gratta le coude. « On passe le coup de fil...

– C'est moi qui le passe. »

Evan avait parlé trop vite, il n'avait pas lancé ces paroles mine de rien comme il aurait pu s'y attendre, ce qui déclencha une alarme interne en Danny. Mais Evan avait raison, Danny ne pouvait pas appeler son propre patron.

« Tu passes le coup de fil. On demande un demi-million. Tu lui dis qu'on rappellera deux jours plus tard pour orga-

---

2. Richard M. Daley, fils de Richard J. Daley, maire de Chicago depuis 1989. (N.d.T.)

niser le rendez-vous. Debbie s'occupe de Tommy. Qu'est-ce qu'elle sait ?

– Elle sait qu'elle fait du baby-sitting. Je lui ai dit qu'elle se ferait vingt mille dollars. Elle ne sait pas de qui il s'agit. »

Danny acquiesça.

« J'aurais peut-être aussi besoin qu'elle m'aide pour autre chose.

– Comme tu veux, dit Evan en haussant les épaules. Elle fera ce que je lui dirai de faire. » Il marcha jusqu'au divan, s'y laissa tomber, posa les pieds sur le comptoir qui lui faisait face puis se pencha en arrière, les mains jointes derrière la tête. « Tu sais ce qui me plaît là-dedans ?

– Quoi ?

– Le fait qu'on va garder le gamin de ce type dans sa propre caravane. »

Le visage d'Evan se fendit en un sourire dur.

Plus tard, de retour dans son 4 × 4, assis sur le siège chauffé par le soleil, Danny repensa à ce sourire. Il vit combien l'ironie cruelle de la situation plaisait à Evan. Tandis qu'il s'engageait dans Halsted Street, une question le taraudait : était-il sur le point de se lancer dans quelque chose qui le dépassait ?

Assez. Il avait déjà analysé la question un million de fois. Il n'avait pas vraiment le choix. Soit il restait fidèle à ses principes et perdait tout ce qui comptait pour lui, soit il faisait une entorse à la loi sans faire de mal à personne.

De plus, il commençait à croire qu'ils pouvaient réussir leur coup. Son problème serait résolu et Karen n'en saurait jamais rien. Et, outre le fait qu'il serait heureux de se débarrasser d'Evan, avoir un quart de million dans un coffre ne pouvait pas faire de mal. D'ailleurs, il commençait à ressentir un étrange espoir, une vieille excitation. Les nuages noirs menaçants pouvaient n'être qu'un orage d'été, violent et rapide, un orage qui disparaîtrait sans vraiment causer de dégâts.

Avant de quitter la caravane, Danny avait fait le ménage. Il ne voulait pas que le gamin voie par accident du papier à en-tête, une enveloppe, quoi que ce soit qui pourrait aider la police à les retrouver. Même si Danny ne voyait pas Richard avertir la police pour un demi-million. Ce type était une grande gueule et un salaud, mais il aimait son fils. Pourquoi prendrait-il des risques ?

« Le type de voiture n'a pas d'importance, dit Danny. Du moment qu'elle est en bon état. Une épave attirerait l'attention des voisins.

– Bien sûr. Et après ?

– Tu la gares devant Cabrini Green et tu laisses les clefs sur le contact. Ça rendra quelqu'un heureux. »

Evan aimait cette idée.

« J'apporterai des masques et des gants. »

Danny avait l'esprit en ébullition, il voulait penser à tout. Il parlerait à Debbie plus tard, s'arrêterait dans une boutique sur le chemin du retour pour acheter de la corde. Peut-être une paire de bas ? Quelque chose qui n'irriterait pas ou n'égratignerait pas le gamin. Il y avait autre chose, quelque chose d'important... Oh, oui.

« Une dernière chose.

– Quoi ? » demanda Evan qui en avait déjà assez. Il avait toujours préféré l'action à la préparation.

« N'emporte pas de pistolet », dit Danny d'une voix neutre. Il lui jeta un regard dur, non pas pour lui faire baisser les yeux, mais pour bien lui faire comprendre qu'il était sérieux. « Pas une égratignure, tu te souviens ?

– O.K., répondit Evan en haussant les épaules. »

Danny maintint son regard un long moment, puis il acquiesça et reprit son rangement.

« Trouve une voiture demain. Tu peux passer me prendre au même endroit que la dernière fois, vers une heure.

– On y va demain ? demanda Evan d'une voix étonnée et en levant les yeux vers Danny.

– Quoi, tu as mieux à faire ? »

21

Tremblement et brûlure

Quand ils avaient dix ans, ils jouaient à un jeu nommé Pisseur. C'était un jeu qu'ils avaient inventé, mais ils y avaient joué pendant presque deux ans, jusqu'au jour où Bobby Doyle avait loupé son saut entre le toit d'un supermarché de deux étages et l'escalier de secours du bâtiment d'à côté et s'était cassé les deux poignets.

Chaque fois que Danny se rappelait ce jeu, il avait la même sensation que lorsqu'il entendait sa propre voix sur un répondeur téléphonique. Elle était à la fois familière et un peu différente. Comme si quelqu'un d'autre racontait une histoire qui lui était arrivée.

Le vainqueur du jeu était la Grosse Bite. C'était le titre pour lequel ils se battaient, même s'il signifiait essentiellement que celui qui le remportait devait passer sa vie à garder les yeux ouverts à la recherche de la bonne occasion. Disons, un nouveau gratte-ciel en construction dans le quartier du Loop, le béton et le verre d'un mur-rideau à demi achevé, la silhouette d'une grue télescopique grimpant jusqu'au soixantième étage.

Boum ! Un défi.

Rendez-vous à sept heures. Chantier désert si l'on excepte les types de la sécurité occupés à boire du café dans leur caravane. Vous vous glissez sous le grillage à l'autre extrémité et vous vous faites discret jusqu'à ce que vous soyez dans le bâtiment. Les premiers étages comportent de vraies marches qui deviendront les sorties de secours. Après, des rampes de contreplaqué. Et quand il n'y a plus de rampes, vous attrapez la charpente de la grue, vous vous hissez par-dessus la rambarde jusqu'à l'escalier de caillebotis, et vous commencez à grimper.

Au vingtième étage, les mollets vous brûlent.

Au vingt-cinquième, vous avez dépassé le mur extérieur. Le vent cogne.

Au cinquantième, vous flottez au-dessus du vide, à cent cinquante mètres. Les gens dans la rue ne sont plus que des points, les taxis, des voitures miniatures Matchbox dont une douzaine pourrait tenir dans votre poche.

Au soixantième, vous n'avez plus d'étages. L'immeuble tombe à pic sous vos pieds, sa structure d'acier noircie par les marques de soudures. Vous escaladez la grue jusqu'au ciel. Vous commencez à compter les marches en ignorant vos jambes flageolantes à la Elvis.

Cent quatre-vingts marches plus haut, vous avez atteint la cabine du grutier, la boîte blanche ressemblant à l'habitacle d'un semi-remorque. Mais elle est fermée, alors vous en gravissez vingt de plus, jusqu'à la passerelle au sommet du mât.

Vous respirez, haletant, sur le toit de la ville, entouré par le ciel indigo. Le monde s'étale à vos pieds, telle une multitude de joyaux.

Et maintenant, le défi, parce que ça, c'était juste l'échauffement.

Vous grimpez sur la flèche de la grue. Le treillis métallique fait peut-être soixante centimètres de large, mais il est comme la corde d'un funambule. Vous avancez tel un Indien, un pied devant l'autre, replié sur vous-même pour résister au vent, rien de chaque côté, juste quelques centimètres d'acier entre vous et un voyage de cinq secondes jusqu'à State Street. Le choc est si violent, se disent-ils entre eux, que les tibias vous ressortent par les épaules. Le choc est si violent que personne ne peut reconnaître votre tête de votre cul. Le choc est si violent que vos dents rebondissent sur plusieurs rues.

Avancer. Respirer. Avancer.

Quand vous arrivez au bout, faites une révérence. Puis magnez-vous de revenir aussi vite que vous osez. Si vous êtes le premier à faire monter les enchères, félicitations. Vous êtes la nouvelle Grosse Bite. Dehors gonzesse, c'est vous le Pisseur. Un bébé ça appelle sa maman en chialant et ça mouille ses draps. Pas de poils aux couilles. Pas de couilles du tout.

Danny s'en souvenait distinctement. Il aurait pu relever ce défi à nouveau aujourd'hui s'il l'avait voulu. Le tremblement et la brûlure dans ses jambes. L'air tranchant qu'il inspirait loin, loin au-dessus des odeurs de gaz d'échappement et de poubelles des rues de la ville.

Une fois le premier pas accompli, la peur s'évanouissait. Son esprit émettait des interférences tels des parasites de radio qui faisaient écran à tout pour laisser place à un monologue calme et à la réponse de son corps. Le premier pas n'était pas le plus dur.

Non, le plus dur, c'était juste avant d'avancer dans le vide. Le plus dur, c'était l'attente, le cerveau qui imaginait ce qui pouvait mal tourner, ce qu'il ne pouvait contrôler, le destin qui menaçait sous ses pieds, affamé, impatient de le voir glisser.

Le plus dur, c'était d'être assis côté passager dans une belle Saab noire volée par Evan – une berline, probablement cinq étoiles question sécurité, le genre de bagnole qui sert à emmener son gamin dans une école privée – à regarder Evan allumer une énième cigarette. À regarder l'horloge digitale transformer sans bruit un quatre en cinq. Il s'aperçut qu'il triturait l'anse du sac de sport et se força à s'arrêter.

« Fais à nouveau le tour. »

Evan acquiesça, cigarette aux lèvres, les muscles de son cou étaient rigides. Lui aussi éprouvait la même sensation.

Ils s'arrêtèrent à un stop, puis tournèrent à droite, longeant l'autre façade du pâté de maisons. Des deux côtés de la voiture, de larges pelouses s'étalaient devant des maisons de cinq chambres nichées à l'ombre d'arbres imposants. Les rues avaient cet aspect étrangement large des quartiers où chaque maison possède un garage. Rien à voir avec les rues encombrées de la ville auxquelles il était habitué.

« On a vu le gamin rentrer, dit Evan. Qu'est-ce qu'on attend ?

– Tu dois te mettre dans l'état d'esprit du garçon, d'accord ? dit-il pour se détendre. Il rentre, pose son cartable, se demande ce qu'il va faire. Pas de frères, et son père ne va pas rentrer avant huit ou neuf heures. Alors le gamin a la maison pour lui, poursuivit Danny en évitant de l'appeler Tommy, en évitant de penser à lui personnellement. Qu'est-ce qu'il fait ?

– Qu'est-ce que j'en sais ? répondit Evan. Il allume la télé ?

– Exactement. C'est là que je le veux. Devant la télé. Ça étouffera le bruit, et je ne crois pas qu'il y ait de boîtier d'alarme dans cette pièce.

– Alors on attend combien de temps ? »

Evan semblait impatient, presque nerveux. Mieux valait faire vite.

« Ça fait quoi, vingt minutes ? C'est probablement le moment. »

Il ouvrit la fermeture-éclair du sac de sport pour un ultime inventaire. Tout était exactement comme les douze dernières fois qu'il avait vérifié. Avant de refermer le sac, il frôla de la main la poche intérieure. Le rectangle de plastique qui s'y trouvait avait quelque chose d'étrangement rassurant.

Evan tourna au coin de la rue, de nouveau à droite, le domicile de Richard était maintenant en vue, une maison en briques de deux étages avec un toit de bardeaux et des *bow-windows,* un croisement architectural entre un chalet suisse et un manoir anglais. L'allée était recouverte d'un bitume lisse qui ronronna sous les pneus tandis qu'Evan s'y engageait lentement et roulait jusqu'à la porte fermée du garage. Il passa au point mort et posa les mains sur le volant. Ils avaient tous deux enfilé des gants de pilote sur le parking du MacDonald's et, en voyant Evan tapoter le volant de ses mains élégamment gantées, Danny se le représenta furtivement en chauffeur. Il ne lui manquait plus qu'une casquette inclinée. C'était une vision amusante, mais il l'écarta de son esprit.

« Prêt ? » Evan avait dans la voix un léger soupçon d'excitation, une note familière que Danny avait presque oubliée. Il avait le même ton lorsqu'il jouait au Pisseur, juste avant de plonger du pont à bascule de Michigan Avenue, ou lorsqu'il piquait un sprint dans Lakeshore Drive aux heures de pointe.

« Une seconde. »

Danny ouvrit son téléphone portable et composa un numéro. Elle répondit à la deuxième sonnerie.

« Debbie. Donne-nous cinq minutes.

– O.K. Soyez prudents.

– Oui. »

Danny replia son téléphone.

« Qu'est-ce que c'était ?

– Allons-y », dit Danny, ignorant la question d'Evan.

Il attrapa le sac de sport et ouvrit la portière. Le vent d'octobre le gifla au moment où il quitta la voiture chauffée. Il faisait moins de cinq degrés, beaucoup plus froid que la plupart des autres années. Tout en prenant soin de faire face à la maison, il parcourut du regard toutes les fenêtres à la recherche du moindre signe de vie. Rien.

Il regarda Evan par-dessus le toit de la Saab. Lui aussi se tenait près de sa portière ouverte et, l'espace d'un moment, ils se regardèrent dans les yeux. Puis Danny fit un signe de tête et referma sa portière.

Le moment était venu de faire ce premier pas au bord du vide.

Il se retourna, se dirigea vers le garage, Evan lui emboîtant le pas. L'adrénaline était désormais à son comble, l'afflux de sang qui bourdonnait dans ses oreilles étouffant la peur, lui conférant le calme dont il avait besoin. Ils contournèrent le garage d'un pas ferme, adoptant un air le plus naturel possible au cas où des voisins regarderaient par la fenêtre. *Rien de suspect, m'dame. On vérifie juste le compteur.* La pelouse sur le côté de la maison était bien entretenue, l'herbe, clairsemée à cause de l'ombre d'un érable qui devait avoir soixante ans. Les fenêtres du garage comportaient des rideaux vaporeux, mais Danny devinait qu'il était vide. Parfait. Lorsqu'ils atteignirent le coin arrière, il s'arrêta et jeta un coup d'œil à l'angle du mur.

Tout était calme. Le jardin de derrière, bordé d'une rangée d'arbres à feuilles persistantes, était plus petit que la pelouse de devant. Une grande terrasse faisait saillie à l'étage et Danny éprouva un soudain pincement au cœur en repensant à la fête de l'année précédente, tout le monde sur la véranda, Richard jouant au papa devant le barbecue. Puis il se rappela qu'aucun des ouvriers n'avait été invité. De plus, il avait demandé à chacun d'amener sa propre bière.

« Viens. Reste discret. »

Danny avança en premier, rapidement maintenant qu'ils étaient hors du champ de vision des voisins, mais courbé pour qu'on ne l'aperçoive pas depuis la maison. Il entendait Evan derrière lui, le craquement des brindilles qu'il écrasait de son pas lourd. Dix mètres plus loin, ils se retrouvèrent sous la terrasse en bois, devant une porte située à côté du gros climatiseur qui arrivait à la taille de Danny. Il se pencha pour examiner le verrou. Evan se posta près du climatiseur.

Quand Danny avait quitté son ancienne vie, il s'était débarrassé de tout ce qui pouvait la lui rappeler. Sauf de ses outils. Bizarrement, il n'avait pas pu les jeter. Au cinéma, les truands avaient toujours une bourse de cuir pleine de crochets, du genre de ceux utilisés par les serruriers, mais il aimait ceux qu'il s'était fabriqués. Il les conservait dans une sacoche qui se fermait avec une ficelle, à l'origine conçue pour contenir une bouteille de whisky Crown Royal, qu'il cachait à la cave dans une boîte pleine de vieilleries. Pour la première fois en sept ans, il dénoua la ficelle.

Il avait perdu la main. Le verrou lui résista presque deux minutes.

« Bon Dieu. » Il sentit l'haleine chargée de café et de cigarettes d'Evan par-dessus son épaule. « Il t'a fallu le temps, Danny-boy. »

Danny lui fit un doigt d'honneur puis tourna doucement la poignée, priant pour que la porte ne grince pas. C'était toujours à cause de petits détails qu'on se faisait pincer.

Les gonds murmurèrent à peine et la porte s'ouvrit sur ce que Richard appelait sa pièce à crasse, un espace exigu et froid qui abritait une machine à laver et un sèche-linge, des piles de linge sale par terre. Il entendit le son de la télévision allumée à fort volume dans une autre pièce. Le cœur battant à tout rompre et la bouche sèche, il entra. Evan le suivit et referma la porte derrière lui.

Ils restèrent un moment silencieux, Danny écoutant les bruits de la maison. Attendant le moindre semblant d'alarme. Comme rien ne venait, il ouvrit le sac de sport et en tira deux masques tout simples identiques à celui de Zorro. Ils limitaient la vision périphérique, mais c'était tolérable. Danny dut se retenir de rire lorsqu'il vit son partenaire ; sa mâchoire carrée et ses muscles saillants combinés à son masque et à son jean lui donnaient l'air d'un catcheur mal fagoté. Evan ajusta la lanière, hocha la tête et fit un pas en avant. Danny l'attrapa par le bras et se pencha pour lui murmurer à l'oreille : « Attends. »

Evan lui lança un regard interrogateur, trépigna, mais ne bougea pas. Dix secondes, vingt, trente. Danny, les mains moites, observant les dessous sales de son patron. Evan, fou d'impatience, un sourire méprisant aux lèvres, le regarda avec l'air de demander, *Qu'est-ce que tu branles ?* Danny secoua la tête, plaqua un doigt sur ses lèvres, espérant qu'il n'avait pas fait une bêtise.

Le téléphone sonna alors et il se détendit. Debbie avait suivi les consignes. Ils se tinrent immobiles et écoutèrent, deux sonneries, un bruit de pas traînants, trois sonneries, quatre, puis, dans la cuisine, la voix maussade d'un adolescent de douze ans.

« Allô ? » prononça-t-il lentement, comme à contrecœur. Il y eut une pause, puis la voix résonna de nouveau, mais différente, pleine d'excitation maintenant. « Vraiment ? J'ai gagné ? »

Danny désigna la porte d'un signe de la tête et Evan s'avança, donnant un coup de pied dans une pile de linge sale qui se trouvait sur son chemin et faisant voler des jeans à travers la pièce. Un bouton heurta la chaudière et Danny faillit dire à Evan de faire gaffe. Bon sang. Il avança avec précaution jusqu'à la porte ouverte et se tint près d'Evan, cherchant à tâtons le rectangle de plastique avant de poser le sac par terre. La poignée moulée s'adaptait parfaitement à ses doigts. Il caressa du pouce l'interrupteur.

Dans la pièce voisine, Tommy s'exclamait d'une voix enjouée comme s'il venait de s'apercevoir que Noël était demain : « Génial ! Quoi ? Bien sûr ! » Puis ils l'entendirent courir jusqu'à la salle de télévision.

Que le spectacle commence.

Danny s'engagea dans le couloir, Evan sur ses talons. En voyant le parquet poli et les photos familières accrochées au mur, une impression surréaliste de déjà-vu le submergea. Il ne s'était jamais attendu à se retrouver dans cette maison sous les traits d'un voleur. Ni dans aucune maison d'ailleurs.

Il longea lentement le couloir en restant près du mur. Trois mètres plus loin, par une porte ouverte, il aperçut le tremblotement bleu froid de la télé. Il entendait à peine la voix de Tommy par-dessus le rythme d'un morceau de hip-hop. Debbie devait être en train de lui dire que son nom allait apparaître à l'écran. Malgré son cœur qui battait à tout rompre, Danny continua d'avancer à pas de loup, doucement, tenant le rectangle de plastique dans sa main. Lorsqu'il atteignit la porte, il inspira silencieusement et jeta un coup d'œil dans la pièce.

Le logo de la chaîne VH-1 clignotait sur la télé à écran plat. Il vit la silhouette de Tommy, un téléphone sans fil collé à l'oreille. L'enfant portait un jean et un maillot de rugby, il bondissait sur place, trépidant d'énergie. Sa coquille d'enfant renfrogné avait craqué, laissant place à un petit garçon excité à l'idée d'avoir gagné un prix.

C'en était trop. La vérité sur ce qu'il était en train d'accomplir surgit soudain devant Danny tel un train lancé à grande vitesse. Il était un voleur – non, pire, un kidnappeur – et des innocents étaient en danger. Encore une fois.

Il s'était dit qu'en venant ici il pourrait contrôler Evan, faire en sorte que Tommy ne soit pas blessé. Mais maintenant qu'il était là, il comprenait qu'il ne pourrait aller jusqu'au bout. Hors de question. S'ils partaient maintenant, personne n'en saurait rien. La seule conséquence serait la déception de Tommy lorsqu'il ne recevrait pas la Playstation. Danny trouverait un autre moyen de régler sa dette. Il se retourna pour faire signe à Evan de rebrousser chemin.

Et vit Evan lui passer devant et s'engouffrer dans la pièce, sans même chercher à se cacher ni à être silencieux...

... un pistolet à la main.

22

Les monstres l'attendraient

Toutes ses tergiversations s'évanouirent. S'appuyant de la main gauche au chambranle, Danny s'élança dans la pièce en levant le rectangle de plastique qu'il avait ôté du sac. Tommy se retournait déjà, l'excitation sur son visage fondant à la vue d'Evan et de son arme. Le téléphone lui tomba des mains et tout sembla se figer durant sa chute. Puis l'appareil heurta le sol dans un grand fracas et Danny se précipita devant Evan, enfonçant du pouce le bouton du pistolet électrique et l'appliquant fermement contre l'épaule de Tommy.

Un crépitement électrique retentit et le garçon se raidit avant de s'effondrer. Danny le rattrapa avant que sa tête ne heurte le sol et le posa doucement.

Il se retourna, fou de rage. Evan se tenait tranquillement à deux mètres de lui, le pistolet au niveau de la hanche, son bras balançant légèrement comme si le revolver exerçait une traction dessus.

« Je t'avais dit de ne pas apporter de pistolet, lança Danny en faisant tout son possible pour ne pas hurler.

– Ouais, lâcha Evan d'une voix traînante. Ça me dit quelque chose. »

À cet instant, s'il avait eu lui-même une arme, Danny aurait pu jurer qu'il l'aurait dégainée. Il se redressa, s'écarta de Tommy. Il tenait toujours le pistolet électrique et sentait cette vieille colère battre dans ses veines. Il regarda fixement Evan tandis que sa raison lui criait d'arrêter, de se calmer, lui disait qu'un pistolet électrique à trente dollars ne faisait pas le poids contre un 38 mm. Evan lui retourna son regard, un sourire dur barrant son visage. Prêt à jouer.

« Allô ? » La voix minuscule provenait du sol, du téléphone que Tommy avait lâché. « Allô ? Vous allez bien ? »

La voix de Debbie rappela Danny à la réalité. Il expira par le nez, se retourna, attrapa le téléphone.

« Oui.

– J'ai entendu des bruits, dit-elle d'une voix frêle, un peu effrayée.

– Ce n'est rien. » Il s'accroupit, vérifia le pouls de Tommy. Il battait fort. Il regarda Evan par-dessus son épaule. « Va chercher le sac. » Danny souleva les paupières de Tommy. Il avait les pupilles un peu dilatées, mais ça allait. « On en a bientôt fini ici, dit-il à Debbie. Tu appelles d'une cabine comme je te l'ai dit ?

– Hum, hum. Une bodega dans Western.

– Bien. Essuie le téléphone et fonce à la caravane. On te retrouvera là-bas. »

Il raccrocha. Il y eut un bruit sourd lorsqu'Evan laissa tomber le sac près de lui. Danny vit les bottes esquintées d'Evan juste derrière, il attrapa le sac et l'ouvrit sans lever les yeux.

« Le garage est au bout du couloir. Va ouvrir la porte et rentre la voiture. Referme la porte derrière toi.

– Il est O.K. ?

– Oui. »

Danny entendit Evan rire.

« Et l'électrocuter, c'est pas lui faire du mal ? »

Danny leva les yeux. Le pistolet était enfoncé à l'avant du pantalon d'Evan.

« Il fallait que je lui fasse perdre conscience sans lui faire de mal. C'est le pistolet électrique le moins puissant du marché. Mais oui, je l'ai essayé, et ça a fait mal.

– Tu l'as essayé sur toi ? dit Evan avec un sourire moqueur.

– Avant de l'utiliser sur un gamin ? Évidemment. » Il fouilla dans le sac, en tira un autre masque dont les trous pour les yeux avaient été recouverts de papier adhésif. « Ça fait mal, mais la douleur ne dure pas, et il n'y a aucun dégât permanent. Ça vaut donc nettement mieux que l'assommer avec un pistolet comme tu comptais le faire.

– Combien de temps il va rester dans les vapes ?

– Je n'en sais rien. Un adulte ne perdrait probablement même pas conscience. Alors disons un quart d'heure. Tu vas aller chercher la voiture ou tu comptes attendre qu'il se réveille ? »

Il se tourna de nouveau vers le sac et en tira une bande Velpeau, ignorant délibérément Evan qui resta immobile cinq secondes, dix, suffisamment longtemps pour affirmer son indépendance. Puis il se retourna et longea le couloir en martelant le sol de ses bottes.

Danny poussa un soupir de soulagement.

Tommy émit un petit gémissement et l'un de ses bras bougea légèrement. Danny en eut le cœur brisé. « Je suis désolé, gamin. » Il posa la main sur la joue du garçon inconscient. Sa peau était douce et chaude, comme s'il était juste endormi. Danny éprouva une grande amertume. « J'aurais voulu que rien de tout cela n'arrive. »

Il sentit dans le plancher une faible vibration provoquée par l'ouverture de la porte du garage. Le dégoût de soi allait devoir attendre. Il posa le masque sur le visage de Tommy. « Mais tu ne connais pas ce type. Crois-moi, il le ferait avec ou sans moi. Et tant que je suis là, tu es en sécurité. »

Il n'ajouta pas qu'il espérait seulement que ce soit vrai. Bon sang, apporter un flingue. Toutes ces années en prison ne lui avaient rien appris. Rien qui vaille la peine d'être appris, du moins.

Procédant vite mais en douceur, Danny ligota le garçon avec la bande. Il craignait de lui couper la circulation du sang en lui attachant les poignets et se contenta d'enrouler fermement le tissu autour de son torse pour lui immobiliser les bras contre les flancs comme dans un large cocon. Il répéta l'opération avec ses jambes. Ça ne résisterait pas à un véritable effort, mais ça ferait l'affaire. De la toile adhésive aurait été plus sûre, mais Danny ne pouvait pas faire ça à un gamin de douze ans.

À Evan, peut-être.

Lorsqu'il eut fini, il se redressa, appuya sur la sécurité du pistolet électrique et l'enfonça dans sa poche. Il ramassa le téléphone qui gisait par terre, se rendit dans la cuisine et le raccrocha, puis il fit un détour par la pièce à crasse pour refermer le verrou. Lorsqu'il regagna la salle de télévision, il trouva Evan occupé à soulever le coin d'une affiche d'art moderne encadrée pour regarder derrière.

« Tu te fous de moi.

– Quoi ? demanda Evan.

– C'est un entrepreneur. Même s'il a un coffre, tu crois qu'il va être rempli de billets de cent ? dit Danny en soupirant. Attrape-le par les pieds, je prends les mains. »

Evan lui lança un regard méprisant, se pencha en avant et souleva Tommy dans ses bras à la façon d'un pompier. Le gamin ne pesait probablement guère plus de quarante kilos, mais tout de même, cette absence totale d'effort était impressionnante. Comme si le gamin était aussi léger qu'une plume.

Danny éteignit la télé, réduisant au silence une star du rap qui décorait sa troisième Lamborghini de jantes dorées, et jeta un dernier coup d'œil autour de lui. Tout semblait en ordre. « Allons-y. » Il prit le sac sur son épaule et sortit.

Le garage était bien rangé, pas d'outils ni d'équipements pour la pelouse, juste deux vélos et de la place pour deux voitures. Evan avait garé la Saab volée au centre, coffre grand ouvert. L'intérieur était recouvert d'une fine moquette et les clubs de golf de l'ancien propriétaire occupaient la moitié de l'espace. Ils n'avaient pas pensé à vérifier le coffre. Danny, qui commençait à perdre son calme, repoussa les clubs sur le côté. S'il devait tirer Tommy de ce mauvais pas, s'en sortir lui-même, il ne pouvait pas se permettre de ne pas penser à tout.

Evan se pencha et étendit Tommy dans le coffre, plus doucement que Danny ne s'y serait attendu.

« O.K. ? dit-il en se frottant les mains. On a fini ? »

Danny acquiesça, commença à refermer le coffre et interrompit son geste. Ils n'avaient pas un long trajet à faire, mais tout de même.

« Une seconde. »

Il retourna à la salle de télévision. Sur le divan se trouvait une demi-douzaine de coussins de couleurs et motifs différents. Il en attrapa trois. Qui faisait vraiment attention à ses coussins ? Il regagna le garage. Le garçon marmonna quelque chose et força inconsciemment sur ses liens.

« Chuuuut. »

Danny se baissa et cala Tommy avec les coussins ; un sous la tête, les autres de chaque côté. Pas franchement le Ritz, mais ça l'empêcherait de rouler dans les clubs de golf ou dans le passage de roue. Ça ferait l'affaire. Il referma le coffre.

« En route. »

Evan lui fit un petit sourire narquois et secoua la tête, puis il marcha jusqu'à la portière. Danny posa la main sur le montant.

« C'est moi qui conduis. »

Pour une fois, Evan ne discuta pas.

« Greenleaf, Greenwood... Ces abrutis vivent à Chicago mais toutes leurs rues ont des noms d'arbres », dit Evan d'un ton enjoué, le même que lorsqu'ils se provoquaient durant leurs parties de Pisseur, il y avait si longtemps de cela.

La maison de Richard était deux rues derrière eux, et Danny se demanda s'ils avaient refermé la porte du garage. Il savait qu'ils l'avaient fait ; l'inquiétude était juste un symptôme nerveux au moment où l'excitation retombait. *Idem* pour son envie irrépressible de rire bêtement, comme s'ils venaient simplement de piquer des *Playboy* dans une épicerie du Loop. Il s'efforça de rester calme. Ils étaient partis, mais le boulot n'était pas encore fini. Ils devaient emmener Tommy à la caravane. Après il pourrait se détendre.

Un peu.

Parce que rien ne serait terminé, se rappela-t-il, tant que Tommy ne serait pas rentré chez lui. Tant que Danny n'aurait pas retrouvé son ancienne vie. La paperasse. La direction de projets. Les dimanches après-midi à regarder des vidéos sur le canapé une fois que Karen avait récupéré de son service de nuit.

Tout cela semblait à peu près aussi réel qu'un fantasme de prison, une discussion nocturne avec un camarade de cellule sur ce qu'on ferait en sortant. Le bœuf à l'italienne avec double dose de piments, la rousse qui vous attendait peut-être. La promesse de ne jamais refaire quoi que ce soit d'assez con pour retourner au trou. Il s'imagina un moment qu'il était toujours en prison, que les sept dernières années n'avaient été qu'un rêve particulièrement réaliste.

Puis il arrêta de déconner.

« Oui, eh bien, il y a plein d'arbres. »

Evan grogna, regarda par la vitre les pelouses ombragées qui s'étalaient devant des maisons qui valaient plusieurs millions de dollars.

« Ça doit être ça.

– Bon. On retourne à la caravane. Debbie nous y retrouve. Quand on aura installé Tommy, je ferai une apparition au chantier du restaurant. Tu prends la voiture et tu t'arranges pour qu'on la vole. Puis...

– Ouais, ouais, ouais. » Evan bâilla. « On a déjà vu tout ça, vieux.

– Puis, poursuivit Danny, on se retrouve et on passe le coup de fil. On répétera d'abord ce que tu dois dire, mais ce sera court et simple. Et puis...

– Et puis on va boire une bière et on attend. »

Danny acquiesça, préférant garder pour lui le fait qu'il n'avait aucune intention de la jouer copain-copain. Evan voulait boire un verre, très bien. Il n'était pas un escroc débutant qui commençait à frimer à son quatrième whiskey. Mais Danny rentrerait direct chez lui. Il actionna le clignotant, ses mains gantées posées sur le volant lui rappelant que l'hiver approchait. Ils prendraient la direction du sud pour regagner Lakeshore Drive. Il y aurait de la circulation, mais ils passeraient inaperçus. Le panneau de stop à l'angle de la rue était orné d'un autocollant qui disait LE VIOL juste sous le mot STOP. Il ralentit et regarda dans le rétroviseur.

La berline derrière eux avait un gyrophare sur le tableau de bord.

« Merde.

– Quoi ?

– Des agents de sécurité.

– Merde. »

Evan se redressa sur son siège.

Le véhicule, une Ford de modèle récent, avait des vitres juste assez teintées pour que Danny ne puisse distinguer que la silhouette du conducteur. Son cœur cognait contre ses côtes tel un animal se jetant contre les barreaux de sa cage. Depuis combien de temps la voiture les suivait-elle ? Il avait été trop préoccupé pour le savoir avec certitude.

Une rue ou deux, au moins.

Il ralentit au stop, s'arrêta. Le pare-chocs de la Ford s'approcha lentement dans le rétroviseur. Danny accéléra doucement et tourna, juste un citoyen honnête vaquant à ses occupations dans une belle voiture.

À cet instant, le gyrophare se mit à clignoter.

Ses mains étaient moites, ses gants, collants. Il ralentit, immobilisa la voiture, passa au point mort tout en laissant tourner le moteur. La Ford s'arrêta derrière eux, gyrophare toujours allumé. Mais silencieuse. Pas de sirène.

« Il est seul ? » demanda Evan sans se retourner.

Un homme descendit de la voiture, un grand type maigre avec une moustache portant un uniforme noir orné d'un écusson rouge sur la poitrine.

« Oui. »

Evan hocha la tête. Le revolver apparut dans sa main. Il ouvrit le barillet, le fit tourner, le remit en place. Puis il inclina la tête de chaque côté, rapidement. Danny entendit sa nuque craquer. Evan fit un clin d'œil et transféra le pistolet vers sa main droite avant de tendre la gauche vers la poignée de la portière.

Il fallait intervenir. L'histoire ne pouvait pas se répéter, Danny ne pouvait pas rester assis là et regarder la situation lui échapper des mains.

Tu n'as jamais eu les choses en main, Danny-boy.

Tu te faisais juste des illusions.

Il comprit soudain que lui seul pouvait sauver les meubles. Il ouvrit brusquement sa portière et descendit avant qu'Evan ait eu le temps de réagir.

L'agent de sécurité sursauta, une main à proximité de son ceinturon. Ses doigts enveloppaient un objet qui ressemblait à une bombe lacrymogène.

« Bonjour. »

Danny s'efforça de sourire, tel un résident s'adressant à un employé. Il vit du coin de l'œil qu'Evan avait entrouvert sa portière de quelques centimètres mais n'était pas sorti. Il fit un pas de plus en direction du vigile pour se placer dans la ligne de tir d'Evan.

« Monsieur », répondit le garde sans sourire mais en écartant la main de la bombe lacrymogène. Il désigna le coffre de la voiture. « Est-ce que vous pouvez venir jusqu'ici, s'il vous plaît ? »

Il frissonna de la tête aux pieds. Le coffre. Il sentit le goût amer de l'adrénaline dans sa bouche. Il fit un pas, puis un autre, tout en se disant qu'il pouvait peut-être mettre l'agent K.-O. Il ne laisserait pas Evan faire les choses à sa manière, ce qui ne signifiait pas qu'il devait laisser un vigile se mettre en travers de son chemin. Conservant son sourire au prix d'un immense effort, il alla se placer face à l'homme, les mains sur le côté, mourant d'envie de serrer les poings.

« Quel est le problème, monsieur l'agent ? » demanda-t-il

en en rajoutant, comme s'il n'avait pas remarqué que le type n'était pas de la police.

L'expression de l'homme ne changea pas lorsqu'il désigna l'arrière de la voiture.

« Ça. »

Tommy s'était-il réveillé et était-il parvenu à ouvrir le coffre ? Danny contourna la voiture, suivant du regard le point désigné par le doigt du type, prêt à lui sauter à la gorge. Il s'attendait à trouver une des mains de Tommy sortant du coffre entrouvert. Il était certain qu'Evan allait jaillir de la voiture et se mettre à tirer d'un instant à l'autre, que les détonations seraient suffisamment fortes pour pulvériser le monde.

Sur le côté droit, le feu arrière de la Saab était cassé.

« Monsieur, c'est très dangereux. Vous ne devriez pas conduire avec seulement un feu arrière. Je voulais vous prévenir avant que la police ne vous arrête. »

Au plus profond de lui, Danny se sentit partir d'un rire frénétique, redoutable, à en avoir les larmes aux yeux, comme un petit garçon qui allumerait la lumière pour s'apercevoir que le monstre dans le coin de la chambre n'était en fait qu'une pile de vêtements sur la commode.

Et comme il faisait mine d'écouter le pseudo-flic, gloussant intérieurement mais jouant le type inquiet, se demandant à voix haute quand c'était arrivé, il ne pouvait s'empêcher de penser que ce connard moralisateur avait bien failli se faire arracher la tête. Que s'il n'était pas sorti de voiture au bon moment, Evan l'aurait descendu pour un phare cassé.

Mais le problème avec le soulagement qu'éprouvait le petit garçon dans sa chambre était qu'il était de courte durée. À un moment il fallait à nouveau éteindre la lumière.

Et alors, les monstres l'attendraient.

23

Et dansent les feuilles mortes

La Saab volée s'était laissé conduire comme une petite chatte, elle avait été plus nerveuse que ce qu'imaginait Evan. Il s'était offert deux longs pâtés de maisons vers Cabrini Green en guise de tour d'honneur, pied au plancher pour que le monde à l'extérieur devienne flou : un lycée grillagé, une rangée de lotissements décatis, un magasin d'alcool barricadé comme un bunker de la Seconde Guerre mondiale. La moitié des bâtiments devant lesquels il était passé étaient recouverts de tags, et à un moment il avait forcé un groupe de jeunes membres de gangs à bondir sur le trottoir, avait rigolé quand ils s'étaient mis à lui hurler dessus. Disons qu'ils payaient pour les types auxquels il avait eu affaire à Stateville. Il n'était pas raciste ni rien, mais c'étaient toujours des Noirs qui faisaient partie des gangs, des Noirs et des Hispaniques. Il détestait l'idée d'abandonner la Saab sur leur territoire avec les vitres baissées et la clef sur le contact. Quel dommage de laisser une si jolie mécanique à ces éternels losers.

De retour dans sa propre voiture, il grignota des chips en attendant Danny. Il était garé à l'arrière d'une station-service, à côté de l'épave d'une petite Ford qui semblait avoir percuté un semi-remorque. L'avant était ratatiné, le pare-brise avait volé en éclats, des fragments de verre sécurité verdâtre jonchaient les sièges. Le pistolet lui rentrait dans le ventre et il le tira de sous son ceinturon et le balança sur le siège côté passager. Quand il avait vu l'arme, Danny avait eu une expression aussi marrante que ces membres de gangs qui avaient plongé sur le trottoir. Un instant magnifique, comme regarder un immeuble s'écrouler. Tant de surprise. Evan n'en revenait pas – Danny était vraiment parvenu à se convaincre qu'il avait les choses en main, que tout le monde allait suivre ses ordres comme de bons petits soldats.

Evan avait le pressentiment que quand ils auraient fini le boulot, l'expression suffisante et hautaine de Danny ne serait plus qu'un lointain souvenir.

Il avait fini son paquet de cigarettes – il savait qu'il fumait trop ces temps-ci, mais s'en fichait un peu – et il songeait à aller en acheter un autre quand Danny était arrivé. Evan était descendu de la Mustang et le vent froid l'avait frappé de plein fouet. Dès qu'ils auraient achevé ce boulot, il prendrait son fric et se tirerait vers le sud. Il se trouverait un coin avec des bars sur la plage et des bikinis qui l'appelleraient papa.

Sur la droite de la station-service se trouvait un congélateur rempli de sacs de glace. Danny fit un demi-tour pour se garer à côté et dissimuler la cabine téléphonique avec son 4 × 4, puis il descendit par le côté passager. Danny tout craché. Toujours à trop calculer – comme si quelqu'un allait espionner deux types qui discutaient dans un parking. Surtout par ce temps.

Les premiers mots à sortir de la bouche de Danny furent : « Est-ce que tu as abandonné la Saab ? »

Evan décida d'ignorer la question.

« Dis donc, tu trimballes des fringues de rechange dans ta bagnole ? »

Danny était affublé d'un pantalon de toile de pédé et d'une chemise habillée. Le jeune arriviste par excellence.

« Je suis allé sur un chantier. Fallait que je m'habille en conséquence. »

Danny plongea la main dans la poche de son pantalon, en tira deux pièces de vingt-cinq cents qu'il se mit à faire sauter d'une main à l'autre.

« Dorito ? » proposa Evan en lui tendant le sachet.

Danny lui lança soudain un regard dur.

« Tu es entré dans la boutique ?

– J'y ai fait un tour. C'est bon. L'employé ne peut pas nous voir. »

Loin d'être heureux d'entendre ça, Danny serra les poings.

« Tu n'étais pas censé te montrer.

– J'ai acheté des chips, répliqua Evan. Je les ai pas dévalisés.

– Soit, dit Danny en secouant la tête. Tu sais ce que tu dois dire ?

– Oui. Je lui dis que je suis un pote à Danny Carter et que je retiens son gosse dans ma cave. C'est quoi le numéro. »

Evan crut l'espace d'une seconde que Danny allait lui faire toute une histoire et il se demanda combien de temps encore il allait devoir supporter ces conneries. Au moins deux jours encore, jusqu'à ce que les choses soient sur la bonne voie. Il aurait peut-être besoin de Danny parce qu'il connaissait bien son patron. Cela dit, si Danny continuait de le traiter comme un petit voyou amateur, ça se terminerait mal. Danny lui tendit les pièces.

« Le numéro est 847-866-0300. C'est son portable. Il répond toujours. »

Evan acquiesça, tendit le bras vers le téléphone. Danny lui attrapa le poignet.

« Mets tes gants. »

Evan lâcha un petit rire moqueur.

« Tu dois avoir le trou du cul si serré qu'il te faut un chausse-pied pour chier.

– Mets juste tes gants. »

Evan haussa les épaules, tira les gants de sa poche et les enfila.

« Heureux ? »

Il décrocha le combiné, plaça la monnaie dans la fente, ressentit une montée d'adrénaline. Pas aussi forte ni aussi pure que quand ils étaient entrés dans la maison, mais tout de même, une sensation de puissance qui traversa tout son corps. Il avait pitié des citoyens ordinaires qui vivaient leur vie morose sans jamais éprouver ça.

« Richard O'Donnell. »

Une voix nasale, plus qu'un peu arrogante. Evan resta un moment silencieux, laissa le type répéter son nom, puis il déclara :

« Nous tenons votre fils.

– Quoi ? demanda l'homme en bégayant. Qui êtes-vous ? »

Evan lui coupa la parole.

« Nous tenons Tommy. » Il fit un clin d'œil à Danny. « Quand je raccrocherai, vous pourrez rentrer chez vous et vérifier par vous-même. Mais pour l'instant, vous allez m'écouter sagement. Pigé ? »

Il n'entendit que du silence à l'autre bout de la ligne.

« C'est bien, Dick. Je vous explique. Pour sauver la vie de votre fils, il vous suffit de faire tout ce que je dis. » Il marqua une pause, savourant le frisson que lui procurait cette conversation, la peur qu'il percevait dans la respiration de son interlocuteur. « Si vous appelez les flics ou cherchez à nous énerver, Tommy meurt. »

Il ne quittait pas Danny des yeux, certain que celui-ci allait faire la grimace. Il ne s'était pas trompé.

« Comment puis-je savoir qu'il se porte bien ?

– Non, Dick. On va pas faire ça. Je vais pas vous envoyer une photo de lui tenant un journal. Je vais pas vous passer un enregistrement de sa voix, je vais pas menacer de lui couper les doigts. Je vais juste le tuer et disparaître. Compris ?

– Combien voulez-vous ? » demanda Richard d'une voix dans laquelle avait disparu toute trace d'arrogance.

Evan regarda fixement Danny. Celui-ci était tendu, avait les poings serrés, ses yeux trahissaient son malaise. *Attends Danny-boy. Si ça t'a plu jusqu'à présent, tu vas adorer ce qui vient.* Un vent glacial balaya le parking, faisant danser les feuilles mortes.

« Un million en espèces. »

L'expression sur le visage de Danny remplit toutes ses espérances. Il passa du blanc au rouge, tendit le bras vers le téléphone, s'arrêta, se figea finalement, les yeux pleins de colère. Evan lui sourit.

« Tu m'entends, Dick ?

– Je... Je n'ai pas cette somme.

– Alors ton fils meurt. J'ai apprécié notre conversation. »

Il fit un nouveau clin d'œil à Danny. Il adorait ça, remuer le couteau dans chacun d'eux en même temps. Il adorait la décharge d'adrénaline qui était maintenant à son comble. Il voyait bien que Danny aurait voulu rattraper le coup, mais qu'il était tout aussi impuissant que son patron.

Ça faisait plaisir à voir.

« Attendez ! hurla Richard.

– Si vous avez pas le fric, on perd notre temps.

– Je peux l'avoir. Enfin, je vais l'avoir. »

Il bégayait comme un môme cherchant à éviter la bagarre.

« C'est ce que je pensais. On vous rappellera dans deux jours. Attendez près du téléphone. Eh, Dick ? Rappelez-vous que vous avez affaire à des gens sérieux. Doutez-en une seconde et vous passerez le restant de votre vie à le regretter. »

Evan raccrocha, content de lui. Une jolie note de fin. Le type était sans doute en train de se pisser dessus à l'heure qu'il était, toutes les choses qu'il croyait importantes s'étaient envolées.

« Pas mal, hein ? Je pourrais faire ça pour gagner ma vie.

– Espèce de connard. »

Danny parlait d'une voix étranglée, les jointures de ses poings serrés étaient blanches.

« Quoi ? demanda Evan en souriant d'un air désinvolte.

– On avait dit un demi-million.

– C'est toi qui l'as dit, pas moi. De toute façon, tu devrais me remercier – je viens de doubler notre butin. »

Mon butin.

Danny le fusilla du regard, tel un père réprimandant son fils.

« Il aurait pu retirer un demi-million de son compte en banque, sermonna-t-il. Puiser sur sa retraite, vendre quelques options. Mais pour un million, il est probable qu'il ira voir les flics...

– Blablabla. Écoute, le type a pas tardé à dire qu'il pouvait trouver le fric quand il a compris ce qui était en jeu. En plus, maintenant il sait qu'il a affaire à des pros.

– Evan...

– Tu veux le rappeler ? »

Ils s'observèrent un long moment, Danny toujours à cran, comme s'il songeait à continuer son cinéma. Ç'aurait bien plu à Evan, mais il savait qu'ils n'avaient pas le temps. Il diminua l'intensité de son regard, esquissa un sourire.

« Relax. Le plus dur est fait. »

Inutile de pousser Danny trop loin pour le moment. Il pouvait toujours être utile. Si Danny disparaissait, le boss risquait de paniquer. Mieux valait rester calme, finir le boulot, et toucher le fric.

Après, Danny et lui pourraient régler leurs dernières dettes.

« Fais pas la gueule, partenaire. À partir de maintenant ça va être du gâteau. »

Il faillit rire en prononçant ces mots. Danny secoua la tête.

« Bien sûr », dit-il, mais il ne semblait pas convaincu.

Evan le regarda grimper dans son 4 × 4 et fermer la portière. Il s'aperçut que Danny l'observait dans le rétroviseur. Il sourit, le salua de la main en levant deux doigts, comme le faisait son père. C'est marrant comme ces petits détails vous restent. Danny l'ignora, démarra, enclencha la vitesse et s'éloigna lentement. Ça rendit Evan malade. Voire furieux. Il n'avait même pas les *cojones* de sortir d'un parking en faisant crisser ses pneus.

Evan pénétra dans la station-service et demanda des Winston. Paquet souple. Le Pakistanais derrière le comptoir attrapa les cigarettes sans le regarder à deux fois, sans s'apercevoir qu'il était déjà venu quarante minutes plus tôt, ou alors, s'il s'en rendait compte, il n'en montrait rien. Evan s'imagina récupérant le pistolet sur le siège de la Mustang, revenant dans la boutique et forçant le type à vider sa caisse. Mais il se contenta de payer, attrapa une pochette d'allumettes et s'en alla.

Il alluma une cigarette tout en marchant vers la voiture. Le temps semblait de plus en plus sinistre, il n'était que cinq heures, mais la nuit tombait déjà. Des nuages sombres reflétaient les lueurs de la ville dans des nuances de gris et de vert. En grimpant dans la voiture, il eut une idée. Après avoir cherché un moment, il trouva un stylo sous le siège passager. Il se pencha au-dessus du tableau de bord et nota, *847-866-0300. Dick.*

Il sourit et enfonça la pochette d'allumettes dans sa poche.

24

Béton froid

Les hamburgers chez Top-Notch se faisaient plus petits d'année en année – impossible qu'il y en ait pour une demi-livre de viande – mais ils étaient toujours bons, juteux et recouverts de fromage fondant. Et lorsque la serveuse repérerait les radios que Sean Nolan et Anthony Matthews posaient toujours sur la table, elle écrirait « Police » sur le ticket pour que le type au comptoir leur fasse moitié prix. Mince consolation lorsque le portable de Matthews se mit à sonner, trente secondes après l'arrivée de leurs repas. Nolan le regarda rouler des yeux et essuyer la graisse de ses doigts avant de répondre.

« Salut. Déjeuner. Chez Top-Notch. Oui. » Une pause. « Où ? » Il se mit à tapoter ses poches et Sean lui glissa un stylo à travers la table. Matthews le remercia d'un hochement de tête tout en écrivant sur la nappe. « O.K. On y sera bientôt. » Il se mit à rire. « Aucune chance. À plus tard. »

Il referma son téléphone et attrapa son hamburger.

« Qu'est-ce qui se passe ?

– C'était Willie. Ils viennent de repêcher un cadavre dans la rivière.

– Où ?

– Tu connais le croisement entre Stevenson et Archer ?

– Oui. » Nolan mâcha d'un air pensif. « Un camé qui est allé piquer une tête ? »

On pouvait généralement compter sur les gens pour mourir de façon stupide, mais c'était toujours pire avec la drogue. Il avait un jour enquêté sur la mort d'un BD, un Black Disciple, de dix-neuf ans qui avait été retrouvé calciné. Au début, il avait soupçonné le gang rival, les Gangster Disciples. Mais le légiste avait démenti, il n'y avait aucune trace de lutte, ni aucune blessure *pre mortem* autre que le feu. Il s'était avéré que le génie s'était endormi en allumant sa pipe de crack, avait foutu le feu au matelas, mais était trop défoncé pour s'en rendre compte. Encore un criminel brillant.

« Pas cette fois, répondit l'inspecteur Matthews en secouant la tête.

– Comment tu le sais ?

– Parce qu'il a une blessure par balle à la poitrine. »

Nolan regarda avec envie son hamburger. Il se forçait d'ordinaire à manger sainement, et les hamburgers étaient un luxe rare. Il poussa un soupir.

« En route. »

Une rafale de vent les accueillit lorsqu'ils sortirent, le genre de vent qui faisait la réputation de Chicago, brutal, froid et suffisamment violent pour qu'on puisse se pencher en avant et se laisser porter. Ils avaient garé la Ford bleue dans une zone de stationnement interdit, mais les flics reconnaissaient les voitures de flics, même banalisées. Nolan démarra, se connecta sur la fréquence radio du neuvième district au cas où il y aurait du nouveau pendant qu'ils étaient en route.

« Il t'a dit où ils étaient ?

– Il a juste dit à l'est de la rivière. »

Il leur fallut vingt minutes pour gagner Bridgeport, mais ils n'eurent aucun problème à trouver l'endroit. Une douzaine de voitures de patrouilles étaient stationnées sous le pont de l'autoroute, leurs gyrophares balayant l'arche de leurs couleurs criardes. L'espace sombre résonnait du martèlement et du bourdonnement des voitures qui filaient au-dessus. L'un des agents de patrouille, un grand type aux oreilles brûlées par le vent et dont le torse large trahissait la présence d'un gilet pare-balles sous son uniforme – Peter Bradley, c'était son nom – les repéra et s'approcha avec un grand sourire.

« Hé, inspecteur. On traîne dans les mauvais quartiers ?

– Oui. Vous pouvez rentrer chez vous maintenant, Bradley, les vrais flics sont arrivés. »

L'agent de patrouille éclata de rire et les mena vers l'eau.

« L'inspecteur Jackson est là-bas.

– C'est quoi l'histoire ?

– Deux gamins ont vu le corps et nous ont appelés.

– Vous avez pris leur déposition ?

– Ils séchaient l'école, ils disent qu'ils étaient venus traîner ici. Ils sont en route pour le commissariat du neuvième district. Vous voulez que je demande au sergent de vous les mettre de côté ? »

Nolan fit signe que oui. Il était peu probable qu'ils soient impliqués, mais ils pouvaient avoir vu quelque chose d'utile. C'était crucial ces temps-ci. La commission d'évaluation des crimes acceptait rarement d'engager des poursuites sans témoins. D'après eux, si vous n'aviez pas de témoin oculaire, il valait mieux renoncer. Rien à voir avec *Les Experts* où des équipes de chercheurs bossaient vingt-quatre heures sur vingt-quatre pour découvrir des preuves physiques. À moins d'enquêter sur une affaire médiatisée, une victime blanche venant de North Side, ça pouvait prendre jusqu'à quatre mois pour obtenir du labo quoi que ce soit de plus compliqué qu'une empreinte.

Dans cette mer de flics en chemises bleues, l'inspecteur Willie Jackson était facile à repérer avec son pantalon de velours vert, sa chemise violette et son chapeau mou surmonté – sans déconner – d'une plume. Avant de devenir inspecteur, Nolan se demandait pourquoi ils portaient tous des chapeaux. Après être monté en grade, il s'était aperçu que se faire remarquer permettait de bien faire comprendre à tout le monde qui était responsable. C'était un petit détail qui faisait la différence. Certains, en général ceux qui avaient une grosse moustache, allaient jusqu'à porter un chapeau de cow-boy. Lui se contentait d'une casquette de golf en cuir marron. Elle remplissait son rôle et il avait la tête au chaud.

Jackson, bras croisés, regardait une technicienne agenouillée près du corps, à la recherche d'indices. Nolan le sentait depuis l'endroit où il se tenait. Les cadavres qui avaient séjourné dans l'eau avaient mauvaise réputation. L'odeur ne vous quittait pas pendant des heures, même après une douche.

« Vous m'avez apporté un hamburger ? »

Jackson se tourna vers eux, fit un signe de tête à Matthews, serra la main de Nolan.

« Merde, non, répondit Matthews. Quand vous gâchez le déjeuner de quelqu'un, ne comptez plus sur lui. »

Nolan les ignora et s'approcha du cadavre pour mieux le regarder. Il ne connaissait pas la technicienne, une femme d'environ trente-cinq ans aux cheveux bruns bien coiffés, mais elle prenait son travail au sérieux. Le bras du cadavre était étendu sur le béton froid et elle appliquait de l'encre noire sur le bout de ses doigts. La victime avait les mains ridées comme une lavandière et la femme tenait fermement chaque doigt pour l'enduire d'encre. Son geste avait quelque chose d'intime.

Quand il était question de cadavres, Nolan avait sa méthode. Il n'aimait pas commencer par le visage. Mieux valait débuter par les parties impersonnelles, les membres, les vêtements. Comme ça, vous pouviez regarder sans éprouver d'émotion. Il fallait être capable de limiter son champ de vision, de ne voir qu'une partie du tout.

Les bras ne portaient aucune trace de piqûre, pas de signe de prise de drogue. L'homme avait un tatouage sur la partie intérieure de l'avant-bras, un as de pique. La peau avait commencé à prendre la teinte vert-brun d'un corps qui a passé deux jours dans l'eau et elle portait les éraflures habituelles provoquées par un frottement contre Dieu sait quoi au fond de la rivière.

Ses yeux parcoururent un cercle puis glissèrent vers le milieu du corps. Jean noir, bottes. Un t-shirt qui avait peut-être été blanc, désormais souillé par l'eau de la rivière et le sang. Les gaz avaient fait enfler le ventre. C'était ça qui l'avait fait remonter à la surface. Une blessure aux bords irréguliers béait sur sa poitrine. Au moins les rats ne s'y étaient pas encore attaqués. Parfois pour trouver une blessure sur un cadavre tiré de la rivière, il fallait regarder où ils avaient commencé à manger.

Enfin, une fois ces faits enregistrés, catalogués et classés, il regarda le visage de l'homme.

Matthews le rejoignit en fronçant le nez.

« Je déteste les noyés.

– Il est mignon, hein ? dit Jackson. Vous pariez qu'il s'agit d'un meurtre ? »

Matthews s'agenouilla.

« Il a été tué ailleurs.

– La lividité, oui. Vous avez pu relever des empreintes ? » demanda Jackson à la technicienne.

Elle reposa doucement le bras avant de rompre sa communion silencieuse avec le mort.

« Je ne le saurai avec certitude que lorsqu'on essaiera de les analyser. C'est compliqué quand un corps a séjourné dans l'eau.

– Vous pensez qu'il y est resté combien de temps ? »

Elle haussa les épaules.

« La peau n'a pas commencé à se décoller. Deux ou trois jours ? Le légiste pourra vous le dire exactement. »

Jackson acquiesça tout en se frottant les mains pour se les réchauffer.

« Bon sang, je déteste ce temps. On n'est même pas à Halloween et il fait déjà un froid de canard. » Sa voix se répercuta contre le béton du pont. « Nolan, vous êtes bien silencieux. Qu'est-ce que vous en pensez ?

– Comparez les empreintes, dit-il à voix basse tout en regardant fixement le visage du cadavre. Mais c'est Patrick Connelly. »

25

Dans la danse

Evan s'était foutu de lui.

Doigts serrés autour du volant, Danny se remémorait l'après-midi de la veille dans la caravane, l'odeur roussie du vieux café, les pieds d'Evan posés sur le comptoir. Evan disant qu'il passerait le coup de fil. Le disant trop vite. Ç'avait alarmé Danny, mais il avait laissé passer.

Bon Dieu.

Evan savait déjà ce qu'il allait faire. Il avait tout prévu. Danny n'avait jamais contrôlé la situation.

Tu as pigé, gamin. Te revoilà dans la danse.

Après le coup de fil désastreux, il n'avait plus su quoi faire de sa peau. Il voulait un endroit où réfléchir et avait pris la direction d'un bar de son quartier, mais en y arrivant, l'idée qu'il se trouvait si près de chez lui avait eu quelque chose de sordide, c'était comme amener une maîtresse dans le lit conjugal. Il était remonté dans son 4 × 4 avec l'intention de se rendre dans un autre quartier, mais avait simplement fini par tourner en rond autour de la ville. Ça faisait maintenant une heure qu'il conduisait. Qu'il conduisait et parlait tout seul, ponctuant ses phrases par des claques sur le volant, roulant de plus en plus vite à mesure que la colère lui triturait les tripes.

Il avait beau prendre des précautions, se creuser la tête, Evan était un raz-de-marée, un tremblement de terre, une tornade. Une force de la nature. Danny enfonça l'accélérateur, sentit le bourdonnement de la chaussée sous ses pneus. Vous pouviez pester contre un ouragan. Vous pouviez vous arracher les cheveux, invoquer la logique et le bon sens. Mais au bout du compte, si vous vous trouviez sur son chemin, c'était à vos risques et périls. Les voitures filaient tandis qu'il fonçait vers l'horizon en se faufilant entre les voies. Il était impossible de raisonner avec une force de la nature, impossible de se fier à son jugement. Il se déporta brusquement sur la gauche pour doubler une Mercedes. Il était aux prises avec un cyclone, et il ne pouvait plus revenir en arrière.

Un klaxon retentit à côté de lui et les pneus de la Mercedes crissèrent tandis qu'il se rabattait sur la même voie, l'arrière de l'Explorer heurtant presque le capot arrondi. Il braqua, trop brutalement, ses pneus hurlèrent et il crut un instant qu'il allait perdre le contrôle, finir sur deux roues puis faire un lent tonneau heurté, et que toute cette histoire s'achèverait brutalement. Mais il retrouva son sang-froid, et tourna doucement le volant pour redresser la voiture au milieu d'un concert de klaxons. Lorsqu'il fut de nouveau sur sa voie, il inspira profondément et ignora le regard furieux et le majeur dressé du conducteur de la Mercedes. Il testa doucement les freins, et lorsqu'il vit qu'ils répondaient, commença à ralentir.

Trop, trop vite.

Il alluma ses feux de détresse et se déporta. Il ne s'arrêta pas sur la voie de droite mais quitta complètement la route, ses pneus bourdonnant au-dessus des mottes de gazon qui perçaient le trottoir tandis qu'il s'arrêtait. Il coupa le moteur et serra le volant. Le silence était seulement ponctué par le ronronnement régulier des voitures qui filaient à côté de lui.

Son père était assis à la place du passager.

Il n'avait pas changé, était exactement tel que lorsqu'il lui avait rendu visite à la prison de Cook County, la dernière fois que Danny l'avait vu vivant. Son visage tanné et marqué, mais fier. Dur. Les mains rêches, la cicatrice blanche due à la scie circulaire barrant le dessus de son pouce. Une cigarette calée au coin des lèvres, aussi immuable et droite que l'axe du monde. Il regardait fixement Danny comme s'il le jaugeait. L'évaluait.

Le jugeait.

Papa...

Dans sa tête il entendait le crissement des pneus, imaginait son père appuyant sur le frein, tentant de reprendre le contrôle, une cigarette toujours coincée entre ses lèvres.

Il imaginait la décision. Le choix et ses conséquences.

Le crissement au ralenti des pneus. Le verre volant en éclats et le rugissement diabolique de l'acier embrassant le béton. La façon dont la camionnette s'était soulevée sur ses roues avant, d'abord rapidement, puis lentement, semblant marquer une pause pendant un instant terrible avant de basculer. Le silence étrange – paisible, si paisible que c'en était embarrassant – après que la camionnette fut retombée à l'envers.

Papa. Je...

Dans sa tête, il lisait la désapprobation dans le regard de son père. Mort depuis neuf ans, et toujours désapprobateur.

Danny secoua la tête. L'horizon scintillait sous le velours indigo des cieux. Un semi-remorque passa, provoquant un appel d'air qui fit osciller l'Explorer. Sans le chauffage, l'air rafraîchissait rapidement.

Danny éteignit les feux de détresse, démarra le 4 × 4 et s'engagea de nouveau sur la route.

La vibration sourde d'une basse de blues lui remonta le long de la colonne vertébrale tandis qu'il insérait une pièce dans le téléphone et enfonçait brutalement les touches numérotées.

« Vous êtes chez Danny et Karen, nous sommes absents pour le moment... »

Plus tôt, il avait envisagé de rentrer après le boulot. Il s'était imaginé qu'il pourrait adoucir la douleur de l'attente en se rappelant la vie et la femme que ses efforts étaient censés protéger. Au lieu de quoi il se trouvait maintenant dans un grill de Halsted Street à écouter le bip accusateur de son propre répondeur téléphonique.

« Salut, Karen. Je voulais juste te dire que je serai en retard ce soir. Tu sais, le boulot... »

Il entendit du bruit au bout du fil.

« Danny. »

Elle avait l'air essoufflée. Il se l'imagina enveloppée dans une serviette et courant jusqu'au téléphone, et la facilité avec laquelle il se la représenta lui fit l'effet d'un coup de poignard. Il adopta un ton abattu pour expliquer qu'il était retenu au travail. Qu'il était vraiment désolé. Elle demeura silencieuse à l'autre bout de la ligne et il l'imagina qui se mordait la lèvre.

« Danny...

– Je sais. C'est juste une semaine dingue. »

Elle soupira.

« O.K.

– Je te revaudrai ça, chérie. Promis.

– Si on sortait demain soir ? demanda-t-elle après un silence. Ça fait un moment qu'on n'est pas sortis. On pourrait passer une soirée en amoureux, proposa-t-elle en élevant le ton de façon provocante.

– Bien sûr. » Il marqua une pause. « Enfin, j'essaierai. »

Elle bougonna à l'autre bout du fil.

« O.K. À un de ces jours, alors.

– Attends... »

Mais elle avait raccroché.

Mentir à Karen pour assurer sa sécurité. Rationaliser la tendance de Richard à baiser ses ouvriers pour justifier le fait qu'il allait l'escroquer. Planifier un enlèvement pour protéger le gamin. Il avait toujours évolué dans des zones d'ombre, mais commençait à avoir de plus en plus de mal à y voir clair.

De l'autre côté de la pièce, il vit une serveuse poser sa commande sur la table, mais il avait un autre coup de fil à passer. Il inséra la pièce, priant pour qu'on décroche. Cinq sonneries, puis la voix familière qui lui demandait une bonne raison de s'intéresser à son appel. Danny jura, attendit le signal sonore.

« Patrick, c'est Danny. J'ai besoin de ton aide. C'est... » Il marqua une pause, tenta de mettre de l'ordre dans ses idées. Jusqu'où pouvait-il aller sur un répondeur ? « C'est au sujet de cette affaire dont nous avons discuté. Écoute, appelle-moi sur mon portable quand tu recevras ce message, d'accord ? De jour comme de nuit. »

Il était sur le point d'ajouter quelque chose mais se ravisa, reposa le combiné sur son support. Puis il regagna sa table et mangea sa viande en silence tout en se demandant comment apprivoiser l'ouragan.

Il s'était vu en rêve dans un entrepôt, sous des projecteurs sanglants. Karen tenait par la main un enfant vêtu d'un maillot de rugby, un enfant à la fois différent et similaire à Tommy. Ils regardaient tous deux par-dessus l'épaule de Danny avec une expression terrifiée. Il se retournait avec une lenteur atroce, ce simple mouvement prenant des années. Evan était là, tout sourire, son pistolet semblant se lever tout seul, comme si c'était l'arme qui faisait bouger le bras et non l'inverse. Mais au lieu d'être pointé sur lui, le pistolet était braqué sur Karen et le garçon. Danny s'était réveillé en sursaut avant que le coup de feu n'éclate, trempé de sueur, la silhouette de Karen enveloppée dans le drap à ses côtés, le réveil digital indiquant 5 h 32.

Hébété, il s'était douché, puis était sorti sur la pointe des pieds, fantôme dans sa propre vie.

Mais maintenant, dans l'Explorer, avec la lueur vive et froide du matin qui traversait le pare-brise, il se sentait mieux. Le matin lui faisait cet effet ; il se laissait toujours avoir par la promesse d'un nouveau départ. Evan était peut-être une force de la nature, mais Danny connaissait son potentiel, il savait lire la météo de ses humeurs. Comme il s'engageait dans le complexe de Pike Street, une partie de son étrange espoir obscur lui revint même. S'il fallait jouer, au moins il connaissait les règles.

Il ouvrit le portail – ils ne l'avaient pas verrouillé pour que Debbie puisse sortir au besoin – et gara l'Explorer près d'une Ford Tempo cabossée dont la lunette arrière était recouverte d'autocollants de groupes et dont les sièges étaient rafistolés au moyen de toile adhésive. Lorsqu'il coupa le moteur, le seul son qu'il entendit fut le claquement de la bâche en plastique qui recouvrait la façade du bâtiment.

Il descendit du 4 × 4, un gobelet de café dans chaque main, et ferma la portière avec sa hanche. Comme il avançait vers la caravane, un mouvement à la fenêtre attira son regard, deux doigts pratiquant une fente obscure dans le store.

La porte s'ouvrit et Debbie sortit, bras croisés sur la poitrine, épaules voûtées pour se protéger du froid. Lorsqu'il lui tendit une tasse de café, une expression de joie apparut sur son visage telle qu'il n'en avait pas vue depuis longtemps.

« Tu es un ange », dit-elle en le portant à sa bouche et en soufflant pour écarter la vapeur.

Il jeta un coup d'œil par-dessus l'épaule de Debbie pour s'assurer qu'elle avait bien fermé la porte derrière elle.

« Comment va-t-il ?

– Bien. Il a eu peur au début, mais il s'est calmé. On regarde des rediffusions de *Cheers*. Ils les repassent sur WGN.

– Bon Dieu, tu ne lui as pas ôté son masque ?

– Non. Ce n'est pas comme si on avait besoin de voir pour regarder *Cheers*, tu comprends ? » Elle croisa son regard. « L'époque où tu me croyais idiote n'est-elle pas révolue ? »

Il éclata de rire.

« D'accord. Désolé. Il va bien ? »

Elle fit signe que oui et quelque chose se dénoua en lui. Il s'était rongé les sangs pour trouver un moyen de plonger Tommy dans le sommeil sans le blesser, essayant de se rappeler tous les appareils qu'il avait vus dans des films, rêvant de fléchettes de tranquillisant et de chloroforme, mais au bout du compte, il n'avait rien trouvé de mieux ni de plus sûr que le pistolet électrique. La police l'utilisait dans tout le pays car c'était non seulement une arme efficace, mais en plus elle ne provoquait aucun dommage permanent. Mais tout de même.

« Je me faisais du souci. »

Elle inclina la tête et lui lança un regard imperturbable, façon New Age, qui le mit mal à l'aise. Elle portait aujourd'hui une raie au milieu et ses cheveux lui retombaient au-dessous des épaules. Elle avait parfois un petit côté hippie.

« Tu étais inquiet, hein ? »

Il acquiesça.

« Humm.

– Quoi ?

– Eh bien, je crois que je t'imaginais, je ne sais pas, dit-elle, plus comme Evan. »

Cette réflexion le surprit et il la dévisagea à son tour, cherchant à déchiffrer l'expression de ses yeux. Dans un tel jeu, faire la différence entre un ami et un ennemi pouvait s'avérer complexe. Evan et lui étaient partenaires, certes, mais si les choses tournaient au vinaigre, ils se retrouveraient concurrents, et ils le savaient l'un comme l'autre. Il avait supposé qu'elle se rangerait du côté d'Evan.

« Mais Tommy est un petit gamin courageux, dit-elle. Je l'aime bien. Au troisième épisode de *Cheers*, celui où Cliff essaie de pousser sa mère à épouser ce mec riche. Tu l'as vu ? C'est pas mal. Bref, après cet épisode, il a commencé à s'ouvrir, et il n'a pas arrêté de parler depuis. Il m'a parlé de l'école, de son groupe préféré. Il m'a dit que son père travaille tout le temps, qu'il ne sait même pas qu'il existe. » Elle écarta une mèche de cheveux de son visage. « Mais il a dit qu'il avait vu un pistolet braqué sur lui. Tu n'as pas utilisé de pistolet, n'est-ce pas ? »

Elle avait l'air sincère, mais il avait vu sa vivacité d'esprit derrière la façade. Ne sachant trop à quel saint se vouer, le plus simple lui sembla de dire la vérité.

« Pas moi.

– Evan ? »

Il haussa les épaules en la regardant dans les yeux.

« Est-ce qu'on peut parler dans ta voiture ? demanda-t-elle. Je me les gèle. »

Il faisait encore chaud à l'intérieur, mais il mit le contact pour avoir du chauffage. Elle se pencha immédiatement en avant et alluma la radio, parcourant le cadran comme si elle recherchait des signaux venus de l'espace.

« Je ferais bien de ne pas rester trop longtemps ici. Je crois que Tommy a besoin d'aller aux wawa.

– Hein ? »

Elle gloussa et lui expliqua qu'ils avaient élaboré un système pour que le petit aille aux toilettes ; c'était marrant, mais à douze ans, il n'avait pas osé lui en parler parce que c'était une femme. Il s'était retenu jusqu'à ne plus en pouvoir.

« Je lui ai dit d'appeler ça, aller aux wawa. C'est ce que disait ma mère, "Chérie, est-ce que tu as besoin d'aller aux wawa ?" Je ne sais pas s'il sait ce que ça veut dire, mais ça l'amuse beaucoup. »

Danny éclata de rire, lui dit qu'il repasserait plus tard avec des provisions, des plats à réchauffer au micro-ondes. Il lui demanda si elle avait besoin de quoi que ce soit et elle fit signe que non tout en continuant de tourner le bouton de la radio. Il avait le sentiment qu'elle avait quelque chose en tête mais ne savait comment aborder le sujet. Après deux autres minutes de conversation, il lui dit qu'il ferait sans doute bien d'y aller.

« Ton boulot ?

– Oui.

– Est-ce que je peux te poser une question ? » Elle se mordit la lèvre. « C'est le gamin de ton patron, pas vrai ? »

Il se figea.

« Comment le sais-tu ? »

Elle se pencha de nouveau sur la radio, ses cheveux lui masquant le visage.

« C'est bon, ça n'a pas d'importance.

– Debbie, dit-il d'une voix neutre. Comment le sais-tu ?

– Il faut que je te fasse une confidence. » Elle marqua une pause, la main sur le bouton de la radio, fuyant toujours son regard. « J'ai aidé Evan. Je veux dire, avant ça. » Elle soupira. « Il m'a demandé de te suivre. »

Tout lui revint soudain. C'était pour ça que, lorsqu'il l'avait rencontrée, il avait été certain de l'avoir déjà vue. Elle était au zoo cet après-midi où il y était avec Karen. Elle était assise sur le banc d'en face pendant qu'ils parlaient d'avoir des enfants et projetaient un avenir diamétralement opposé à ce qu'il faisait maintenant.

« Je ne te connaissais pas alors, poursuivit-elle. Et tu sais, lui et moi...

– C'est bon.

– Vraiment ? »

Une expression de soulagement enfantine illumina son visage.

« Oui. Ça n'a pas d'importance. » Il sourit. « Merci de me l'avoir dit. »

Elle lui retourna son sourire, tendit la main vers la poignée de la portière.

« Je te verrai donc plus tard ? »

Il acquiesça, elle descendit du véhicule et referma la portière, puis prit la direction de la caravane.

« Hé ! » Il hésita, ne sachant trop comment lui dire ce qu'il pensait, ne voulant pas la vexer. « J'aime bien ta voiture.

– Ah oui ?

– Elle te ressemble.

– Je ressemble à une Tempo de 1983 ? »

Il se mit à rire.

« C'est juste qu'au premier coup d'œil elle peut donner une mauvaise impression. »

Elle lui adressa un sourire chaleureux et sincère.

Il avait peut-être plus d'alliés qu'il ne le pensait.

26

Un livre à l'envers

Il y avait certains aspects de son métier que l'inspecteur Sean Nolan adorait. Le sentiment d'être son propre patron, presque comme un entrepreneur, de travailler sur une affaire en suivant son instinct. L'expression de gratitude qu'il lisait parfois sur le visage des personnes qu'il traitait avec respect, des personnes habituées à se méfier des flics. Ces instants furtifs où il savait, avec une certitude que la plupart des gens n'éprouvaient jamais, qu'en faisant son boulot il contribuait à améliorer les choses.

Mais il y avait aussi les jours où il devait tirer un cadavre de la rivière pour s'apercevoir au final qu'il savait de qui il s'agissait. Et des moments où il se tenait avec son holster ouvert, la main sur la crosse de son arme, se demandant dans quoi il s'apprêtait à mettre les pieds, mais déterminé à y aller tout de même.

Un ciel gris et bas menaçait de se déchirer à tout moment sur l'ancienne station-service. La Ford bleue était garée derrière eux, près de l'endroit où se trouvaient jadis les pompes à essence. Matthews, qui se tenait quelques pas en retrait sur le côté, gardait un œil sur la rue. Ce n'était pas le genre d'endroit où l'on s'imaginerait quelqu'un vivre, et Nolan aurait pensé que l'adresse était fausse s'il ne s'était pas glissé à l'arrière et n'avait pas aperçu par la fenêtre une grande armoire en bois et un lit défait.

La veille, avant de quitter ce qui passait pour le lieu du crime – la rivière avait esquinté quasiment tous les indices – ils avaient remarqué que le dos de Patrick était plus foncé que l'avant. Quand le cœur d'une victime cesse de battre, la gravité attire le sang vers la partie située vers le bas. Si Patrick avait été abattu sur la rive et avait roulé dans la rivière, le sang n'aurait eu aucune chance de se déposer si nettement. Ce qui signifiait qu'il avait probablement été tué avant et jeté dans la rivière plus tard.

Ç'avait pu se produire n'importe où. Mais le travail de la police consistait à procéder par élimination. Cette station-service désaffectée était apparemment le domicile de Patrick. Ils trouveraient peut-être une flaque de sang gelé à l'intérieur. Ou un assassin occupé à nettoyer les lieux.

C'était ça l'essentiel : il fallait être prêt à tout.

« Prêt ? » demanda Nolan, sentant l'adrénaline monter en lui.

Matthews fit signe que oui, une main posée sur son pistolet.

Nolan sortit le trousseau de clefs découvert dans la poche de Patrick. Un objet gris détrempé qui avait peut-être été une patte de lapin pendouillait à l'anneau. Deux clefs semblaient à peu près de la bonne taille, mais les encoches de la première ne correspondaient pas à la serrure. Son cœur battant à tout rompre, Nolan inséra la deuxième, cran par cran. Puis, doucement, il ouvrit le verrou. Il jeta un dernier coup d'œil à Matthews pour s'assurer que son équipier était prêt à passer à l'action, dégaina son arme de la main droite, et ouvrit la porte en grand de la gauche. Avant même que la porte ait fini de s'ouvrir, il était à l'intérieur, son arme braquée vers le sol. Matthews entra à sa suite, tournant le dos au mur pour couvrir le coin opposé.

Les stores vénitiens étranglaient la lumière. La pièce était dégagée. Des chaises longues mal assorties faisaient face à une télé au-dessus de laquelle était fixée une affiche, Telly Savalas dans le rôle de Kojak. Nolan se retourna, toujours en position de tir. Des paravents en toile isolaient le fond de la pièce, là où il avait aperçu le lit à travers la fenêtre, et un des murs comportait une porte. De la tête, il fit signe à Matthews qui traversa la pièce, arme levée, tandis que lui-même se précipitait derrière la cloison. Rien à signaler. Il pivota en direction de la porte. Elle ne comportait pas de verrou. Il l'ouvrit d'un coup tout en restant sur ses gardes.

La pièce derrière la porte était l'ancien garage de la station-service, et c'était la seule partie de cet endroit qui semblait à sa place. Le sol en béton était percé d'une multitude de trous et de fissures. Une dépanneuse à plate-forme basse était garée au centre de la pièce à côté d'une boîte à outils rouge. L'espace était vaste, plein de recoins qu'il ne pouvait distinguer depuis l'endroit où il se tenait. Il fallait entrer.

« Police ! hurla Nolan tout en bondissant dans la pièce, son arme braquée devant lui. Personne ne bouge ! »

La voix d'un flic était sa meilleure arme, plus efficace que son pistolet. Un comportement agressif intimidait les gens. Ils se figeaient avant d'avoir eu le temps de réfléchir. Matthews entra derrière lui. Ils évoluaient avec aisance, leurs mouvements étaient fluides, Matthews hurlant tout aussi fort que Nolan. Ce dernier se baissa pour regarder sous la dépanneuse, cherchant à distinguer des pieds. Il courut jusqu'au véhicule et en fit le tour, puis pointa son arme par-dessus le capot et fit un signe de tête. Matthews fila vers le coin opposé pour sortir de son champ de tir.

Mais hormis l'écho du bruit qu'ils faisaient, le garage était silencieux. Il n'y avait personne ici. Nolan le sentait, c'était comme quand on rentrait chez soi après les vacances, il régnait une impression de vide. Ils fouillèrent mécaniquement le reste, vérifièrent les dernières caches : à l'intérieur de la dépanneuse, dans la petite salle de bains à l'arrière du garage, dans les placards, mais ils ne trouvèrent personne. Nolan se détendit. Il rengaina son arme.

« Tu veux cette pièce ou l'autre ?

– Je vais me charger du salon », répondit Matthews avant de sortir par la porte par laquelle ils étaient entrés.

Nolan se déplaça dans le garage, prenant soin de ne toucher à rien. Des outils jonchaient le sol, des bâches étaient empilées dans un coin. Il vit un établi auquel était accrochée une médaille de saint Christophe. Il supposa que même si un homme quittait sa paroisse, la paroisse restait en lui. Un radiocassette – qu'on appelait auparavant *ghetto-blaster*, avant que le politiquement correct ne s'impose – gisait par terre. La salle de bains était en ordre, les toilettes et le carrelage étaient propres. Il y avait de nombreuses taches au sol, mais elles ressemblaient pour la plupart à de l'huile.

Il ne découvrit aucune mare de sang.

Il jura en silence. Malgré leurs variantes infinies, les affaires de meurtre pouvaient être classées en deux catégories : celles avec des témoins et des indices, et celles sans. Si vous trouviez une piste dans les quarante-huit heures, vous aviez affaire à un cas de la première catégorie qui avait une bonne chance d'être élucidé. Malheureusement, cette affaire-ci commençait à ressembler à la seconde. Le cadavre était resté environ une semaine dans l'eau, invisible jusqu'à ce que les gaz en se dilatant dans le ventre ne le fassent remonter à la surface. Ç'avait laissé au tueur tout le temps nécessaire pour effacer les traces. La rivière avait détruit la plupart des indices ; l'un de leurs derniers espoirs était que le légiste sorte du cadavre une balle dont ils pourraient retrouver l'origine. Car ils ne trouvaient rien chez Patrick et la fouille du lieu où le crime s'était peut-être produit s'avérait un fiasco.

Il soupira et regagna le salon.

« Tu connais ce type, n'est-ce pas ? » demanda Matthews tout en soulevant avec la pointe d'un stylo un journal posé sur la table basse.

Il leur fallait normalement un mandat pour faire ça, mais lorsqu'ils avaient un cadavre, une perquisition du domicile était tolérée.

« Un peu. »

Nolan s'approcha du petit réfrigérateur proche du lit, enfila une paire de gants et l'ouvrit : deux barquettes de plats à emporter et un pack de six Harp. Rien ne sentait trop mauvais – la nourriture n'était pas là depuis longtemps. « On a grandi dans le même quartier.

– Il avait de mauvaises fréquentations ?

– Aux dernières nouvelles, c'était un petit escroc, un voleur de voitures. Il s'est fait attraper il y a deux ans dans une Cadillac qui ne lui appartenait pas.

– Il est tombé pour ça ?

– Non. » Nolan se mit à tourner lentement en rond. Aucun signe de violence, pas de mobilier renversé, pas de verre brisé. « Il s'est avéré que le propriétaire dealait de l'héroïne dans un appartement des beaux quartiers, et tout est tombé à l'eau.

– Alors qu'est-ce qu'on fait maintenant ?

– On pose des questions. »

Enquêter sur une affaire de meurtre, c'était comme lire un livre à l'envers. Il y avait un drame personnel qui s'achevait par un cadavre. Et c'était à ce moment-là que la police entrait en scène. Sans indices, il fallait travailler à rebours, parler à la famille et aux amis, à son patron si la victime en avait un. Vous essayiez de découvrir qui l'avait vu en dernier, car le type qui l'avait balancé à la rivière, c'était lui.

« Si on ne trouve pas de témoin, le procureur va nous tomber sur le dos, grommela Matthews.

– Oui.

– Si tu veux mon avis, la première équipe arrivée sur les lieux aurait dû lancer des pierres sur le cadavre pour le faire dériver vers l'autre côté de la rivière. Le Quatrième district aurait récupéré l'affaire. »

Nolan éclata de rire. Il y avait un répondeur téléphonique sur la commode. Il alla l'examiner. Un modèle à l'ancienne avec une bande magnétique. L'indicateur de messages clignotait et il enfonça le bouton « lecture ».

« Paaaaaatrick ! » Une voix de femme. « Où es-tu, mon vilain garçon ? David est à Milwaukee et je me sens seule. »

Nolan roula des yeux en direction de Matthews et alla vérifier la table de chevet. Préservatifs, quelques magazines de moto. La femme continua pendant une minute, raccrocha sans laisser de numéro. Ils allaient devoir consulter les registres téléphoniques pour la contacter et lui demander quand elle l'avait vu pour la dernière fois, puis remonter à partir de ce moment. Elle était apparemment mariée, le mari pouvait être un suspect.

Après deux appels sans messages, une voix d'homme jaillit, avec un rythme de blues en fond sonore. « Patrick, c'est Danny. J'ai besoin de ton aide. C'est... C'est au sujet de cette affaire dont nous avons discuté. Écoute, appelle-moi sur mon portable quand tu recevras ce message, d'accord ? De jour comme de nuit. » L'appareil émit un nouveau bip sonore.

Les inspecteurs se regardèrent. Nolan enfonça le bouton « retour en arrière », puis « lecture », et la voix jaillit à nouveau, toujours sur fond du même riff de blues. Il écouta attentivement, cherchant à filtrer le bruit derrière la voix, la distorsion du répondeur pourri.

« Heu...

– Quoi ? demanda Matthews.

– Je crois que je connais ce type.

– Ah oui ? »

Nolan acquiesça. C'était logique. S'il se souvenait bien, Danny et Patrick étaient amis dans le temps. Maintenant qu'Evan était sorti de prison et en avait après lui, Danny avait la trouille. Peut-être avait-il décidé qu'il lui fallait de l'aide. Peut-être avait-il repensé au passé et s'était-il rappelé un nom, celui d'un type qui en aurait suffisamment dans le ventre.

Peut-être – c'était juste une supposition – Danny Carter avait-il engagé Patrick pour le débarrasser d'Evan.

C'était ténu. Beaucoup trop ténu pour obtenir un mandat. Mais l'hypothèse valait le coup d'être explorée.

« Je crois, dit Nolan, que nous devrions discuter avec un type que je connais et qui prétend bosser dans le bâtiment. »

27

Shrapnel

Il lui fallait environ trente secondes pour quitter le parking clôturé, emprunter le couloir de derrière, passer devant la salle de pause qui empestait la fumée froide, franchir les doubles portes qui séparaient la zone des cols bleus du hall chic aux décorations en bois blanchi et en acier inoxydable, puis remonter le couloir jusqu'à son bureau avec son meuble modulable et sa fenêtre étroite. Soit pas très longtemps. Mais ce matin-là, le jour de son retour au bureau, ces trente secondes lui semblèrent durer une éternité.

Il affichait une mine enjouée comme on montre une pièce d'identité, souriant à droite à gauche, hochant la tête en direction de l'assistante de Richard, marmonnant des paroles qui n'engageaient à rien en réponse à une question qu'il n'avait pas saisie. Mais il avait l'impression que son estomac se soulevait, qu'il remontait dans sa poitrine.

La moquette grise de son bureau était mouchetée de bleu, détail qu'il n'avait jamais remarqué jusqu'alors.

Danny tira son agenda de sa sacoche, le posa sur une pile de magazines d'architecture et d'invitations à des salons professionnels, puis il se laissa tomber dans sa chaise à haut dossier, un siège provenant d'une boutique de fournitures de bureau et conçu sans la moindre sympathie envers le corps humain. Tout le monde avait droit à la même chaise, sauf Richard qui s'asseyait dans un trône Herman Miller à sept cents dollars.

Une bonne raison d'enlever son fils, pensa-t-il en lui-même, avant de se dire aussitôt, *Arrête.*

Après que tout était allé de travers la veille, il avait tout de même dû se montrer sur les chantiers, et ça n'avait pas été simple. Il s'était senti comme un imposteur, à se déplacer au milieu des travailleurs honnêtes qui s'activaient, donnant des ordres comme s'il méritait d'être là. Il avait constamment conscience d'être un poison, le ver dans la pomme. Mais bizarrement, ç'avait été plus facile que de se retrouver dans son propre bureau. Il tirait auparavant une grande fierté du fait que Danny Carter, de Bridgeport, était chef de projet, un membre de l'équipe, inestimable et digne de confiance. Il aimait s'occuper des budgets complexes d'une douzaine de chantiers, des emplois du temps de quarante hommes. Il savait alors qu'après une journée de travail honnête, lorsqu'il rentrait chez lui, il avait mérité la vie qui l'y attendait.

Désormais, il ne pensait plus qu'à une caravane de chantier, à Evan armé d'un pistolet, et au fait que sa vie n'était plus qu'un fragile tissu de mensonges.

Arrête. Tout sera bientôt terminé. Demain on passe le second coup de fil, jeudi on rend Tommy à Richard, vendredi tout redevient comme avant.

Il n'était pas certain que ce soit vrai, n'était pas convaincu à cent pour cent, mais il n'avait que ça. Il s'empara donc de son stylo et de ses papiers et se mit au travail.

La matinée ne fut qu'une longue succession de paperasseries et de périodes de vide où il se retrouvait à regarder fixement le mur. Il connut un moment d'embarras durant son rendez-vous du déjeuner lorsqu'un client fut obligé de répéter trois fois la même question avant qu'il ne l'entende.

« Bon Dieu, Carter, vous étiez où ? demanda l'homme en soutenant son regard avant de décider de ne pas insister. Il doit faire meilleur là-bas qu'ici. Vous m'emmenez la prochaine fois ? »

Il s'était senti blessé. Non par le commentaire ironique du client, mais par l'idée qu'il ne contrôlait plus rien, qu'avec ses compétences, son expérience et, bon sang, son intelligence, il n'arrivait pas à s'en sortir. Il avait éprouvé une soudaine colère envers lui-même et avait été à cran durant tout le reste du déjeuner.

Comme il regagnait son bureau, il s'accrochait à ce charbon ardent, l'attisait, cherchant à rallumer la flamme. Il devait arrêter de s'apitoyer sur son sort. S'il voulait reconstruire sa vie lorsque tout serait terminé, il ne devait pas se laisser aller. Fini. Il allait se jeter à corps perdu dans son travail. Passer des tas de coups de fil, faire le point sur les propositions qu'ils avaient expédiées le mois précédent. Faire avancer les choses. Et à la fin de la journée, il retrouverait Karen. Mieux valait être furax qu'abattu.

Dans le hall, il vit Jeff Teller, l'un de leurs contremaîtres, qui faisait faire le tour des lieux à un type que Danny ne connaissait pas. Il les salua d'un geste de tête et Teller l'arrêta, présenta l'homme comme un nouvel électricien de l'équipe.

« Il va nous aider cet hiver.

– Bienvenue. »

Ils se serrèrent la main, l'homme avait la poigne ferme.

« Danny, expliqua Teller, est l'un de nos chefs de projet. Prie pour que ce soit lui qui te chapeaute.

– Hé, Teller, tu es déjà sous contrat. Tu peux arrêter de me lécher les bottes. »

Les inepties lui venaient facilement, il connaissait le rythme.

« Sérieusement, reprit Teller en riant. C'est un type bien. L'un de ceux de la direction à qui on peut faire confiance. »

Il n'y avait aucune trace d'ironie dans ses yeux. Danny fut touché et se demanda ce que ça aurait fait à son père d'entendre ça.

« Danny. » Richard se tenait dans l'entrebâillement de la porte de son bureau. « Tu peux venir ? »

La bouche de Danny s'assécha, son sentiment de bien-être s'évapora en un instant. Qu'est-ce qui se passait ? Evan avait-il pu merder, se faire attraper ? Richard pouvait-il être au courant ? La pièce était-elle pleine de flics qui l'attendaient ? Il aurait voulu se retourner et courir, déguerpir.

Reste calme. Tu es pris dans un ouragan, et la seule façon de retomber sur tes pieds, c'est de garder la tête froide.

« Bien sûr. Laisse-moi juste déposer mes affaires. »

Son patron acquiesça et retourna dans son bureau sans qu'aucun agent de police ne vienne le remplacer. Il ne devait pas y en avoir dans la pièce ; quel flic lui laisserait le temps de s'enfuir par la fenêtre ? Mais ça ne signifiait pas que Richard ne se doutait pas de quelque chose. Danny serra à nouveau la main de Teller et du nouveau, puis il regagna son bureau en essayant de se calmer. Il laissa tomber son sac sur son siège, balaya la pièce du regard sans savoir ce qu'il cherchait, puis se composa une tête d'employé modèle.

Assis dans son fauteuil hors de prix, Richard, penché en avant, la tête entre les mains, épluchait des états financiers. Sur le bureau en acajou d'ordinaire bien rangé se trouvaient un tas de papiers, des classeurs ornés du logo de Merryl Lynch, ainsi qu'un carnet recouvert de l'écriture soignée et féminine de Richard. Danny tapa un petit coup contre le mur et son patron sursauta, comme s'il avait oublié qu'il lui avait demandé de venir. Puis il lui désigna une chaise.

« Ferme la porte, tu veux bien ? »

Cette phrase ne fit rien pour apaiser l'inquiétude de Danny. Richard fermait rarement la porte. Ce n'était pas un truc de hippie, un concept d'ouverture ; il aimait juste que tous les employés soient au courant quand il piquait une crise. Danny s'assit, observa son patron tout en conservant un visage neutre.

Richard avait une sale tête. Des cernes noirs creusaient des canyons sous ses yeux. Lui qui commençait d'ordinaire à avoir une ombre sur les joues dès dix heures du matin semblait aujourd'hui ne pas s'être rasé du tout, et son début de barbe poivre et sel le faisait paraître plus vieux, plus fragile. Sa cravate était impeccablement nouée, il portait des boutons de manchette en or en forme de dés, mais il triturait un stylo de la main gauche, le faisant tourner nerveusement entre ses doigts.

La détresse évidente de son patron fut comme un coup de poignard pour Danny, mais il se ressaisit bientôt. Tout se passerait bien. Il le fallait.

Richard le regarda, se frotta les yeux, puis se pencha en arrière. Il ouvrit la bouche pour parler mais s'interrompit. Il avait l'air d'avoir une question importante à poser, mais demanda juste :

« Ça avance au restaurant ?

– Ça se passe bien. Ils installent l'électricité cette semaine.

– Ils savent qu'il leur faut des disjoncteurs supplémentaires pour la cuisine ? Morris voulait que chaque cuistot ait sa surface à lui. »

Danny acquiesça, attendant que son patron en vienne aux faits. Ils restèrent un moment silencieux, Richard regarda par la fenêtre la boutique de l'autre côté de la rue.

« Et le circuit électrique, ils savent comment utiliser le...

– Tout est sous contrôle. Qu'est-ce qui se passe ? »

Il le savait, naturellement, mais n'osait pas donner la moindre indication. Richard se détourna de la fenêtre et se mit à farfouiller dans ses papiers.

« Bon. Eh bien, je viens d'analyser les états financiers, et je voulais savoir si les tiens étaient à jour.

– Ils l'étaient la semaine dernière.

– Il y a eu des changements depuis ? »

Était-ce une note d'espoir qu'il avait perçue dans la voix de Richard ?

« Non. Tout est à peu près dans les temps.

– Nous n'avons pas reçu l'avance des gens du Cumberland, n'est-ce pas ? »

Danny lui lança un regard perplexe. Les travaux du Cumberland Plaza, un centre commercial dans Joliet, ne commenceraient pas avant au moins le mois de mars. C'était leur gros chantier du printemps et ils devaient toucher une jolie avance pour le matériel et la main-d'œuvre, mais pas en octobre.

« Non. »

Richard secoua la tête et s'enfonça dans son fauteuil.

« Tu veux que je les appelle pour leur demander ? proposa Danny.

– Oui, tu pourrais faire ça.

– Il y a une raison que je pourrais leur donner ? Je veux dire, de vouloir l'argent si tôt. »

Richard jeta un coup d'œil à son carnet et répondit sans regarder Danny :

« Dis-leur qu'on peut leur faire un rabais de vingt pour cent sur le matériel.

– Comment on va faire ? »

La question avait fusé par habitude, le chef de projet en lui cherchant à protéger Richard des pièges qu'il aimait placer sur son chemin.

« Je négocierai dix pour cent sur une précommande. Et on récupérera le reste en serrant les budgets.

– Ce contrat était déjà serré. On n'a pas la marge nécessaire.

– Écoute, on trouvera une solution le moment venu. Pour l'instant, il nous faut juste l'argent.

– Pour quoi faire ? »

À l'instant où la question franchit ses lèvres, il s'aperçut qu'il connaissait la réponse. Les pièces du puzzle étaient sous son nez depuis le début, il ne les avait tout simplement pas assemblées. *Oh, mon Dieu.*

Richard leva la tête, ses yeux étaient embués de larmes. Son habituelle arrogance avait disparu.

« Je... nous avons des frais à couvrir. » Il baissa de nouveau les yeux, ses épaules étaient voûtées. « Contente-toi de le faire, d'accord ? »

De toute évidence la conversation s'arrêtait là et Danny, abasourdi, se leva lentement. Le souvenir du jour où il était passé chez Richard lui revint brutalement. Le salon avec ses tableaux d'art moderne et son canapé en cuir de dealer de drogue. L'expression sinistre et abattue sur son visage tandis qu'il se dépêchait d'éteindre ses écrans d'ordinateur. Richard lui disant qu'il s'était fait plumer à la bourse. Le shrapnel de l'explosion de la bulle technologique l'avait salement atteint.

Combien avait-il perdu ?

Suffisamment, pensa-t-il. *Suffisamment pour ne pas pouvoir payer la rançon.*

Et si vous êtes propriétaire d'une petite entreprise et que vous vous retrouvez dans une situation désespérée, comme, disons, devoir trouver de l'argent pour payer la rançon de votre fils, qu'est-ce que vous faites ?

Il va brûler la société.

Il eut l'impression que son estomac se détachait lorsqu'il sortit. Richard ne le regarda pas partir, plongé qu'il était dans les bilans financiers de la société, comme si la solution s'y trouvait. Mais Danny connaissait les chiffres aussi bien que le vieil homme. Mieux même. Il savait déjà ce que Richard découvrait. L'argent était là, bien sûr. Mais il était la charpente de la société. Il couvrait le loyer, l'électricité, le matériel. Il payait les salaires et les assurances maladie. Si vous le retiriez, toute la structure s'effondrait – et tous ceux qui se croyaient en sécurité se retrouvaient soudain plongés dans le vide.

Les mots de Teller résonnèrent dans sa tête : « *C'est un type bien. L'un de ceux de la direction à qui on peut faire confiance.* »

Oh, mon Dieu.

Qu'avait-il fait ?

28

Des temps difficiles

Après trente minutes devant le miroir, Karen avait décidé de se coiffer les cheveux en arrière pour mettre sa nuque en valeur et avait opté pour un rouge à lèvres d'un rouge deux fois plus sanglant que d'habitude. Sa robe noire était neuve, douce, moulante, trop légère pour la saison. Elle avait même enfilé une paire de chaussures à talons. Personne n'aurait pu dire qu'elle ne savait pas se préparer pour un rendez-vous amoureux.

Malheureusement, la personne avec qui elle avait rendez-vous n'était pas là.

« Un autre ? »

Le serveur lui lança ce regard aguicheur qu'il réservait aux femmes auxquelles on avait posé un lapin. Elle allait refuser mais se rappela le coup de fil, le message mystérieux qui lui avait mis les nerfs à vif tout l'après-midi.

« Pourquoi pas. »

Un serveur heurta sa chaise en passant, l'arôme riche de la sauce tomate et du basilic fit gronder son estomac. L'hôtesse regarda dans sa direction et Karen secoua la tête. La femme sourit, compassion féminine, et proposa à quelqu'un d'autre la table à laquelle ils auraient dû être installés depuis trois quarts d'heure.

Par habitude professionnelle, elle regarda le serveur préparer sa boisson. Un peu trop de vermouth, beaucoup trop de glace, et il la secoua trop longtemps. Ça ne valait pas les dix dollars qu'ils faisaient payer. Un crime de massacrer à ce point un martini. Il posa le verre entre les bougies votives qui bordaient le comptoir recouvert de laque noire et lui lança de nouveau le même regard.

« Vous attendez quelqu'un ?

– Plus pour très longtemps », répondit-elle, et elle se retourna.

En rentrant de la salle de gym dans l'après-midi, elle avait découvert trois messages sur le répondeur. Un appel d'une employée du bar qui prévenait qu'elle ne pourrait pas venir travailler ce soir. Une voix informatisée de chez Walgreens l'informant que son ordonnance était prête.

Et, pris en sandwich entre les deux, cet autre message.

Que signifiait-il ? Elle n'avait pas reconnu la voix, mais le type parlait comme s'il savait tout d'eux. Elle s'était dit que ça n'était pas important, que c'était probablement lié au travail de Danny. Le coup de poignard glacial qu'elle avait ressenti provenait sans doute de son angoisse des derniers jours. Ce connard dans l'allée lui avait fait bien plus peur qu'elle ne voulait l'admettre. Normalement, elle se serait appuyée sur Danny pour s'en remettre, l'aurait utilisé comme un miroir réfléchissant sa propre peur jusqu'à ce qu'elle la voie telle qu'elle était et s'en débarrasse. Mais depuis cette nuit-là, ils ne s'étaient presque jamais trouvés dans la même pièce au même moment. On aurait dit qu'il la fuyait.

Ça va, ça vient, ma fille. Chaque liaison a ses hauts et ses bas.

Certes. Mais s'il ne se pointait pas dans les cinq minutes, elle changeait les verrous.

Elle le repéra qui se frayait un chemin parmi la foule alors qu'il ne lui restait plus que deux minutes. Il portait une veste noire par-dessus une chemise d'un gris doux, et lorsqu'il jeta un coup d'œil à sa montre, elle le vit grimacer et jurer. Son cœur se mit à battre un peu plus vite, même après toutes ces années. Il lui fit un sourire de petit garçon penaud.

« Je suis désolé, Kar.

– Tu l'aurais été encore plus dans deux minutes, répondit-elle d'une voix faussement en colère tout en se levant et en faisant un signe du pouce à l'hôtesse. Une jolie fille comme moi... »

Lorsqu'elle l'entendit rire, elle se dit qu'après tout leur soirée se passerait peut-être bien. Comme ils se dirigeaient vers leur table, il plaça la main contre le creux de ses reins. Il ne tira pas sa chaise – elle détestait ça – mais attendit qu'elle fût assise pour s'asseoir à son tour, puis il lui sourit de nouveau.

« Alors, commença-t-elle, ils t'ont laissé sortir de ta cage.

– Dieu merci. »

Elle plia sa serviette sur ses genoux et but une gorgée d'eau. Il parcourut la salle des yeux, semblant enregistrer chaque détail. Leurs regards se croisèrent un moment puis se détachèrent comme si c'était leur premier rendez-vous.

« Bonsoir. » Le serveur s'approcha avec un sourire obséquieux. Il tendit un menu à Karen et posa la carte des vins au milieu de la table. « Nous avons plusieurs plats du jour ce soir. »

Ça faisait des années qu'ils venaient là et, en dépit des moqueries de Danny, elle commandait toujours la même chose. Aussi, au lieu d'écouter le serveur énoncer les plats du jour, elle regarda Danny triturer ses couverts. Il avait les épaules crispées et opinait de temps à autre d'un air pensif, mais jamais en réponse à ce que le serveur venait de décrire. À vrai dire, malgré sa tenue élégante, il avait l'air d'une épave, et son optimisme quant à leur soirée commença à s'évaporer.

« Tu en veux un autre ? demanda-t-elle en désignant le whisky qu'il avait déjà vidé.

– Je suppose que j'avais soif, répondit-il en lui faisant un sourire qui ne collait pas vraiment.

– Je vais appeler le serveur. »

Il acquiesça distraitement et se pencha de nouveau sur le menu.

« Tu veux une entrée ? demanda-t-elle.

– Bien sûr. Ce que tu veux, dit-il sans même prendre la peine de la regarder.

– Si on prenait les crevettes ?

– O.K.

– Danny. » Il leva vers elle ses yeux bordés de profonds cratères. « Tu es allergique aux fruits de mer.

– C'est vrai. » Il fit mine de rire. « Désolé. Je suis un peu absent ce soir.

– Où es-tu ? » Comme il ne répondait pas, elle soupira. « Qu'est-ce qui se passe ? Et ne me dis pas que c'est le travail. »

Il la regarda, puis détourna les yeux.

« Je ne sais pas quoi dire.

– Tu sais, dit-elle d'un ton cassant, beaucoup de femmes commenceraient à avoir des soupçons si leur petit ami se mettait soudain à travailler tard le soir. Elles commenceraient à se demander si "travailler" ne signifie pas en fait "coucher avec quelqu'un d'autre". »

Il devint soudain attentif et fixa les yeux sur elle.

« Bien sûr que non. »

Elle se sentit honteuse. Ç'avait été un coup bas.

« Je sais. »

Il acquiesça, détourna à nouveau les yeux.

« Danny... » Sa phrase resta en suspens. Tout le monde connaissait des temps difficiles. Elle voulait croire qu'il ne s'agissait que de cela. Mais il ne lui envoyait que de mauvais signaux. Par le passé, ils avaient toujours surmonté les crises ensemble, mais il semblait maintenant s'éloigner. « Est-ce que c'est moi ? Quelque chose que j'aurais fait ?

– Non, répondit-il rapidement. Ce n'est pas toi. »

Curieusement, cette réponse l'effraya encore plus.

« Alors quoi ?

– Écoute. » Il se pencha en avant, hésita, comme s'il cherchait les mots justes. « En ce moment, c'est juste une période dingue. J'ai un tas de choses sur le feu, et je commence à accuser le coup. Mais ce sera bientôt terminé.

– Quand ?

– À la fin de la semaine. Les choses vont revenir à la normale, je te le promets. »

C'était le genre de réponse qu'elle aurait dû espérer, et pourtant elle ne fut pas rassurée. Elle tenait son verre et le faisait distraitement tourner entre ses doigts. Elle sentait que c'était l'un de ces moments où le monde physique qui l'entourait – le bar bruyant, les photos d'art sur les murs, le vin rouge qui coulait et scintillait sur les parois de son verre – n'avait plus de sens. Elle avait le sentiment d'être laissée en plan. Sans prendre le temps d'y réfléchir, elle balança la question comme on jette une grenade, espérant qu'ils ne seraient pas blessés par l'explosion.

« Pourquoi un inspecteur a-t-il appelé chez nous aujourd'hui ? »

Silence. Elle leva les yeux et le vit qui regardait dans le vide.

« Quoi ? demanda-t-il.

– Un certain inspecteur Nolan. Il a laissé un numéro. Il est sur le répondeur. Il a dit qu'il avait des questions à te poser. »

L'espace d'un instant, rien qu'une fraction de seconde, elle vit clairement à travers lui. Elle transperça ce qu'il appelait son visage de marbre. Elle vit sa bouche ouverte, s'aperçut qu'il cherchait à répondre, sans doute par un mensonge. Puis ce fut terminé et le masque retrouva sa place.

« Nous avons eu des cambriolages. Du vandalisme, des vols d'outils. C'était probablement juste des gamins, tu sais, mais je dois appliquer la procédure. »

Elle acquiesça. Elle ne comprenait pas ce qu'elle venait de voir, ne savait pas ce que ça signifiait, mais elle savait qu'elle n'allait pas se satisfaire de cette réponse. Elle avait toujours eu pitié des femmes – des gens – qui préféraient rester aveugles à ce qu'ils avaient devant eux. Mieux valait affronter les choses, même si c'était douloureux. Elle le regarda à nouveau, étudia son expression amicale et calculée, puis elle vida sa dernière gorgée de vin et se leva.

« Bonne nuit, Danny. »

Il plissa les yeux et bégaya son nom. Lui demanda d'attendre.

Elle n'attendit pas.

29

Mille aiguilles

Quand il était passé et lui avait proposé d'aller déjeuner, Debbie avait dit non. Tommy aurait pris peur si elle l'avait laissé seul plus de deux minutes. Ils se tenaient sur le site du chantier, les cieux étaient gris et lourds, le flot de la circulation à peine visible à travers les espèces de lattes orange qui avaient été insérées dans le grillage. Tout en muscles, mâchoire forte, début de barbe façon héros de série télévisée, un infime sourire aux lèvres, Evan l'avait tout juste regardée, et, avant qu'elle ait le temps de s'en rendre compte, il l'avait plaquée contre le flanc de la caravane. Elle s'était retrouvée avec son jean entortillé autour des chevilles, sa culotte tirée sur le côté, sa poitrine balançant contre la paroi glaciale en aluminium. Et comme toujours, il l'avait prise si brutalement que ses jambes s'étaient dérobées sous elle.

Ses amies qui essayaient de la détourner des types dont elle s'entichait, ne comprenaient jamais que s'ils l'attiraient c'était précisément parce qu'ils étaient mauvais.

Cependant, comme la serveuse posait sans ménagement leurs hamburgers sur la table en formica, elle réprima une vague de culpabilité.

« On ferait bien de se dépêcher. »

Il attrapa le Tabasco et commença à en arroser ses frites.

« Pourquoi ?

– Tu le sais bien. »

Elle coupa son hamburger en deux, puis en quatre. Sinon, c'était moins bon.

Il haussa les épaules, semblant perdre tout intérêt à la conversation avant même qu'elle ait débuté. *Proud Mary* passait en fond sonore, à un volume beaucoup trop bas. Si vous passiez Ike and Tina Turner, autant que la musique vous fasse vibrer. Sinon, à quoi ça servait ?

« Ça va donc être un gros coup, hein ? »

Une serveuse passa à proximité en roulant des hanches, une fausse blonde à l'air las mais bien roulée, et Debbie vit Evan lui reluquer le derrière avant de répondre.

« Oui.

– Combien.

– Suffisamment.

– Pour quoi ?

– Bon sang, relax, O.K. ? J'essaie de manger », dit-il en haussant à peine le ton, comme si elle ne valait pas la peine qu'on s'énerve après elle.

Elle haussa les épaules, saisit un quart de hamburger. Trop cuit mais tout de même délicieux. Elle le mangea rapidement, heureuse d'avaler autre chose que des plats réchauffés au micro-ondes. Lorsqu'elle eut fini, elle se pencha en arrière et plaça sa serviette sur son assiette. Il secoua la tête.

« Tu es vraiment pressée, hein ?

– *Deux cents dollars plus les frais* passe à deux heures.

– Et ?

– J'ai dit à Tommy qu'on le regarderait ensemble.

– Tu te prends pour sa mère ou quoi ? Tu veux l'adopter ? » Il lui fit un sourire du bout des lèvres qu'elle n'aima pas, un sourire de petit brute de cour de récréation. « C'est un boulot, Deborah. »

Ce nom lui tapait sur les nerfs, et il le savait. Elle se retint donc de le corriger.

« Je sais. C'est pour ça que je veux y retourner.

– Pour regarder *Deux cents dollars plus les frais.*

– Non. Parce que le plan de Danny...

– Oh, oh. Le plan de Danny ?

– Tout ce que je veux dire, c'est qu'on devrait être là-bas, juste pour être sûr que tout se passe bien.

– Bon Dieu de merde ! Toi et lui vous êtes comme un disque rayé. » Il adopta une voix de fille suraiguë : « Oh, flûte, j'espère que tout se passe bien, oh, doux Jésus. Les choses pourraient mal tourner.

– Va te faire foutre.

– Je préfère ça. » Il éclata de rire et se pencha en avant pour écraser sa cigarette. « Viens.

– Où on va ?

– Passer un coup de fil. »

Il balança de l'argent sur la table et se leva, attrapant d'une main son blouson en cuir. Elle se leva à son tour et lui emboîta le pas à travers le restaurant à moitié vide. Les haut-parleurs diffusaient maintenant *Papa Was a Rolling Stone,* toujours trop bas. Ils passèrent devant le comptoir chromé derrière lequel le cuisinier grattait un gril, métal grinçant contre le métal. Entre les toilettes, le téléphone était fixé sur des lambris bruns miteux, le genre de décoration bon marché qui ne semblait jolie qu'à quatre heures du matin, quand on attendait que le café atténue suffisamment les effets de l'alcool pour pouvoir rentrer chez soi. Evan tira une pochette d'allumettes de sa poche de blouson et l'ouvrit, révélant un numéro de téléphone.

« Qui est Dick ? demanda Debbie.

– Le patron de Danny. »

Il chercha une pièce de vingt-cinq cents dans sa poche et l'inséra dans l'appareil tandis qu'elle comprenait soudain ce qu'elle venait d'entendre.

« Attends une seconde. Tu veux dire le père de...

– Oui. »

Il commença à composer le numéro.

« Tu ne vas pas l'appeler d'ici, n'est-ce pas ?

– Pourquoi pas ? Quelque chose pourrait mal tourner ? »

Avant qu'elle ait le temps de répondre, il leva un doigt pour qu'elle se taise.

« Dick. Tu sais qui c'est ? » dit-il d'une voix lente et menaçante.

Bon sang.

Elle regarda autour d'elle, réprimant un sentiment de panique croissante. Le vieil homme au bar semblait lire son journal. L'hôtesse vautrée bras croisés contre la caisse enregistreuse leur tournait le dos. Personne ne paraissait faire attention à eux.

« C'est ça, poursuivit Evan. Tu as le fric ? » Il marqua une pause. « Pour la moitié de la somme, on te rend la moitié de ton fils. Tu préfères le haut ou le bas ? »

Elle aurait préféré ne pas entendre ça. Tout devint soudain clair, ce qu'elle avait pris pour du baby-sitting était en fait un million de fois pire que ce qu'elle s'était imaginé. S'enticher de mauvais garçons était une chose. Mais ça, c'était totalement différent.

« Demain. On te rappellera plus tard pour te dire où et quand. »

Mettre des œillères et faire comme si c'était un boulot inoffensif n'avait aucun sens. Mais parfois on suivait le mouvement juste pour suivre le mouvement. Elle se demandait maintenant si elle n'avait pas fait une énorme bêtise.

« Et Dick, tu sais ce qui se passe si on te soupçonne d'avoir appelé la police ? On tire une balle dans la tête de ton petit. »

Près d'eux, la porte des toilettes des hommes s'ouvrit brusquement. Un type joufflu vêtu d'un maillot des Bears en sortit sans regarder Evan, posant juste une seconde les yeux sur Debbie. Mais son regard avait quelque chose de bizarre, comme s'il avait entendu quelque chose qu'il n'aurait pas dû entendre. Puis il leur passa devant, attrapa un blouson qui traînait sur une banquette proche de la porte.

Debbie se tourna vers Evan qui regardait le gros type à la

caisse. L'hôtesse lui demanda si tout s'était bien passé, l'homme fit signe que oui et il sortit son porte-monnaie.

« Bien. Reste près du téléphone, Dick. » Evan raccrocha, fit signe à Debbie d'approcher. « Ce type nous a entendus », dit-il. Elle ne se souvenait pas d'avoir jamais entendu quoi que ce soit d'aussi effrayant que le ton de sa voix.

« Non, dit-elle en essayant de sourire. Je ne crois pas. »

Elle le vit qui réfléchissait et s'aperçut soudain que si elle ne parvenait pas à le convaincre, ce type allait en prendre pour son grade. Voire pire. Elle se souvint que Danny lui avait dit qu'Evan avait emporté un pistolet quand ils avaient enlevé Tommy.

La bonne réponse lui vint alors naturellement. Elle savait ce qu'il fallait dire.

« Nan. Il était trop distrait.

– Par quoi ? »

Elle sourit.

« Mes nichons. »

Il la regarda un moment fixement, puis éclata de rire.

« Très bien. Allons-y. »

Une douce sensation de soulagement monta en elle, sa peau semblait chaude, ses mains fourmillaient comme si elles étaient transpercées par mille aiguilles. Elle avait réussi. Elle aurait voulu hurler de bonheur mais devait rester calme. Elle se dirigea donc vers la sortie, roulant exagérément des hanches pour dissimuler ses tremblements.

« Au revoir », lança l'hôtesse d'une voix chantante tandis qu'ils franchissaient la porte en verre.

L'air était frais et piquant et elle accueillit le froid avec joie. Ils firent le tour du restaurant jusqu'au parking de derrière situé près de la benne à ordures et du climatiseur. Le parking était presque désert, seules quelques voitures y étaient garées. Devant eux, le type rondouillard se dirigeait vers un véhicule utilitaire garé près de la Mustang. Elle se demanda s'il saurait jamais qu'elle lui avait sauvé la vie. Cette dette les liait-elle d'une manière ou d'une autre ? Elle ne croyait pas exactement en la réincarnation, mais l'énergie était l'énergie, et on ne savait jamais.

« Tu vois ? dit Evan en farfouillant dans sa poche de blouson à la recherche de ses clefs de voiture. Je t'avais dit qu'il n'y avait aucune raison de s'inquiéter. »

Elle lui fit un sourire par-dessus son épaule.

« C'est toi l'homme, chéri.

– Peut-être que je vais te ramener et te baiser contre l'autre côté de la caravane. »

En dépit de la panique qu'elle venait d'éprouver – ou à cause d'elle – les paroles d'Evan firent monter une vague de chaleur en elle, et comme ils atteignaient le côté passager de la voiture elle se retourna en se passant la langue sur les lèvres, prête à se pencher en arrière pour lui donner un baiser qui descendrait tel un éclair le long de la colonne vertébrale d'Evan pour remonter de l'autre côté. Mais il continua d'avancer, passa devant elle et ouvrit la portière du véhicule utilitaire dont le moteur tournait déjà. Le gros type se mit à hurler alors qu'Evan se penchait à l'intérieur, l'attrapait par l'avant de son maillot et le tirait brutalement hors de la camionnette avant de le plaquer contre la Mustang comme une poupée de chiffons. Le type poussa un grognement, leva les bras, tandis qu'Evan le maintenait de la main gauche et se servait de la droite pour le frapper à la gorge. Pas comme au cinéma où les hommes se tapent au menton et à la tête et où les coups pleuvent, non. Le poing d'Evan s'enfonça trop loin, et lorsqu'il le retira il était couvert de sang. Il tenait toujours son porte-clefs, des gouttes rouges ruisselaient sur les deux clefs coincées entre ses doigts, et il cogna encore, et encore. Trois fois. Le type n'émettait plus un son, tout s'était passé si vite, et Debbie qui se tenait là, figée dans une pose de vamp, lèvres entrouvertes et jambes écartées, tandis qu'Evan laissait retomber le corps de l'homme sur le ciment, du sang lui coulant du cou.

Il se retourna, son visage était un masque brutal. Il n'était plus le mauvais garçon de série télé qu'elle s'imaginait, mais une bête aux yeux fous qu'on aurait gardée trop longtemps en cage. Puis il lui colla les clefs ensanglantées dans les mains et se pencha pour attraper l'homme par les pieds.

« Ouvre le coffre », ordonna-t-il.

Elle jeta un coup d'œil aux clefs de cuivre humides et luisantes entre ses doigts, se tourna sur le côté et rendit son hamburger par terre.

30

Fini

La moitié de Detroit brûlait chaque année la nuit qui précédait Halloween. Du moins avant, à l'époque du lycée, quand Karen vivait plus haut sur la rivière. À Wyandotte, on s'amusait plutôt à faire exploser les boîtes aux lettres qu'à mettre le feu aux entrepôts, mais elle avait toujours détesté la Nuit du Diable[1] de toute manière. Peut-être à cause de ses frères. Ils sortaient à chaque fois, préparés comme des commandos, vêtus de noir et munis de sacs de sport remplis d'œufs, de papier toilette, de pétards M-80, de bombes de peinture et de Dieu sait quoi encore. C'était elle qui appliquait sur leurs visages le maquillage de camouflage acheté au supermarché, mais quand elle les implorait de l'emmener, David éclatait de rire et Brian lui ébouriffait les cheveux en disant que c'était une affaire de garçons. Puis ils partaient à l'aventure et elle restait à ruminer à la maison.

Et voilà que ça recommençait. On était la veille d'Halloween, elle avait trente-deux ans et se sentait encore exclue par l'homme de sa vie.

1. La Nuit du Diable, *Devil's Night*, est célébrée le 30 octobre, la veille d'Halloween, en particulier à Detroit. (N.d.T.)

Après avoir quitté le restaurant, furieuse, la veille au soir, elle était rentrée à la maison, avait pris un bain et s'était couchée. Puis elle avait attendu d'entendre du bruit à la porte d'entrée. Elle avait pensé que Danny rentrerait après elle, qu'il serait disposé à lui expliquer honnêtement ce qui se passait afin de soulager ses angoisses.

Elle était encore éveillée lorsqu'il était rentré sur la pointe des pieds à une heure du matin et s'était rendu directement à la cuisine sans passer par la chambre. Elle avait entendu le bip du répondeur, puis le message. Il l'avait écouté à nouveau à deux reprises.

Quand il s'était finalement couché, elle était en sueur, plongée dans un rêve dans lequel ses frères hilares mettaient le feu à leur appartement tandis qu'elle se penchait à la fenêtre pour les implorer d'arrêter.

À son réveil, Danny était parti.

Elle était allée à la salle de gym et avait passé une heure sur le vélo elliptique avant d'enchaîner les séries d'abdos, tentant d'utiliser le feu de ses muscles pour consumer les soupçons qu'avait éveillé le coup de fil de l'inspecteur. Elle avait pris une douche brûlante et s'était offert un petit déjeuner dans un café. Assise dans un box, elle avait lu cinq fois la une du journal sans en saisir un traître mot.

Puis elle était rentrée, avait de nouveau écouté le message sur le répondeur, puis composé le numéro, comme elle savait qu'elle le ferait depuis qu'elle s'était réveillée seule.

À la télé, les flics sont assis face à des bureaux recouverts de piles de papier. Ils se servent de téléphones munis de vieux cadrans rotatifs, tandis que des ventilateurs branlants tournoient dans des cages d'acier. Karen se demanda si les postes de police ressemblaient vraiment à ça, et elle en douta. Les flics travaillaient probablement dans des boxes, comme tout le monde.

« Inspecteur Nolan. »

Il avait un ton plus bourru que sur le répondeur.

« Karen Moss à l'appareil, dit-elle, son cœur cognant si fort contre ses côtes qu'elle eut peur qu'il l'entende. Vous nous avez appelés Danny et moi hier.

– Danny Carter ?

– Oui.

– Est-ce qu'il est là ?

– Non. Il est très occupé en ce moment, j'ai donc pensé que je pourrais peut-être vous aider.

– J'aimerais vraiment lui parler. Avez-vous un autre numéro ?

– Pas vraiment. Il travaille dans le bâtiment et il est rarement à son bureau. »

Danny possédait un téléphone portable, mais elle préféra ne rien dire. Elle comptait bien satisfaire sa curiosité, mais sans placer Danny dans une situation délicate.

« Je vois. Et quand rentre-t-il à la maison ?

– Je ne saurais vous le dire.

– Madame Moss, dit-il après une brève pause, Danny sait-il que vous m'appelez ? »

Son cœur se mit à battre encore plus fort.

« Non. »

Une nouvelle pause, puis un soupir.

« Vous ne connaîtriez pas un certain Patrick Connelly par hasard ? »

Bien sûr. Tout cela devait être à propos de Patrick. Elle éprouva un soudain soulagement et elle faillit rire d'elle-même, de ses stupides inquiétudes. Elle commençait presque à s'imaginer que Danny était celui qui avait des problèmes, qu'il avait commis quelque chose d'irréparable.

« Oui, je connais Patrick. Il y a un problème ?

– Eh bien... » Il marqua une pause, une seconde de silence qui s'étira à deux, puis trois, et elle sentit des frissons lui remonter le long des bras telles de sinistres araignées. « Je suis désolé de vous annoncer cela. Il est mort. »

Son sang se glaça et elle crut qu'elle allait lâcher le téléphone.

« C'est impossible. Il a dîné ici il y a quelques jours à peine.

– Vraiment ? dit Nolan d'un air surpris. Quand ?

– Je ne sais pas. Un peu plus d'une semaine. »

Que s'était-il passé ? Un accident de moto, peut-être ? Elle savait que la moitié du temps il ne portait pas de casque. Une image lui vint malgré elle à l'esprit, Patrick étendu, les os brisés, en travers du capot d'une voiture.

« C'était donc un de vos amis ? demanda Nolan.

– Oui, à tous les deux. Allez-vous me dire ce qui est arrivé ? »

Il y eut un nouveau silence.

« Il a été tué la semaine dernière. Peut-être lundi ou mardi.

– Tué ? » Elle essaya d'imaginer un autre sens que Nolan aurait pu vouloir donner à ce mot. « Voulez-vous dire... Que voulez-vous dire ?

– Il a été tué par balles. Je sais que c'est difficile à entendre. Mais je crois que ce serait bien si nous discutions en tête à tête. »

Elle se sentait abasourdie, cotonneuse. Patrick, assassiné.

« Madame Moss ?

– Désolée. Maintenant ?

– Vous vivez près de Wrigley, n'est-ce pas ? Je peux y être d'ici à une heure.

– Non », répondit-elle rapidement, sans réfléchir. Elle ne voulait pas que l'inspecteur vienne chez eux. « Je vous rencontrerai quelque part.

– Où ? »

Elle lui indiqua comment se rendre à un restaurant de Belmont et promit de le retrouver une heure plus tard. Lorsqu'elle raccrocha, le silence lui parut assourdissant. Les pensées se bousculaient dans sa tête, chaotiques. Qui aurait pu vouloir tuer Patrick ? Ce n'était qu'un enfant, plus espiègle que vraiment mauvais. Elle savait qu'il volait des voitures, qu'il dépouillait les gens, mais tout de même, elle se l'imaginait plus facilement dans une cabane perchée dans un arbre que dans un cercueil.

Puis elle pensa à Danny. La nouvelle allait l'anéantir.

Elle marcha jusqu'à la salle de bains, ôta ses vêtements et tourna le robinet de la douche en se disant que c'était le meilleur endroit pour pleurer. Tandis que l'eau chauffait, elle s'assit sur le lit, regarda fixement le mur de briques situé à un mètre derrière la fenêtre et pensa à l'inspecteur, sentant l'appréhension lui nouer l'estomac. Inspecteur Sean Nolan. Elle essaya de coller un visage à ce nom, imagina un jeune Pacino, enthousiaste, un flic en devenir. Pourquoi avait-elle accepté de le rencontrer ? Elle avait l'impression de rencontrer un pestiféré. Il vivait dans un monde que Danny et elle avaient abandonné, loin derrière eux. Et si les traces que ce monde avait laissées sur Danny infectaient la vie qu'ils venaient de bâtir ?

Et c'était *elle* qui avait appelé ce *type*. Elle voyait dans ce fait une cruelle ironie. Elle avait confusément craint que peut-être – sans trop y croire – Danny ait replongé dans son ancienne vie. Mais de fait, c'était elle qui avait ouvert la porte et laissé le passé les rattraper.

Ressaisis-toi, Karen. Patrick serait mort de toute façon.

Elle finit par passer quarante minutes à errer du lit au divan, du divan à la cuisine, marchant nerveusement de long en large, avant d'arrêter enfin l'eau de la douche, de renfiler ses vêtements et de se mettre en route pour retrouver l'inspecteur.

Ann Sathers était une institution à Chicago, un énorme restaurant suédois où flottait une odeur de café et où résonnaient des conversations bruyantes. Elle aurait reconnu Nolan même s'il ne s'était pas décrit. Ce n'était pas la coupe en brosse, ni l'épingle à cravate argentée, ni la casquette de golfeur en cuir brun. C'était cet air confiant, comme s'il avait subi des tests que la plupart des gens n'auraient jamais à affronter et était satisfait de son score. Elle identifia cette expression facilement. Danny avait la même.

« Je suis Karen Moss.

– Sean Nolan. » Il avait des yeux bleus humides, à la fois doux et durs. « Merci d'être venue. »

Elle laissa l'hôtesse les mener à une table tout en se demandant ce qu'elle fabriquait là. Un silence gêné s'installa tandis que la serveuse se faufilait entre les tables pour venir prendre leur commande. Karen demanda un jus d'orange dont elle n'avait pas envie. Lui, un décaféiné et une viennoiserie à la cannelle. Elle lâcha un petit rire nerveux.

« Quoi ? demanda-t-il.

– Pas franchement ce que Serpico aurait commandé.

– Pacino n'a jamais eu à remplir des rapports ni à essayer de se souvenir des codes de la base de données des véhicules. » Il sourit. « Mais je vois pourquoi vous et Danny vous entendez bien.

– Comment ça ?

– C'est juste que lui aussi aime faire son malin. »

Il prononça ces mots avec légèreté, tout en souriant, et Karen fut si désarmée qu'il lui fallut une bonne minute pour comprendre l'évidence.

« Attendez. Vous connaissez Danny ?

Il acquiesça.

« Un peu. Nous avons grandi dans le même quartier.

– Bien entendu, grommela-t-elle. J'aurais dû le deviner.

– Quoi ?

– Sean Nolan. C'est aussi irlandais que Danny Carter.

– Je plaide coupable, dit-il en riant. Je pense encore à South Side plus en termes de paroisses que de quartiers. »

Il plaisantait avec désinvolture, sur un ton badin qui la mit à l'aise. Être capable de gagner la confiance des gens devait être crucial dans son boulot. Elle s'aperçut qu'elle commençait à l'apprécier et se ressaisit. Elle ne voulait pas l'apprécier. Elle ne voulait pas le connaître. Les flics n'avaient aucune place dans leur vie.

« Donc, dit-elle en se penchant en arrière et en croisant les bras. En quoi puis-je vous aider ? »

Il perçut le changement de ton et adopta à son tour une voix plus officielle.

« Bon, tout d'abord, une fois de plus, je tiens à vous dire que je suis désolé pour Patrick.

– Que s'est-il passé ?

– Nous ne sommes pas encore certains. Je ne peux pas vous dire grand-chose à ce stade, sauf que nous travaillons dur sur l'affaire.

– Vous ne *pouvez* pas me dire grand-chose ou vous ne *voulez* pas ?

– Les deux », répondit-il d'une voix neutre, sans méchanceté.

La serveuse arriva, posa leurs boissons devant eux. Le café de Nolan déborda et une légère tache brune se répandit sur sa serviette en papier.

« Où l'avez-vous trouvé ? » demanda Karen avec un tremblement dans la voix.

Il hésita.

« Son corps était dans la rivière. »

Elle détourna le regard, le monde s'embua devant ses yeux. Abattu et balancé dans la rivière.

« Le connaissiez-vous aussi ?

– Oui. Un peu.

– Je suis désolée. »

Nolan secoua brusquement la tête.

« Quand l'avez-vous vu pour la dernière fois ?

– Durant un dîner. Je crois que c'était samedi en huit.

– Il est venu chez vous ?

– Oui.

– Vous étiez donc proches.

– Oui. Enfin, surtout Danny. Patrick était comme son frère. »

Une expression furtive traversa le visage de l'inspecteur, comme si elle venait de dire quelque chose d'important, et elle se remit sur ses gardes. En quoi les liens entre Danny et Patrick pouvaient-ils l'intéresser ?

« Patrick vous a-t-il jamais parlé de ses affaires ? »

Elle ouvrit la bouche puis, ne sachant ce qu'elle devait répondre, la referma. C'était une question compliquée. Savaient-ils que leur ami volait des voitures, se battait dans les bars, détournait des camions ? S'ils le savaient, alors quel genre de personnes étaient-ils ? C'était en partie la raison pour laquelle, bien qu'elle l'appréciât, voire l'aimât, elle n'était jamais à l'aise auprès de Patrick. Danny pensait que c'était parce qu'elle avait peur qu'il replonge, mais il y avait autre chose. Elle avait peur que cette proximité avec Patrick signifie que rien n'avait fondamentalement changé.

« Nous savions ce qu'il faisait. » Elle marqua une pause. « Qu'il volait. Mais il n'en parlait jamais vraiment.

– Même pas à Danny ? »

Elle haussa les épaules.

« J'en doute. Ils étaient de vieux amis, mais Danny travaille dans le bâtiment. Je ne vois pas Patrick lui parler de ce qu'il faisait. »

Ni sa voix ni sa conscience ne frémirent. Appeler l'inspecteur pour découvrir ce qui se passait était une chose. L'inviter à chercher des cadavres dans leurs placards en était une autre.

« Comment ça marche pour lui dans le bâtiment ? demanda Nolan en souriant du bout des lèvres

– Bien, répondit-elle d'une voix calme. Il est très occupé.

– Je n'en doute pas. C'est un travail plus difficile... » Il marqua une pause, croisa son regard « ... que son ancienne vie, hein ? »

La transition soudaine l'effraya. Il cherchait quelque chose.

« Que voulez-vous dire ?

– Juste qu'il n'a pas toujours travaillé dans le bâtiment. Est-ce que vous saviez ça ? Qu'il n'a pas toujours été dans le bâtiment ? »

Elle réprima une envie de balancer son jus d'orange au visage de ce flic qui avait surgi de nulle part pour mettre le bazar dans leur vie. Au lieu de quoi elle s'efforça de sourire doucement.

« Je sais tout ce que j'ai besoin de savoir sur Danny, monsieur Nolan. Et je ne pense pas pouvoir faire quoi que ce soit de plus pour vous, dit-elle en tendant le bras vers son sac posé près d'elle sur la banquette.

– Bien sûr, bien sûr. Vous savez donc qu'il est venu me voir la semaine dernière ?

– Je... il m'a dit qu'il s'était adressé à vous pour une histoire de vandalisme, quelque chose qui s'est produit sur l'un des chantiers. »

Il secoua légèrement la tête sans jamais la quitter des yeux.

« Danny m'a appelé lundi dernier, il m'a demandé de prendre le petit déjeuner avec lui. » Son expression d'Irlandais chaleureux avait été remplacée par un regard inquisiteur.

« Je ne l'avais pas vu depuis des années. Pas depuis mes débuts dans la police. »

Lundi dernier. Le jour où Danny avait inexplicablement quitté son travail. Elle s'aperçut que ses mains étaient occupées à déchirer une serviette en lambeaux sous la table, un tic nerveux qu'elle avait contracté à neuf ans.

« Mais comme il me dit que c'est urgent, je le rencontre dans ce restaurant de West Belmont. Quand il arrive, il tourne un peu autour du pot, puis finit par me dire qu'il a un problème. » Il marqua une hésitation, leva les yeux vers elle. « Il ne vous a rien dit à ce sujet ? »

Elle se sentait déséquilibrée, comme si elle avait besoin d'air, ou d'un verre d'eau. Mais elle conserva une expression neutre.

« À quel sujet ? Je ne raconte pas tous mes petits déjeuners à Danny. »

Il esquissa un sourire furtif, comme pour la féliciter. Puis son expression dure reprit le dessus.

« Il m'a dit qu'Evan McGann était venu le voir. »

La pièce se mit à tourner. Les jointures de ses doigts blanchirent sur les anses de son sac à main. Elle entendit un rire éclater au plus profond d'elle-même, dans ce recoin obscur de son âme qui se réjouissait des accidents de voiture et des catastrophes naturelles. Et ce rire lui disait qu'elle avait eu raison, que les soupçons qu'elle n'avait pas voulu accepter avaient été en plein dans le mille. Un visage de femme lui apparut soudain, recouvert d'ecchymoses aussi violettes qu'une aubergine.

« C'est impossible. Il est en prison.

– Il n'y est plus. Il a été libéré de Stateville il y a environ un mois. »

La banquette sembla se dérober sous elle.

« Mais... il a été condamné à douze ans.

– Bienvenue dans le système de justice criminelle américain. » Il piqua un bout de sa viennoiserie dont l'odeur écœurante retourna l'estomac de Karen. « Après ma rencontre avec Danny, je me suis renseigné auprès de l'agent de surveillance de McGann. Il m'a affirmé qu'il avait disparu sitôt après avoir été libéré. Il ne s'est jamais signalé, pas une seule fois. Est-ce que vous savez ce que ça signifie ? »

Elle fit signe que non.

« Ça signifie qu'il n'a aucune intention de raccrocher. Ça signifie qu'il continue d'être un criminel. Mais ce n'est pas le plus intéressant. Ce qui m'intéresse, c'est que la première chose qu'il ait faite, dit-il en la vrillant du regard, a été d'entrer en contact avec son ancien partenaire. »

L'air dans le café semblait poisseux. Son cœur battait à tout rompre et elle se sentait dangereusement déconnectée du monde, comme si elle était étourdie par l'alcool. Danny avait vu Evan, et il ne lui en avait pas parlé. Son ancien partenaire, le type avec qui il avait grandi, commis des vols, celui qui avait tiré sur un homme et passé une femme à tabac. Et Danny lui avait souri et expliqué que c'était une saison chargée dans le bâtiment.

Bon sang.

« Et il y a plus, reprit Nolan. Hier nous avons fouillé le domicile de Patrick. Il y avait un message de Danny sur le répondeur. Un message concernant un travail. »

L'inspecteur se pencha en arrière.

« Je ne... Je... » Elle le regarda fixement, sentant les murs de la pièce se resserrer autour d'elle. Les pensées se télescopaient dans sa tête comme un carambolage au cinéma, chacune d'entre elles déchirant, tailladant, tordant la précédente, et elle savait que quand tout cela prendrait fin, rien ne serait plus jamais comme avant.

« Karen ? » La voix de l'inspecteur était neutre et calme, ses yeux la transperçaient tels des lasers. « Que fabrique Danny ? »

Elle le regarda en se posant la même question. Les dernières semaines devenaient plus claires. Les dernières nuits. L'air absent de Danny, ses piètres excuses et son incapacité à discuter de quoi que ce soit. Sa promesse de la veille que tout serait bientôt fini. Cela suggérait une tâche, un objectif. Un travail spécifique à accomplir. Tout ce que l'inspecteur voulait entendre, voulait savoir. L'inspecteur avec son bagou de South Side et son sourire avenant, mais qui dissimulait le couteau avec lequel il mettait leur monde en lambeaux.

Qu'il aille se faire foutre.

« Je suis désolée. » Elle se glissa hors du box, tirant son sac à main derrière elle. « Je ne vois pas de quoi vous parlez. Et je ne peux pas vous aider. »

Ce mouvement fit tressaillir Nolan. Elle profita de sa surprise pour s'échapper sans entendre sa dernière question, celle qui dans les films l'aurait fait s'arrêter net. Elle passa devant l'hôtesse et sortit, retrouvant le grand air et le bruit de Belmont. La lumière du soleil la fit sursauter. Un taxi qui passait klaxonna, mais elle secoua la tête et se mit à marcher.

Durant toutes ces années passées avec Danny, elle ne lui avait fait qu'une promesse sur laquelle elle ne reviendrait pas. C'était après être allée au tribunal à sa place, après avoir écouté le procureur en costume marron expliquer d'une voix nasillarde que sur les photographies que les jurés examinaient, les traces de bottes sanglantes sur le corps indiquaient l'endroit où la victime avait reçu des coups de pieds *après* s'être fait tirer dessus. Elle n'avait rencontré Evan qu'une fois auparavant, mais elle savait l'importance qu'il avait eue pour Danny, et elle l'avait observé, espérant voir du remords, du regret. Ça n'aurait rien changé à ce qu'il avait fait, mais ça l'aurait placé à un niveau qu'elle aurait peut-être pu comprendre. Mais Evan avait l'air parfaitement à l'aise, imperturbablement calme.

Elle en avait eu envie de vomir.

Elle était restée assise comme une statue, mâchoire serrée, tout au long du procès. Puis elle était rentrée et avait adressé son seul et unique ultimatum à Danny.

Si jamais il récidivait, s'il replongeait, elle foutait le camp. C'était fini.

31

Les conséquences de la vérité

Même s'il y était déjà venu et n'avait pas le temps de l'apprécier pour le moment, même s'il avait un délit fédéral sur la conscience et un inspecteur à ses basques, même si sa petite amie était furieuse et sa vie sens dessus dessous, Danny ne put s'empêcher de trouver le grand hall de Union Station d'une beauté à couper le souffle. Des piliers bordaient la gigantesque salle, formant une voûte gracieuse en hauteur pour soutenir des alcôves et des balcons de style Beaux-arts. Vingt-cinq mètres plus haut, le dôme de verre du plafond découpait le ciel crépusculaire en fines formes géométriques gris-bleu. Comme dans une église, le silence semblait se répercuter sur les murs de la salle. Même les bancs posés sur le sol rappelaient ceux d'une église. Mais au lieu d'accueillir une assemblée de fidèles, ils accueillaient une congrégation d'indésirables, des hommes et des femmes dont mille douches n'auraient pu faire disparaître la pâleur cendreuse. Et dans ce silence, les toux hachées et le bruissement des journaux traversaient le vaste espace de façon incongrue.

Danny descendit les marches de marbre, conscient que les sans-abri l'observaient avec ennui. Il savait que le grand hall ne ferait pas l'affaire. Il fit un bref geste de la tête à un vieil homme à barbe hirsute qui le regardait fixement. Le type ne lui rendit pas son salut, se contenta de pivoter la tête pour suivre Danny du regard. Des couloirs partaient dans diverses directions, et il prit au hasard celui de gauche, empruntant une rampe en pente douce jusqu'à une section plus moderne, pleine d'éclairages au néon et de plantes façon siège social de société.

Tout en marchant, il se mit à repenser à la nuit précédente. Au dîner avec Karen. Il l'avait rarement vue si folle de rage, sa colère bouillonnant sous la surface. De toute évidence, elle savait qu'il se passait quelque chose. Quand elle lui avait demandé si c'était sa faute, si elle avait fait quelque chose qui ne lui avait pas plu, il avait failli tout lui dire. Il avait failli déballer toute cette merde au beau milieu du restaurant. Mais une voix paisible avait chuchoté en lui, *Du calme*. Elle lui avait murmuré qu'il serait bientôt en sécurité. Que tout serait fini d'ici à quelques jours et qu'alors il pourrait consacrer toute son énergie à recoller les morceaux avec Karen.

Il avait passé toute sa vie à écouter cette petite voix qui lui avait sauvé la vie un paquet de fois. Mais il commençait à se demander si elle était la meilleure conseillère pour ce qui était des liaisons amoureuses.

Sans compter que dans quelques jours j'aurai ruiné mon patron et fait perdre leur gagne-pain à quarante hommes, tout ça pour commettre un crime qui pourrait m'envoyer dans une prison paumée de très haute sécurité.

À cette idée, il pensa à Nolan, au message téléphonique qui avait ébranlé Karen. Merde, qui l'avait ébranlé lui aussi, plus qu'il n'osait le montrer.

« Danny, c'est l'inspecteur Nolan. Il faut que nous parlions. Je voudrais vous poser quelques questions sur des éléments nouveaux. Appelez-moi. Dès que possible. »

Qu'est-ce que ça signifiait, des éléments nouveaux ? Quels éléments ? Sa première pensée avait été que Richard, paniqué, était allé voir la police. Mais il ne voyait aucune logique là-dedans. Après tout, Richard n'avait pas pu faire le lien entre l'enlèvement et Danny. Et s'il y était parvenu – Dieu sait comment – alors Nolan ne l'aurait pas appelé chez lui : il l'aurait attendu dehors avec deux voitures de renfort.

Danny emprunta un escalator jusqu'au rez-de-chaussée et se retrouva entre un kiosque à journaux et un MacDonald's. Des banlieusards aux yeux vitreux fourmillaient de tous côtés. Il quitta l'escalator, fit demi-tour et redescendit. Assurément pas le bon endroit. Des portes de verre couraient le long du mur opposé, ornées de pancartes désignant les trains Metra et Amtrack, des épiceries et des restaurants bloqués par la foule. Il était cinq heures, l'heure de pointe. Eux travailleraient beaucoup plus tard, mais là n'était pas la question. Mieux valait faire les repérages au pire moment. S'il parvenait à trouver le bon endroit dans ces circonstances, alors il serait confiant pour le lendemain.

Même si le coup de fil de Nolan n'avait rien à voir avec Evan, avec ce qu'ils faisaient, il n'était pas certain d'avoir envie de rappeler l'inspecteur. Il n'avait pas besoin que les choses se compliquent encore plus. Il avait déjà assez de mal à tenter de garder une longueur d'avance sur Evan et de faire en sorte que tout le monde sorte indemne de ce désastre.

Sauf Richard et tous les honnêtes gens qui travaillent pour lui. Tous ces hommes comme papa.

Au cinéma, les remises de rançon avaient toujours lieu dans des parkings, ou en pleine campagne. Deux voitures garées à trente mètres l'une de l'autre, les uns suppliant de voir l'otage, les autres ordonnant brusquement qu'on leur montre l'argent. Mais Danny savait comment Evan se comportait quand il se trouvait dans un lieu sans témoins. Il braquerait son flingue sur le gamin de douze ans apeuré. Et comment espérer qu'il garde son calme face à un père empli d'une rage meurtrière et transportant un million de dollars en espèces ?

D'où la quête de Danny. Il lui fallait un endroit suffisamment fréquenté pour qu'Evan ne tire sur personne, mais assez isolé pour qu'ils puissent procéder à l'échange. Et il devait offrir suffisamment de possibilités de fuite pour qu'ils ne se retrouvent pas accidentellement coincés dans les embouteillages de la voie express Dan Ryan à côté de Richard et Tommy. Il leur fallait des sorties donnant sur la rue, des niveaux multiples, des taxis, des trains, et beaucoup de monde. Le meilleur endroit pour cacher une aiguille était une botte de foin.

Ce qui donnait donc Union Station.

Il passa une autre heure à errer et à observer. Au début, il avait été tenté par un couloir tranquille hors des sentiers battus, mais une foule débarquant soudain d'un train lui avait fait changer d'avis. Il était finalement tombé sur une antichambre en haut d'un escalator arrêté, flanquée d'un côté par une boutique de cadeaux abandonnée, et de l'autre par un immeuble de bureaux. Durant les vingt minutes qu'il attendit, seule une personne passa, un type à l'air soucieux qui quitta précipitamment l'immeuble de bureaux en claquant la porte derrière lui. À dix heures le lendemain, les bureaux seraient vides – le risque que quelqu'un passe n'était pas nul, mais il était suffisamment mince, et furieusement préférable à tout autre endroit isolé où Evan risquait de se mettre à canarder.

Le seul problème qu'il ne pouvait résoudre était comment dissimuler leur identité. Il n'osait pas laisser Evan procéder seul à l'échange et, bien sûr, il ne pouvait se présenter lui-même face à Richard. Mais bon, ils ne pouvaient pas se balader dans Union Station masqués, pas vrai ?

La solution lui fit l'effet d'une claque et, en dépit de la situation, il se fendit d'un large sourire. *Bien sûr que si.*

Un jour par an.

Après tout, demain, c'était Halloween.

Danny regagna son 4 × 4 dans le parking de la tour Sears – vingt dollars pour deux heures, une véritable arnaque ! Il prit la direction de l'ouest. Sa journée était presque finie. Un dernier arrêt au bureau pour sauver les apparences et déposer les plannings mis à jour et récupérés sur le chantier qu'il avait visité plus tôt, et il serait l'heure de rentrer.

La vraie question était : que ferait-il une fois chez lui ?

La façon dont Karen avait pris ses cliques et ses claques la veille au soir, l'abandonnant seul à la table... d'ordinaire, elle ne se comportait pas ainsi. Il avait presque envie d'en sourire. Quelle femme ! Une vraie star de cinéma à l'ancienne. Cependant, c'était un problème. Elle avait eu l'intuition que quelque chose clochait avant même que Nolan n'appelle ; maintenant, il était clair qu'elle n'avait plus le moindre doute. Pire, même si le coup de fil n'avait rien à voir avec l'enlèvement, il l'avait par inadvertance mise sur la bonne voie. Elle devait se demander s'il avait repris ses anciennes activités.

S'il avait replongé.

Et elle aurait raison.

Danny entendit presque la voix résonner dans la voiture. Il se retourna vers le siège passager et vit son père assis, une cigarette se consumant entre ses lèvres. Quand il était gosse, il tentait constamment de le convaincre d'arrêter, lui disait que ça le tuerait. Il s'était trompé. Comme bien souvent.

« Il n'y en a plus que pour deux jours, dit-il. Puis j'arrête de mentir. »

Son père le regarda fixement. Son visage taillé à coups de serpe était dur comme de la pierre, ses yeux le jugeaient. Danny n'avait pas besoin de s'imaginer ce qu'il allait dire. Il le savait déjà.

« Je sais, répondit-il à voix haute. Je sais. Des statues d'or aux pieds d'argile. On ne peut pas bâtir la vérité sur des mensonges, pas vrai ? »

Et pourtant. En prenant quelques précautions, ne pourrait-il accomplir sa tâche du lendemain sans que Karen n'en sache jamais rien ? Une fois le coup fini, Evan disparaîtrait de leur vie. Il aurait à la fois protégé Karen et Tommy. La vie reprendrait son cours normal.

« Dis la vérité. Fais ce qui est juste. Sois un homme. Ç'a toujours été si facile pour toi de dire... »

Mais même tandis que le silence avalait ses paroles, Danny savait qu'il mentait. Rien dans la vie de son père n'avait été facile. Une scolarité interrompue en troisième et aucune compétence dans aucun domaine hormis le bâtiment. Un pavillon doublement hypothéqué avec une femme et un enfant à l'intérieur. Il ne s'était jamais voilé la face, ne s'était jamais vu financièrement à l'aise ou partant tôt en retraite. Chaque matin, il s'était levé, avait redressé les épaules et fait ce qu'il avait à faire. Sa vie avait été consacrée à survivre coûte que coûte.

Danny tourna à gauche en direction du bureau, passant devant des échoppes de hot-dogs et des boutiques de prêteurs sur gages dont les enseignes flamboyaient sur fond de ciel mourant. Pour ce qui devait être la dix millième fois, il se posa la question : et s'il lui disait la vérité en rentrant ?

Comprendrait-elle ?

Partirait-elle ?

Il n'avait aucun moyen de le savoir, à vrai dire. En dépit de l'amour qu'elle lui portait, il savait que la terreur que lui inspirait son ancien monde était forte. Peut-être même plus forte qu'il ne pouvait l'imaginer. S'il lui disait la vérité, les choses pouvaient basculer d'un côté comme de l'autre.

Seuls les imbéciles jouaient pour ne pas perdre. À jouer ainsi, on perdait une fois sur deux. Quand les enchères étaient aussi élevées, la meilleure tactique consistait à faire profil bas.

Dans le siège passager de son imagination, son père ronchonna avec dégoût et détourna le regard.

Et Danny s'aperçut soudain que la question n'était pas de savoir ce qu'elle ferait s'il lui disait tout. La question était : pourrait-il se regarder en face s'il ne disait rien ? Voulait-il être le genre de personne qui pouvait vivre avec un tel secret ?

Était-il heureux d'être un escroc avec une adresse dans les beaux quartiers ?

« O.K., dit-il. Tu as gagné. Je vais déposer ces papiers, puis rentrer et mettre tout ce qui compte pour moi sur le tapis comme tu me le demandes, heureux ? »

Son père était aussi silencieux mort qu'il l'avait été vivant. Mais comme Danny s'engageait sur le parking de la société, il sentit quelque chose se libérer en lui, comme si les lanières d'acier qui comprimaient sa poitrine cédaient soudain. Il inspira profondément, l'air semblant l'emplir de la tête aux pieds.

Rien à foutre de la tactique. Il lui dirait la vérité.

Danny descendit de voiture, attrapa son sac et se dirigea vers la porte de derrière. Au-dessus de sa tête, le ciel brillait d'un violet impérial, les lumières de la ville s'étiraient jusqu'à rebondir contre les nuages. Des feuilles mortes craquaient sous ses pieds et l'air sentait le propre, un air d'automne, vif, chargé de la promesse de l'hiver. Cinq minutes au bureau, puis il rentrerait chez lui, découvrirait les conséquences de la vérité.

« Danny ? »

La voix derrière lui était celle d'une femme effrayée, et dès qu'il l'entendit, il sut que quelque chose clochait terriblement.

32

Ce qui restait

Il avait pensé à Karen et fut quelque peu surpris de découvrir Debbie en se retournant. Elle avait une sale tête, son dos était voûté, ses yeux rougis, ses joues aussi rouges que si elle s'était pris une gifle. Il ne restait guère de trace de la pose de diva rock qu'elle affectait d'ordinaire. Son premier instinct fut primitif, un désir mâle de réconforter une femelle, de placer son manteau autour de ses épaules froides et de la rassurer.

Puis il se demanda ce qu'elle fabriquait dans le parking de l'homme dont elle était censée surveiller le fils qu'ils avaient kidnappé.

« Debbie. » Il regarda autour de lui. Personne en vue, mais une douzaine de voitures étaient garées dans le parking, parmi lesquelles, remarqua-t-il, sa Tempo complètement cabossée. Comment avait-il fait pour ne pas la voir en arrivant ? « Qu'est-ce que tu fais ici ?

– Il faut que nous parlions », dit-elle en reniflant légèrement.

Était-elle en train de craquer ? Pile ce qu'il lui fallait, un nouvel élément qui viendrait ébranler la fragile structure qu'il s'efforçait de maintenir à force de volonté et de prières.

« Tu ne devrais pas être ici. »

Il avait parlé d'une voix dure et elle recula légèrement.

« Je sais. Je suis désolée. J'ai juste... j'ai besoin de te parler. »

Il secoua la tête.

« Je passerai au chantier demain matin, nous pourrons alors discuter. »

Il saisit son bras et la guida vers la Tempo. Il devait la faire partir avant que quelqu'un sorte et les voie ensemble. Même sa voiture était un problème. Il travaillait dans une petite société où les gens remarquaient tout, et la moitié de la lunette arrière de la voiture était recouverte d'autocollants de groupes punks, ce qui ne collait pas vraiment avec l'industrie du bâtiment. Tout en se laissant malmener, elle continua de parler.

« Non, écoute, c'est important. Danny, je suis sérieuse. C'est important ! » Elle dégagea brutalement son bras de son étreinte. « Il s'agit d'Evan. »

Son estomac se noua et il sentit les lanières d'acier se resserrer autour de sa poitrine. Il la regarda et vit ses yeux écarquillés. Elle n'était pas en train de craquer. Il se passait vraiment quelque chose.

« O.K. » Il jeta un nouveau coup d'œil à la ronde. « Mais pas ici. D'accord ? » Elle acquiesça, il lui fit signe de regagner sa voiture et se dirigea vers la sienne. « Suis-moi. »

Ils quittèrent le parking sans se faire remarquer et il se détendit un peu, jusqu'au moment où il regarda dans le rétroviseur et vit l'expression résolue de Debbie, ses lèvres pâles et serrées. Il s'agit d'Evan. Qu'est-ce que ça pouvait signifier ? Ces mots n'avaient jamais rien annoncé de bon, et il n'avait aucune raison d'espérer qu'il en irait autrement cette fois.

Il roula huit cents mètres jusqu'au Sunshine Plaza, un centre commercial qui abritait une épicerie Jewel-Osco, un salon de bronzage, un établissement de manucure avec des pancartes en anglais et un autre avec des pancartes en espagnol. Le parking était seulement à moitié plein, mais il passa devant les voitures vides sans s'arrêter et tourna à gauche pour se garer à l'arrière du bâtiment. La façade pseudo-caribéenne fut remplacée par la sinistre réalité : générateurs et climatiseurs, murs de briques recouverts de graffitis, rangées de zones de livraison. Il recula derrière une benne à ordures tandis qu'elle se garait. Une odeur de lait caillé et de gaz d'échappement lui emplit les narines lorsqu'il descendit du 4 × 4.

« Bon, qu'est-ce qui se passe ? »

Elle le regarda, détourna les yeux.

« Tu aurais une cigarette ?

– Je ne fume pas. »

Elle hocha la tête.

« Moi, ça fait maintenant deux ans que j'ai arrêté. »

Il attendit.

« Je suis désolée de te tomber dessus comme ça. Je t'ai cherché et me suis souvenue qu'on t'avait suivi jusqu'à ton bureau, et le seul autre endroit dont je me souvenais, c'était chez toi. Mais je me suis dit que ce serait une mauvaise idée. J'ai pensé que tu ne voulais pas que ta petite amie te voie discuter avec moi. »

Elle avait dit ça d'une voix triste, comme si elle avait déjà trop souvent prononcé ces paroles. Il acquiesça, tenta de conserver un ton rassurant :

« Simplement, ne recommence pas, d'accord ? Je sais que ça peut sembler un petit détail, mais...

– ... C'est à cause des petits détails qu'on se fait pincer. » Elle sourit. « Evan m'a dit que tu disais tout le temps ça. »

À ce nom, le visage de Debbie s'assombrit soudain.

« Qu'est-ce qui se passe ? »

Elle détourna à nouveau les yeux et les fixa sur la route, observa la circulation.

« Je ne savais pas qu'il allait faire ça. J'aurais dû m'en douter, je suppose, mais je ne me suis pas méfiée. Vraiment.

– Faire quoi ? »

Silence.

« Debbie, faire quoi ? »

Elle reposa sur lui ses yeux injectés de sang, des larmes lui coulaient sur les joues.

« Je ne savais pas qu'Evan le tuerait. »

Il sentit le sol se dérober sous ses pieds et tendit la main pour s'appuyer sur le 4 × 4. Le tuer ? Que voulait-elle dire ? Tuer qui ?

« On est allés déjeuner dehors. Je ne voulais pas, mais il m'a convaincue que Tommy irait bien. À la fin du repas, il a dit qu'il avait un coup de fil à passer. Il a sorti une pochette d'allumettes sur laquelle était inscrit un numéro de téléphone et j'ai essayé de l'empêcher d'appeler, mais c'était trop tard, il avait déjà Richard au bout du fil. » Les mots sortaient rapidement, se télescopaient, elle écarquillait les yeux comme une enfant. « Il a dit que s'il ne trouvait pas l'argent il tirerait une balle dans la tête de Tommy, et juste à ce moment un type est sorti des toilettes, et je ne sais pas s'il a entendu ou non, mais Evan l'a suivi sur le parking et, et... »

Sa voix s'étouffa en un sanglot et elle se retourna puis se pencha en avant, les mains serrées sur son ventre. Une perle de sueur ruissela le long du flanc de Danny. Il entendit au-dessus de lui le bourdonnement lointain d'un avion. Evan avait tué quelqu'un.

Oh, doux Jésus.

« Debbie. » Il attendit qu'elle se redresse, qu'elle reprenne son souffle. « Où est Evan en ce moment ?

– Il a mis le type dans le coffre de sa voiture et il m'a forcée à le suivre jusqu'au parking longue durée de l'aéroport. Il a dit qu'il s'occuperait du corps plus tard. » Elle frissonna. « Puis on est retournés à la caravane et je lui ai dit que je devais sortir une heure ou deux. Que je devais prendre une douche.

– Bien. Maintenant, rentre. » Il s'efforçait de parler d'une voix égale, comme s'il s'adressait à une adolescente. « Oublie tout ce qui s'est passé.

– Comment ça ? demanda-t-elle en le regardant d'un air confus.

– Va-t'en. N'y pense plus. »

Elle secoua la tête.

« Je ne peux pas.

– Comment ça ? » Pouvait-elle encore être éprise d'Evan ? Pas après ça. Danny l'avait cataloguée comme une groupie, une femme intelligente qui aimait les hommes mauvais, mais son affection ne pouvait être aussi profonde que ça. « Tu dois rester à l'écart. »

Elle détourna le regard.

« Je me couperais un doigt pour une cigarette. »

Il s'avança, l'attrapa par les épaules. Elle essaya de se libérer, mais il tint bon.

« Je ne peux pas », murmura-t-elle. Il la regarda fixement, muet. « Réfléchis, poursuivit-elle. Si je me tire, que va faire Evan ? *Je l'ai vu tuer quelqu'un.* »

Ses yeux rouges semblaient en avoir assez de la Terre entière. La princesse punk-rock avait disparu, et ce qui restait, c'était une petite fille effrayée. Mais elle avait raison. Evan risquait de s'en prendre à elle. Ou bien de paniquer et de tuer Tommy. Il acquiesça, lui lâcha les épaules.

« O.K. » Il fit un pas en arrière, enfonça la main dans sa poche pour en tirer ses clefs. Elle fit une grimace en les voyant, mais il n'avait pas le temps de demander pourquoi. Il se retourna et se dirigea vers le 4 × 4. « Rentre chez toi, lança-t-il par-dessus son épaule.

– Qu'est-ce que tu vas faire ? »

Il s'arrêta devant la portière ouverte et se retourna pour la regarder.

« Mettre un terme à tout ça. »

Puis il grimpa dans le véhicule, mit le moteur en marche et démarra brutalement. Les pneus crissèrent en mordant le sol, propulsant la voiture vers l'avant. La vitesse semblait parfaite, aussi propre et pure que sa colère. Il regarda dans le rétroviseur et vit Debbie qui le suivait des yeux, mais à une telle distance qu'il n'aurait pu dire si son expression était de l'espoir ou du désespoir. Puis il s'engagea sur la route et elle disparut.

Evan avait tué quelqu'un.

Qu'était-il arrivé à Evan ? Qu'était-il devenu ? Il avait toujours été imprudent et trop dur. Mais on venait de franchir une étape. Peut-être était-ce la prison. Ou la rage du désespoir. Quelque chose avait fait d'Evan le genre d'homme qui croyait avoir le droit de vie ou de mort sur les autres.

Bon sang.

Et le coup de fil ! Pourquoi avait-il appelé du restaurant ? Pourquoi avait-il tout simplement appelé ? Pour impressionner Debbie, prouver son indépendance ? Était-il besoin d'appeler Richard pour ça ?

Attends une minute. Plus important que le pourquoi était le comment. Pour passer le coup de fil, il devait avoir le numéro de téléphone. Danny se repassa mentalement le monologue haché de Debbie. Elle avait parlé d'une pochette d'allumettes sur laquelle était inscrit le numéro.

Ce qui signifiait qu'après le premier appel, deux jours plus tôt, Evan avait non seulement pris la peine de mémoriser le numéro, mais aussi de le noter. Pas la peine d'être un génie, mais pas non plus le genre de chose qu'Evan faisait. À moins qu'il eût déjà prévu d'agir sans Danny. À cette idée, un frisson lui parcourut la colonne vertébrale, immédiatement suivi par une bouffée de chaleur furieuse.

Peut-être que ça n'aurait pas dû le surprendre. Mais ça le surprit.

Devant lui, la circulation ralentit. Un océan de phares rouges. Des gens ordinaires qui essayaient de rentrer chez eux. À ce train-là, il lui faudrait vingt minutes pour parcourir dix rues.

Il braqua pour se rapprocher du bas-côté, ignora les coups de klaxon et enfonça l'accélérateur, roulant à moitié sur la route, à moitié en dehors. Les voitures défilaient derrière la vitre. Plus loin, le bas-côté se transforma en un parking de restaurant et il s'y engagea, suffisamment lentement pour passer en rapport court, puis roula jusqu'au talus recouvert d'herbes qui le séparait d'une rue menant vers le sud. Il y avait peu de circulation et il parcourut six pâtés de maisons avant de se retrouver dans un cul-de-sac au niveau de l'un de ces petits parcs que l'on trouve un peu partout dans Chicago. Sans même ralentir, il donna un coup de volant, heurta le caniveau avant de grimper sur le trottoir et fut projeté en avant jusqu'à ce que sa ceinture se bloque. Deux adolescents noirs qui partageaient une cigarette, perchés sur le portique du terrain de jeu, se retournèrent pour le regarder, bouche bée, mais ça n'avait aucune importance car de l'autre côté du parc se trouvait Pike Street, une rue toute proche du chantier.

Il était animé par la colère, jamais bonne conseillère, mais sur le coup, il s'en foutait. Toutes les pensées mortelles qu'il avait nourries l'autre nuit refaisaient surface. Il parcourut les deux derniers pâtés de maison et s'arrêta devant la clôture du chantier. Le portail était fermé mais le loquet soulevé, il le poussa donc avec l'avant du 4 × 4 et le franchit. Le moteur n'avait pas totalement fini de tourner qu'il était déjà descendu de voiture.

Evan était assis sur les parpaings qui faisaient office de marches, une cigarette à la main. Il se leva, épaules en arrière, et jeta d'une chiquenaude sa clope à moitié finie.

« Salut, partenaire. »

Sans rien répondre, Danny rejoignit les marches en quatre pas, les yeux fixés sur Evan, et lui décocha un swing qui le prit au dépourvu. Evan leva les mains trop lentement pour empêcher Danny de l'atteindre à la mâchoire d'un coup de poing solide et parfaitement ciblé qui lui causa une douleur lancinante dans la main. Evan tomba, se rattrapa au flanc de la caravane et se releva d'un bond, poings serrés, forçant Danny à reculer. Danny bloqua un assaut, en esquiva un autre, mais une droite brutale l'atteignit à la tempe. Le monde fit un bond puis se stabilisa, et ils s'empoignèrent alors tels deux gamins de leur ancien quartier. Danny parvint à enfoncer son genou dans le ventre d'Evan, mais encaissa en même temps deux rapides coups au flanc. Les deux hommes respiraient fort, grinçaient des dents. Dans leurs yeux se lisait leur envie de meurtre. Danny laissait tout sortir, tout le stress du mois passé, les revers, les échecs, chaque mensonge et chaque calcul qu'il s'était promis de ne plus jamais faire. Il se sentait consumé par un feu intérieur. Il décocha un crochet qui fit pivoter la tête d'Evan dont le nez se mit à saigner, mais tendit le bras trop loin et se retrouva à découvert. Il comprit son erreur trop tard. Le poing d'Evan décrivit un violent uppercut dans lequel il mit tout son poids, et des étoiles explosèrent derrière les yeux de Danny tandis que la force du coup le soulevait du sol. Il retomba par terre, son dos heurtant le gravier. Une botte à coque d'acier s'enfonça dans son rein et il roula sur le flanc, suffoquant, le corps agité par de violents spasmes.

Evan s'écarta, essoufflé, un filet de sang ruisselant de ses narines. Ils s'observèrent avec dureté un moment, puis Evan lâcha un petit rire.

« Alors cette petite pute à la con t'a retrouvé, hein ? » Il essuya le sang sur son visage du revers de la main droite en un geste enfantin. « C'est bien ce que je pensais. Je me disais que toute cette histoire de douche, c'était des conneries. »

Danny inspirait de longues bouffées d'air dans l'espoir de faire cesser la douleur. Il lui fallut plus de forces qu'il ne s'y attendait pour se soulever sur le coude. Il ne quittait pas Evan des yeux, observait ses bottes, se préparant à une nouvelle attaque.

« Elle avait peur.

– Ouais, eh bien, je vais pas retourner à Stateville à cause d'un gros lard. »

Danny se concentra de toutes ses forces, tentant de se représenter un endroit paisible, un lac souterrain, vaste, frais et sombre, où la douleur n'existerait pas. Lorsqu'il y fut parvenu, il se mit à genoux, puis se leva. Evan recula, sur ses gardes.

« C'était idiot.

– Pourquoi ? demanda Evan d'un air sarcastique. Parce que ça ne faisait pas partie de ton plan ? J'ai une nouvelle pour toi, Danny-boy. Je ne rentre pas dans ton plan. »

Danny hocha la tête. Il arrivait à peine à distinguer ce qui l'entourait, il avait mal au crâne.

« Je commence à le comprendre. »

Cette remarque sembla faire plaisir à Evan, comme s'il s'était agi d'un compliment. Comme s'il n'avait pas compris le vrai message.

« Il était temps. »

Il baissa la garde, puis fouilla dans ses poches à la recherche de ses cigarettes.

« Evan. Ça change la donne. » Danny s'étira le dos, ressentit de vifs élancements à mesure que chacune de ses vertèbres craquait. « On doit tout repenser.

– Rien... » Evan marqua une pause, alluma une cigarette, souffla un fin filet de fumée grise « ... ne change.

– Il s'agit d'un meurtre. La police va te rechercher. »

Evan haussa les épaules.

« Et après ? Demain on aura un million. »

Pouvait-il vraiment prendre ça aussi froidement ?

Tu connais la réponse à celle-là, gamin. Tu l'as apprise à tes dépens. Ne l'oublie jamais.

Pourtant.

« Je sais que tu n'aimes pas voir les choses comme ça, mais écoute-moi. Le mieux serait que tu partes ce soir. Tu as tué ce type dans un parking, pas vrai ? Tu sais combien d'indices tu as probablement laissés ? Empreintes digitales, traces de pas, de pneus, son sang, le tien. Il ne s'agit plus d'une boutique de prêteur sur gages qu'on met à sac, vieux. Si tu restes dans les parages, ils te trouveront. Et si on détient le môme en même temps, on tombe tous les deux. Peut-être pour de bon. »

Evan le regarda fixement avec une expression moqueuse.

« Ah, Danny... » Il tira longuement sur sa cigarette, secoua la tête. « Viens avec moi. »

Il pivota sur ses talons et se dirigea vers la caravane. Danny ne bougea pas.

« Pourquoi ? »

Evan avait la main sur la poignée de la porte. Il s'arrêta, se retourna avec une patience exagérée.

« Je veux te montrer quelque chose. »

Danny sentit des fourmillements dans chacun de ses nerfs. Il y avait quelque chose dans la tranquillité d'Evan qui lui foutait la trouille. Ça pouvait être un piège. Evan n'avait plus besoin de son aide. Même s'il ne croyait pas qu'il le descendrait comme ça, il ne pouvait être sûr de rien.

Il pensa à Karen. Si les choses tournaient mal maintenant, elle ne connaîtrait jamais la vérité. Evan entrouvrit la porte et sourit.

« Après toi. »

D'un autre côté, ça pouvait n'être rien. S'il voulait s'en sortir, revoir Karen, tenter de trouver une solution, il n'avait pas vraiment le choix. Son visage couvert d'ecchymoses le faisant souffrir à chacun de ses battements de cœur, Danny pénétra dans la caravane, à l'affût du moindre danger.

La télévision illuminait l'intérieur de ses scintillements bleus et blancs. Des cartons d'emballage de repas préparés jonchaient les tables. L'air était froid et humide. Tommy s'agita sur le divan dans un effort pour se redresser. Ses pieds et ses mains étaient ligotés aux accoudoirs du divan. Il avait une bande de toile adhésive sur la bouche, et une autre sur les yeux. On distinguait à peine sa peau pâle et ses taches de rousseur.

« Tu l'as ligoté ? » dit Danny sans parvenir à cacher son dégoût.

Evan se contenta de sourire tandis qu'il s'approchait du divan.

Puis il tira son pistolet de sous sa ceinture et appliqua le canon contre le front de Tommy.

Evan avait dégainé à une telle vitesse que Danny ne pouvait y croire. Le gamin cessa immédiatement de se débattre et émit un petit gémissement tel un chiot à qui on aurait donné un coup de pied.

Danny sentit l'horreur et l'adrénaline monter en lui. Poings serrés, il entendait le rugissement de son cœur. Il esquissa un pas en avant et s'immobilisa lorsqu'Evan arma le pistolet.

« Maintenant, tu vois. Maintenant, tu commences à piger. Toutes ces conneries que tu me débitais dehors ? Tu avais raison pour une chose. » Evan lui sourit et lui lança un regard moqueur. « Nous ne sommes pas dans une boutique de prêteur sur gages.

– Attends...

– Non. Assez discuté. » Tommy gémit de nouveau tandis qu'Evan le poussait du bout de son arme. « Il est temps que tu comprennes quelque chose, *amigo*. Tu m'as lâché une fois. Ça ne se reproduira pas. Pas sans conséquences. »

Evan poussa plus fort sur son arme et l'enfant se réfugia parmi les coussins. Danny distinguait des traces de sueur sur le tissu.

Puis, tout en tenant son pistolet armé contre le front d'un enfant de douze ans, Evan lui fit un clin d'œil.

Tout était allé de travers.

Et Danny ne pouvait plus rien y faire.

33

Monstres

Il avait mal partout.

Ça faisait un paquet d'années qu'il ne s'était plus battu, et il avait oublié les diverses couches de douleur qui suivaient une bagarre sérieuse, l'équilibre symphonique de la souffrance : une douleur sourde qui lui traversait le corps, un martèlement dans sa tête qui tenait à peine sur son cou, des élancements chauds comme le sang dans son œil gauche qui commençait à gonfler, les jointures de ses doigts qui semblaient avoir été passées au papier de verre. Rien d'insupportable, mais ça lui rappelait son âge. Quand il avait dix-huit ans, bon Dieu, vous pouviez lui rentrer dedans avec une locomotive et il rebondissait sur ses pieds. Mais le corps d'un trentenaire n'était pas fait pour les combats de rues.

Cependant, l'image gravée dans son esprit était pire que la douleur physique. Il revoyait le pistolet apparaissant comme par magie dans la main d'Evan, l'effet de ralenti lorsqu'il s'était penché en avant pour le braquer contre le front de Tommy. Le petit gémissement du garçon, un son dont il savait qu'il hanterait à jamais ses heures noires. Le sentiment d'être complètement piégé : il savait ce qu'il fallait faire, voulait le faire, mais faisait le contraire.

Après s'être bien fait comprendre, après avoir vu l'horreur, la capitulation sur le visage de Danny, Evan avait baissé son arme. Tommy s'était laissé retomber sur le divan, des halètements paniqués s'échappant furieusement de ses narines. Danny avait alors envisagé de sauter sur Evan, mais celui-ci avait gardé son pistolet à la main, jamais explicitement menaçant, plutôt comme s'il s'était juste trouvé là par hasard.

« N'aie pas l'air si inquiet, avait dit Evan comme ils s'apprêtaient à sortir de la caravane. J'ai la situation en main. Je vais rappeler Debbie pour qu'elle reprenne le baby-sitting. Demain, on appelle Dick, on lui donne rendez-vous. On aura un million en espèces avant même que les mômes aient enlevé leurs costumes d'Halloween, et tout sera fini. »

Danny avait acquiescé sans en croire un mot, conscient que tout cela ne finirait jamais, qu'il s'était finalement réveillé au beau milieu de son cauchemar récurrent. Mais il devait tout de même limiter les dégâts, tel un ingénieur à bord du *Hindenburg*.

« J'ai trouvé le lieu du rendez-vous.

– Où ?

– Union Station. »

Il avait expliqué la logique à Evan, sans toutefois lui dire qu'il avait choisi un endroit public dans l'espoir qu'il resterait calme. Evan avait haussé les épaules, s'était gratté le cou avec le canon du pistolet.

« Si tu veux. Ça va marcher. »

Puis il avait congédié Danny en agitant sa cigarette.

Danny était désormais près de chez lui. Il descendit du 4 × 4 et ferma doucement la portière. L'air était plus frais, le vent qui traversait sa chemise semblait lui lacérer la peau. Sa rue dégageait la sérénité d'un lieu où les monstres ne sortaient que le soir d'Halloween. Il prit son sac sur son épaule et se mit à marcher sur le trottoir, tentant de ne pas distinguer le visage de Tommy dans chaque ombre.

Lorsqu'il passa devant les marches érodées qui menaient chez son voisin, un hurlement haut perché jaillit de la maison de pierres grises. Le cri fut suivi par un rire diabolique et une lumière stroboscopique illumina le *bow-window* orné d'un squelette pris dans des toiles d'araignée de supermarché. Au bout d'un moment, la bande enregistrée s'arrêta, mais une lumière blanche et crue continua d'inonder la fenêtre toutes les secondes. Danny se tint devant la maison et regarda le faisceau lumineux clignoter. Chaque fois qu'il s'éteignait, les réverbères transformaient la fenêtre en un miroir sombre dans lequel il distinguait son propre reflet. Un type à l'air normal avec quelques égratignures sur le visage et un début d'œil au beurre noir. Si l'on exceptait les bleus, pas le genre de visage qui attirait l'attention.

Un mois plus tôt, il aurait trouvé le squelette plus effrayant que les monstres. Maintenant, il n'était plus trop sûr.

Que s'était-il passé ? Comment les choses étaient-elles allées si loin ? Il avait fait tout son possible, avait tenté de réfléchir à chaque étape, et pourtant il en était arrivé là. Visiblement, chercher à être malin ne suffisait pas.

La fenêtre de leur appartement était éclairée. Karen était à la maison. Il fit la grimace en pensant à ses mensonges, au sentiment de trahison et à la confusion qu'elle devait éprouver.

L'extérieur de leur résidence était à peine décoré, juste quelques épis de maïs desséchés que le voisin du dessous descendait chaque année et dont les grains avaient été rongés par les écureuils. La boîte aux lettres était pleine, il sortit le courrier puis secoua la tête et le replaça dans la boîte. Inutile de faire comme si la vie suivait son cours normal. Il ouvrit la porte de la cage d'escalier et gravit les marches silencieusement tout en cherchant à mettre de l'ordre dans son esprit. Comment lui dire ?

Karen avait beau se douter de quelque chose, ce qui se passait allait bien au-delà de ce qu'elle pouvait imaginer. Il allait devoir procéder lentement. Lui dire qu'il fallait qu'ils discutent. S'installer à la table de la cuisine. Commencer en douceur, la laisser voir comment tout s'était enchaîné, comment la toile s'était tissée autour de lui. Ne parler de l'enlèvement qu'à la fin, quand elle aurait eu le temps de saisir tout le reste. Elle avait l'esprit vif et était réaliste ; s'il pouvait lui faire voir les raisons qui avaient motivé ses décisions, elle comprendrait peut-être.

Il s'arrêta devant la porte de l'appartement, inspira profondément, inséra la clef dans le verrou. Il avait pris la bonne résolution et se sentait bien à l'idée de vider son sac. Il osait même espérer que les choses tourneraient bien. *C'est parti.*

Après avoir ouvert la porte, il se demanda pendant une fraction de seconde s'il n'était pas monté un étage de trop et entré dans un autre appartement. Les choses semblaient différentes. Son esprit fatigué mit une seconde à comprendre pourquoi.

Deux valises et une demi-douzaine de cartons de déménagement étaient posés près de la porte.

« Bonsoir, Danny. » Elle se redressa et s'écarta du meuble qu'elle était occupée à vider. « Tu arrives juste à temps pour me dire au revoir. »

34

Chez nous

Elle avait choisi ses mots, les avait répétés dans sa tête car, curieusement, elle savait qu'il arriverait avant qu'elle ait fini. Était-ce ce qu'elle souhaitait ? Elle n'aurait su le dire. Aussi, en entendant la porte s'ouvrir, elle se leva et déclama sa réplique avec le plus grand calme. Pas de sanglots étouffés, aucune trace des larmes versées chaque fois qu'elle avait ouvert une armoire, emballé un manteau qu'il lui avait offert, hésitant à prendre ses bottes maintenant ou à passer les chercher plus tard. Elle l'observa. Il était dans un sale état, un bleu virait au violet sous son œil, il avait les joues éraflées comme s'il s'était fait agresser. Il la regarda, regarda les cartons, puis se voûta, ses épaules retombant comme si quelque chose de vital en lui avait cédé.

Elle dut malgré tout réprimer une soudaine envie de le serrer dans ses bras, de sentir sa peau et de lui dire qu'ils s'en sortiraient, que tout allait bien. Car tout n'allait pas bien, et ils s'étaient juste toisés tels deux tireurs lors d'un duel.

« Je ne savais pas qu'on en était arrivés là », dit-il finalement d'un filet de voix rauque.

Elle détourna les yeux, ôta son bandeau pour libérer sa queue-de-cheval trempée de sueur puis la renoua proprement. Elle avait prévu d'être furieuse après lui, avait toutes les raisons de l'être, mais ça ne venait pas. Tout l'après-midi, elle avait été assaillie par les émotions, et l'épuisement commençait à se faire sentir.

« Tu m'as menti.

– Oui. » Il esquiva son regard, pénétra dans l'appartement, referma la porte derrière lui et se fraya un chemin à travers les cartons pour se laisser tomber sur le divan. « C'est marrant, grommela-t-il.

– Quoi ?

– Eh bien... je comptais te dire la vérité. »

Elle secoua la tête, s'agenouilla de nouveau devant l'armoire et plaça un album de photos dans le carton posé près d'elle.

« C'est trop tard. Je connais déjà la vérité.

– Ah oui ? »

Il avait l'air abasourdi, ce qui fit plaisir à Karen. Elle s'essuya les mains, s'approcha de lui. La chaise face à Danny était occupée par un carton, elle le posa par terre et s'assit. Il ne détachait pas son regard du sien et Karen ne savait comment interpréter l'expression qu'elle lisait dans ses yeux.

« Tu as replongé, n'est-ce pas ? demanda-t-elle d'une voix chancelante, butant sur les mots. Tu es à nouveau un criminel. »

Il détourna les yeux, hésita.

« Je ne sais que répondre à ça. »

Cette dérobade raviva la colère de Karen. Elle le gifla, sa main s'envolant pour frapper la joue de Danny avant qu'aucun des deux n'ait eu le temps de comprendre ce qui se passait.

« Ne me mens pas. » Elle aurait voulu le gifler à nouveau, lui faire mal. Le faire payer pour toutes les incertitudes et les doutes qu'elle avait éprouvés. « C'est une question simple.

– Non, gronda-t-il, ses yeux lançant des éclairs. Ce n'est pas une question simple.

– Je connais la vérité. » Elle parlait de cette voix stridente qu'elle détestait quand elle l'entendait au cinéma, mais ne pouvait s'en empêcher. « J'ai rencontré Nolan aujourd'hui.

– Quoi ?

– Ton vieux copain Nolan. L'inspecteur. Je voulais savoir ce qui se passait et tu refusais de me parler, alors je l'ai appelé.

– Et que t'a dit mon vieux copain ?

– Il m'a dit qu'Evan McGann est sorti de prison. Que... » Elle marqua une pause, se força à poursuivre. « Que vous étiez à nouveau partenaires.

– Il t'a dit quoi ? demanda-t-il en se penchant en avant, une expression de surprise sur son visage.

– Il a dit que tu étais allé le voir au sujet d'Evan.

– C'est vrai. Est-ce qu'il t'a dit pourquoi ? »

Elle réfléchit, s'aperçut qu'il ne le lui avait pas dit. Évidemment, elle avait décampé avant que l'inspecteur n'ait la possibilité de finir.

Il éclata de rire, un rire amer, sans joie.

« Non, il ne t'a rien dit. Mieux valait te cuisiner, voir si tu savais quelque chose. Si tu pouvais l'aider. »

Maintenant qu'elle y pensait, il y avait quelque chose d'étrange dans ce qu'avait dit Nolan, quelque chose qui ne collait pas. Pourquoi Danny aurait-il parlé d'Evan à un flic ? Sur le coup, ça lui avait semblé logique, mais elle était abasourdie, avait hâte de s'enfuir, et elle n'avait pas songé à lui demander d'explications.

« Alors pourquoi es-tu allé le voir ? »

Il plaça ses mains sur celles de Karen, un geste si rassurant et familier qu'elle n'eut qu'une seule envie, les lui serrer. Elle n'en fit rien.

« J'ai beaucoup de choses à te dire, et pas une seule bonne nouvelle. »

En voyant son expression grave, elle sentit sa colère s'atténuer.

« Est-ce que c'est la vérité ?

– Oui. »

Elle inspira profondément.

« Dis-moi. »

Il esquissa un sourire, il avait l'air aussi piteux qu'un brin de muguet fouetté par la pluie.

« Il y a environ trois semaines, Evan est venu me voir. Il était en liberté conditionnelle et voulait se remettre au travail. »

Même si elle le savait, ces paroles lui firent mal. C'était comme si Danny lui disait qu'il avait reçu la visite de la petite souris – ou d'un croque-mitaine.

« Pourquoi ne m'en as-tu rien dit ?

– Je ne sais pas. Je le regrette. La simple idée qu'Evan pouvait à nouveau s'immiscer dans notre vie m'effrayait. Je croyais sans doute... » Il soupira, toucha distraitement son œil au beurre noir, fit la grimace et ôta sa main. « Je croyais pourvoir me débarrasser de lui.

– Mais tu ne pouvais pas. »

Ce n'était pas une question. Il fit signe que non.

« Quand je lui ai dit que je n'étais pas intéressé, il a commencé à me mettre la pression. À apparaître soudain dans la rue, à nous menacer. Je ne le savais pas, mais il me suivait aussi. Et un jour en rentrant je l'ai trouvé assis dans la cuisine. »

Elle se sentit comme étourdie et retira sa main.

« Il était ici ? Chez nous ?

– Oui », répondit Danny en la regardant fixement.

Elle revit Evan assis à la table de l'accusé, il y avait tant d'années de cela, calme et paisible tandis que le procureur décrivait les horreurs qu'il avait commises. Il était venu ici. Il avait touché leurs objets, s'était assis sur leur divan. Peut-être même étendu sur leur lit. Elle en eut la chair de poule.

« Pourquoi n'as-tu pas appelé la police ?

– C'est pour ça que je suis allé voir Nolan.

– Je veux dire porté plainte. »

Il soupira.

« Parce que... Tu sais pourquoi. Je suis un ancien taulard. Et j'étais dans la boutique du prêteur sur gages. Ils auraient recommencé à creuser toute cette histoire. Au moins avec Nolan, je pensais qu'il comprendrait peut-être, qu'il me donnerait un coup de main. Mais je ne pouvais pas tout lui dire non plus.

– Tu ne pouvais pas lui dire pourquoi Evan était chez nous ? » demanda-t-elle en le jaugeant du regard.

Il fit signe que non.

« Pourquoi pas ? » Elle s'interrompit comme si elle venait de comprendre. « Tu ne pouvais pas lui dire parce qu'Evan voulait que tu fasses quelque chose d'illégal. » Elle tapa du bout du doigt sur la table. « Et tu envisageais de le faire. »

Il acquiesça tout en conservant une expression neutre.

« Danny, qu'est-ce qu'il attendait de toi ? »

Il laissa passer un temps, détourna les yeux puis les fixa à nouveau sur Karen.

« Il voulait que je l'aide à kidnapper le fils de Richard. »

Elle éclata de rire. C'était une idée si absurde, si incongrue. Danny travaillait dans le bâtiment. Ils menaient une vie ordinaire. Ils parlaient d'avoir des enfants, nom d'un chien. Toute cette histoire était ridicule.

Sauf que Danny restait assis là et ne la quittait pas des yeux.

Son rire s'estompa maladroitement. Elle le scruta dans l'espoir qu'il ajouterait quelque chose, la rassurerait, lui dirait que c'était une plaisanterie. Mais il se taisait, se contentait de la regarder, son œil au beurre noir enflait.

« Tu veux dire... » Elle plissa les yeux. « Tu n'as pas... » Il ne répondit rien. « Oh, mon Dieu ! » La pièce se mit à tourner tout autour d'elle et elle ressentit un terrible haut-le-cœur. « Tu l'as fait. Tu l'as aidé.

– Karen. » Il se leva, esquissa un pas dans sa direction, s'arrêta lorsqu'elle s'écarta. « Ce n'est pas ce que tu crois.

– Est-ce que tu l'as fait ? demanda-t-elle en portant les mains à sa bouche. Je t'en prie, dis-moi que tu ne l'as pas fait. »

Il soupira.

« Je ne peux pas. »

Elle l'observa avec horreur.

« Pourquoi ? Pourquoi faire ça ? »

Elle sentait l'hystérie monter, sa voix était presque un hurlement strident qui semblait lui couper la gorge.

« Je n'avais pas le choix. » Il avait les mains tendues et écarquillait les yeux. « Tu dois comprendre...

– Comprendre quoi ? » Elle parlait à toute vitesse, tentant de l'empêcher d'annoncer de nouvelles vérités effroyables.

Elle en avait assez entendu, n'en pouvait plus. « Tu vas te faire prendre.

– Écoute... commença-t-il d'un ton de plus en plus enflammé.

– Je ne peux pas. Je ne veux pas. Comment pourrait-il y avoir une explication ? Oh, mon Dieu, et ce pauvre petit garçon. Que lui avez-vous fait ?

– Bon sang...

– Tu es un monstre. »

Ces paroles lui avaient échappé et à peine les avait-elle prononcées, qu'elle aurait voulu les rattraper, les ravaler, mais il était trop tard.

« Tu ne m'écoutes pas ! »

Il se retourna et donna un coup de poing dans le miroir qui se trouvait près du divan. Leur reflet se brisa en un millier de fragments.

C'était la chose la plus irrationnelle et violente qu'elle l'avait vu faire au cours des huit années qu'elle l'avait aimé, et elle fut tellement sidérée qu'elle resta parfaitement silencieuse. Il se tourna à nouveau vers elle, les narines dilatées.

« Je l'ai fait parce que j'étais obligé. Parce que je pensais pouvoir régler ça sans que personne ne soit blessé. Je l'ai fait parce que sans ça, il ne nous aurait jamais laissés tranquilles. Mais tout ça, c'est des conneries. » Il s'interrompit, soupira. « Tout est vrai, mais ce n'est pas la raison pour laquelle je l'ai fait. »

Sa main saignait abondamment, ses articulations étaient rouge vif. Des gouttes de sang rubis étrangement jolies tombaient sur le plancher.

« La vérité, c'est que je l'ai fait parce qu'il t'a menacée. »

À ces mots, elle quitta la mare de sang des yeux et leva brusquement la tête.

« Quoi ?

– La semaine dernière. »

Et tout s'éclaircit soudain, toute l'horreur tapie derrière la façade des dernières semaines. Les fils de la toile menant à l'araignée.

« Le type dans l'allée ? »

Elle comprit avant qu'il n'acquiesce. C'était Evan, il lui envoyait un message. Il disait à Danny qu'il savait comment l'atteindre. Elle se rappela la mine terrifiée de Danny, mais aussi sa détermination. Il lui avait promis de tout faire pour la protéger.

Elle l'observa. Sa fureur destructrice s'était estompée et il avait l'air d'un soldat après une longue campagne. Ses yeux l'imploraient, mais sans espoir. Une demi-douzaine de réflexions lui vinrent à l'esprit, mais elle les anéantit avant qu'elles aient pu franchir ses lèvres. Finalement, elle désigna sa main.

« Tu saignes. »

Il baissa les yeux.

« Oh. »

Elle s'avança, saisit doucement sa main. La coupure était située dans la partie charnue sous son auriculaire. Un éclat du miroir y était enfoncé et, comme elle l'ôtait avec ses ongles, elle y aperçut son reflet. Le sang épais se remit à couler. Elle chercha un chiffon ou un torchon autour d'elle et, ne trouvant rien, ôta son chemisier pour lui bander la main. Il frissonna lorsque le tissu toucha l'entaille.

« Suis-moi. »

Elle le mena à la salle de bains, puis elle ouvrit le robinet d'eau froide et tint sa main sous l'eau, le sang fluide et rose éclaboussant la porcelaine.

« Laisse ta main là. »

Elle alla à la cuisine, trouva de la gaze et du baume cicatrisant. De retour à la salle de bains, elle assécha la plaie en la tapotant avec une serviette en papier. Maintenant qu'elle était propre, la blessure n'était plus si vilaine. Irrégulière, mais pas trop profonde. Comme les bords recommençaient déjà à rougir, elle appliqua rapidement la pommade, plaça le rectangle de gaze puis le fixa adroitement en enroulant une bande de sparadrap en travers de sa paume. Elle ne croisait pas son regard, se contentait de s'occuper de sa main. Il la laissait faire en silence. Soigner sa plaie avait quelque chose d'apaisant, elle savait comment s'y prendre. Rien qu'une coupure, une coupure parfaitement normale. Une broutille.

Mais une fois le pansement en place, elle ne fut plus en mesure d'éluder les choses plus sérieuses.

« Danny, dit-elle tout en tenant sa main par les doigts et en jetant des coups d'œil furtifs autour d'elle. Qu'est-ce qu'on va faire ? »

Il plaça son autre main sur sa joue. C'était un geste si familier, si sécurisant, qu'elle avait à la fois peur et envie de s'y abandonner. Elle le regarda dans les yeux, y aperçut son propre reflet. Elle vit qu'il cherchait ses mots et se rendit compte qu'elle espérait de tout cœur qu'il trouverait les bons. Quels qu'ils soient.

« Je ne sais pas. » Il marqua une pause. « Mais, reprit-il tout en lui caressant la joue, j'aimerais que tu m'aides à trouver une solution. »

Elle le regarda un long moment, tentant de réfléchir sans passion. Elle aurait voulu l'admonester, le faire jurer qu'il n'y aurait plus de mensonges. Elle aurait voulu qu'il ressente ce qu'elle avait enduré et promette de ne plus jamais s'éloigner d'elle. Mais aucune des phrases qui lui venaient n'était appropriée. Peut-être n'y avait-il rien à dire.

Au bout du compte, elle l'enlaça simplement et appuya sa tête au creux de sa poitrine. Ils restèrent ainsi, dans la lumière vive de la salle de bains, accrochés l'un à l'autre pour ne pas être emportés par la tourmente.

Ça fonctionna un moment.

Puis elle comprit une chose terrible.

35

Choix

Malgré le chaos impossible qu'était devenue leur vie, malgré la douleur dans son corps meurtri et les élancements incessants dans sa main tailladée, Danny se sentit étrangement en sécurité lorsque Karen posa sa tête contre sa poitrine. Épuisé, à la fois physiquement et émotionnellement, mais cependant en sécurité, comme si sa confession avait créé une sorte de faille karmique, un temps éloigné de la réalité. Il savait qu'aucun de leurs problèmes n'était résolu. Mais il était si fatigué. Tout pouvait attendre, du moins pour quelque temps. Il voulait juste se perdre dans la chaleur de leur étreinte. Puis elle s'écarta de lui.

« Chéri ?

– Oui ?

– Et Patrick ? » Elle se mordit la lèvre. « Était-il au courant que Danny nous menaçait ? »

Il avait été honnête avec Patrick, mais pas avec elle. Ça la blesserait. Mais il en avait assez des mensonges.

« Oui. » Il s'écarta et s'appuya contre un meuble, sa main valide tenant le bord du lavabo. « Je le lui ai dit quand il est venu dîner. » Elle le regardait avec une intensité qui l'effraya. « Je suis désolé, ajouta-t-il. J'avais besoin de parler à quelqu'un, et ça aurait dû être toi. »

Elle secoua la tête.

« Ce n'est pas ça. C'est... »

La voix de Karen se brisa.

« Quoi ? demanda-t-il, taraudé par l'angoisse.

– Patrick... » Elle marqua une pause, inspira profondément, posément, puis s'approcha, les yeux rivés à ceux de Danny comme si elle cherchait à lui communiquer quelque chose qui viendrait du plus profond d'elle-même. « Il a été assassiné.

– Quoi ? »

Il ne pouvait avoir bien entendu.

« Il a été tué par balles. C'est pour ça que Nolan a appelé. »

Non.

Oh, bon Dieu, non.

La pièce sembla s'affaisser sous ses pieds, le plafond l'écraser. Une poigne de géant lui serra le cœur. Pas Patrick. Pas le gamin de dix ans qui remplaçait l'eau bénite par du Sprite. Le blagueur qui avait toujours une histoire à raconter. L'ami qui avait été présent à chaque stade de sa vie. Son frère, ou presque.

Des taches dansaient devant ses yeux et il s'agrippa au meuble. Il essaya de respirer, de remplir ses poumons d'oxygène, mais l'air semblait épais. Il se laissa glisser le long de l'armoire jusqu'à se retrouver accroupi par terre.

« Qu'est-ce qui s'est passé ?

– Nolan n'a pas voulu me dire grand-chose », répondit Karen d'une voix rauque.

Elle s'assit face à lui, ses jambes repliées sous elle, et lui prit la main.

« Qu'est-ce qu'il t'a dit ?

– Juste que Patrick a été abattu la semaine dernière. »

Il sentit la bile lui refluer à la gorge. La semaine dernière. Son ami était mort depuis plusieurs jours, et il n'était pas au courant. Puis une idée bien pire lui vint à l'esprit.

« Quand ? »

Karen hésita.

« Ils pensent lundi ou mardi. »

Juste après qu'il lui avait parlé d'Evan. Patrick avait promis de rester en dehors de tout ça, mais Danny eut l'amère certitude que son ami n'avait pas tenu promesse.

« C'est Evan qui l'a tué. »

Karen le regarda fixement, les lèvres tremblantes, puis acquiesça.

Des zones obscures semblaient flotter autour de son champ de vision et il éprouvait une sensation d'oppression. Il se remit péniblement sur pied, sortit en trombe de la salle de bains et gagna par habitude la porte d'entrée de l'appartement avant de s'apercevoir qu'il n'avait nulle part où aller. Il voulait casser quelque chose. Tout casser. Il se précipita dans le salon et donna un coup de pied dans l'un des cartons de déménagement, faisant voler une pile de photographies, chaque image virevoltant dans des flashes de couleur et de souvenirs avant de retomber par terre.

Patrick était mort.

Par sa faute.

« Tu n'y es pour rien », dit Karen derrière lui, ses paroles tellement en accord avec les pensées de Danny qu'il se demanda si ce n'était pas lui qui avait parlé à voix haute. « Vraiment. Si tu veux accuser quelqu'un...

– Oui, coupa-t-il. Je veux accuser quelqu'un. Je veux accuser Evan. » Il regarda les photos éparpillées tout autour de lui, puis soupira et se laissa tomber sur le divan. « Mais ce n'est pas si simple.

– Pourquoi pas ?

– Parce que rien de tout ça ne serait arrivé si j'avais juste... »

Il laissa sa phrase en suspens. *Si tu avais juste quoi ? Si tu n'avais rien dit à Patrick ? Si tu ne t'étais pas enfui sept ans plus tôt ? Si tu n'avais pas fauché ce premier* Playboy *en 1981 ? Jusqu'où veux-tu remonter comme ça ? Car s'il est une chose qu'on peut dire de la liste de tes erreurs, c'est qu'elle est longue.*

« J'ai tout merdé, chérie. » Il se sentait à bout. Le monde l'avait vidé. « Je suis désolé.

– Ça va aller. » Elle s'assit à ses côtés et lui caressa les cheveux. Elle parlait d'une voix douce et posée. « On va trouver une solution. »

Il voulait du calme, un coin sombre où chialer, où pleurer son frère.

Mais surtout, il voulait trouver Evan, le plaquer au sol et le tabasser jusqu'à ce que mort s'ensuive. Le cogner des poings et des pieds, jusqu'à épuisement.

Accroche-toi à ça. La colère est un don du ciel.

Une profonde inspiration, puis une autre. Il aurait le temps de pleurer Patrick plus tard. La question était : combien d'autres regrets éprouverait-il alors ? Ç'avait beau être douloureux, il ne pouvait penser à Patrick maintenant.

À la place, il devait penser à son assassin.

« Evan est toujours dans les parages. » Il sentit Karen se crisper à l'évocation de ce nom. Aucune importance. « Je dois me mettre à sa recherche.

– Toi ? » Elle s'écarta brusquement. « Non. On va appeler la police.

– Ils ne peuvent rien pour nous.

– Si on leur parle de Patrick...

– On a dépassé ça, dit-il en secouant la tête.

– Est-ce que c'est un truc de macho ? demanda-t-elle en le fixant du regard. Je ne veux pas te perdre à cause de ça, on n'est pas au cinéma.

– Ce n'est pas ça. C'est Tommy. Le fils de Richard. Evan le tuera à la première sirène.

– Et en quoi ça signifie que c'est à toi de l'arrêter ? Pourquoi on ne s'en va pas, loin d'ici ?

– Tu ferais ça ? »

Elle hésita, parcourut leur salon du regard, puis hocha lentement la tête.

Il se pencha vers elle et embrassa ses lèvres douces, se prit un moment à rêver. Ils n'avaient qu'à grimper en voiture et partir, prendre leur argent et repartir de zéro. Dans un endroit où il n'y aurait pas de vent d'hiver, pas de passé lugubre. Dans un endroit où ils pourraient être des personnes différentes.

Le rêve était magnifique, mais ce n'était qu'un rêve.

« Evan tuerait le garçon rien que pour m'emmerder. Et peut-être Richard, aussi. Et même s'il ne le faisait pas, poursuivit-il avant de marquer une pause, je crois que j'ai assez fui ces sept dernières années.

– Alors quoi ? demanda-t-elle en l'observant. Tu vas te prendre pour John Wayne ? »

Il soupira, ferma les yeux.

« Je ne sais pas. »

L'image de Patrick lui vint malgré lui à l'esprit. Ce jour au pub, à peine un mois plus tôt, quand Danny regardait dans le miroir et l'avait vu entrer puis flirter avec les filles assises dans le box du coin. La façon qu'il avait eue de rejeter sa tête en arrière et d'éclater d'un rire tonitruant quand Danny avait fait mine de tirer sur son reflet. Il se frotta les yeux pour faire disparaître les images.

« Fuir ne fait qu'accélérer les problèmes. » Il rouvrit les yeux. « C'est ce que disait mon père. »

Elle demeura silencieuse. Il savait qu'elle réfléchissait, cherchait à leur trouver une porte de sortie, une option qui leur permettrait de s'en tirer indemnes. Une combine ingénieuse.

« Est-ce que je t'ai déjà dit comment est mort mon père ?

– Bien sûr, répondit-elle d'une voix douce. Dans un accident de voiture.

– Ses freins ont lâché. Il conduisait un vieux pick-up Ford avec de grosses boîtes à outils à l'arrière, expliqua-t-il en souriant. Mon ami Seamus et moi, on s'amusait à prendre les outils et à grimper dans la camionnette, comme si on s'infiltrait en cachette dans le *Faucon Millenium*. On se battait pour savoir qui serait Han et qui serait Luke. C'était il y a vingt ans, et papa conduisait toujours le même pick-up à sa mort. Il n'a jamais eu les moyens de s'en payer un neuf, même quand le sel creusait des trous dans le plancher et que la rouille grimpait le long des portières. » Il soupira. « Tu sais, la dernière fois que je l'ai vu, j'étais en prison. »

Elle hocha la tête en fronçant les sourcils.

« Il est venu me voir. Il n'avait vraiment pas l'air à sa place. Il s'était cassé le cul à bosser depuis son adolescence. Pour lui, il fallait travailler pour être un homme. Les criminels, les types qui volaient au lieu de gagner leur vie, ne méritaient même pas son mépris. Il détestait me voir en taule, détestait ce que j'étais devenu. Mais comme j'étais son fils, il est venu me voir, dit-il en secouant la tête. On a parlé de base-ball.

– Je suis sûre qu'il savait que tu l'aimais. »

Il poussa un soupir, scruta le plafond.

« On était en décembre. Quinze jours plus tard, il conduisait son antiquité pourrie sur la voie express Eisenhower. Il neigeait et les routes étaient très glissantes. C'était un dimanche matin, mais il allait tout de même bosser. Ses freins ont lâché. »

Karen se plaça derrière lui, lui passa les bras autour du cou, sa poitrine chaude contre son dos.

« Chéri, tu m'as déjà raconté tout ça. Tu n'as pas besoin de le revivre maintenant. »

Il secoua la tête.

« Ce que je ne t'ai pas dit, c'est que le flic qui était arrivé le premier sur les lieux de l'accident est venu à l'enterrement. Ça m'a vraiment touché. » Danny se souvenait parfaitement de lui. Une carrure de joueur de foot, une moustache de flic et une poigne à vous broyer les os, mais une voix à peine plus forte qu'un murmure. « Je suis allé le voir pour le remercier et il m'a dit une chose que je n'ai jamais pu oublier. »

Karen le serra un peu plus fort, mais il semblait totalement engourdi.

« C'était un flic qui effectuait des rondes et il avait vu beaucoup d'accidents. Il m'a expliqué qu'au bout d'un moment on apprenait à lire ce qui s'était passé. Les traces de pneus, le verre brisé, les points d'impact racontaient une histoire. C'était en général toujours la même chose. Des gens qui s'endormaient au volant ou qui étaient soûls ou imprudents. Mais l'accident de mon père était différent.

– Comment ça ? demanda Karen, sa joue contre la sienne.

– Le flic m'a dit qu'il avait compris grâce aux traces de pneus. »

Danny soupira en se rappelant le sentiment d'évidence qu'il avait éprouvé alors. La façon dont la scène lui était apparue comme un flash, claire dans le moindre de ses détails. Son père au volant, une cigarette aux lèvres, la radio à bas volume. Les banquettes rapiécées froides au toucher. Soudain, le sentiment que quelque chose clochait. Son père enfonçant à plusieurs reprises la pédale de frein, sentant qu'ils étaient en train de lâcher, puis regardant les files de voitures qui l'entouraient par cette matinée neigeuse.

« Mon père a fait exprès de foncer dans la barrière de béton.

– Un suicide ? » demanda-t-elle, incrédule.

Danny fit signe que non.

« Ses freins avaient lâché. La route était verglacée et il y avait beaucoup de circulation. Il aurait pu essayer de se déporter sur la droite, de quitter la route, en espérant que les autres voitures s'écarteraient sur son passage. Mais si ça ne fonctionnait pas, il risquait d'emboutir un autre véhicule. Avec peut-être une famille à l'intérieur. »

Il se retourna pour la regarder.

« Alors, au lieu de risquer la vie d'autres personnes, il a braqué vers la gauche. Ils étaient en train d'élargir la route et il y avait une barrière de béton sur ce côté pour le chantier. Le flic a dit qu'il roulait à quatre-vingts ou quatre-vingt-dix kilomètres à l'heure. Il n'avait aucune chance de s'en sortir, et il le savait. »

Karen soutint son regard, mais ses yeux étaient humides.

« Je vis avec ça depuis des années. J'ai dû être escorté par des gardes à l'enterrement de mon père. Je trouvais ça déjà assez moche. Mais le pire, c'est que trois mois plus tard, quand ils m'ont relâché, je suis retourné aussi sec à mon ancienne vie. Oh, j'ai bien fait semblant de raccrocher. Je me suis trouvé un nouvel appartement, un boulot de serveur dans un bar, et puis j'ai repris mes anciennes habitudes. Ce n'est qu'au moment de l'affaire du prêteur sur gages que j'ai commencé à essayer de faire ce que j'aurais dû faire dès le début. Ce que mon père avait fait sans hésitation. »

C'était un souvenir cuisant. Pour un type qui se croyait intelligent, il avait foutu un tas de choses en l'air. Quand Evan était de nouveau entré dans sa vie, ils s'étaient assis dans une baraque à hot-dogs et avaient discuté de leurs mobiles, Evan prétendant que c'était l'économie, le système qui lui avait collé un flingue entre les mains. Que c'était une lutte à mort avec les obstacles qui se trouvaient sur leur chemin. Dans un monde où des hommes comme son père travaillaient sept jours sur sept juste pour survivre alors que des types comme Richard recevaient tout sur un plateau, il ne pouvait nier qu'il y avait du vrai dans cet argument. Mais il était trop simpliste pour être parfait. Car, lorsqu'il s'était retrouvé à devoir choisir entre deux possibilités, il avait toujours fait le mauvais choix. En toute connaissance de cause.

« Fini. »

En prononçant ce mot, les yeux rivés sur ceux de Karen, il comprit qu'il le pensait réellement. Fini d'avoir peur des conséquences. Fini de faire les mauvais choix par confort.

Fini de jouer au malin.

Et soudain il sut quoi faire.

36

Sur la corde raide

De l'autre côté des larges fenêtres, des nuages menaçants marbraient un ciel bleu et froid. La lueur du matin semblait d'étain, morne et sans chaleur. Pour Danny, Halloween avait toujours été le premier jour de l'hiver, et c'était particulièrement vrai cette année.

« Je suis au café. » Chaque mot était immédiatement suivi d'un faible écho. Ils n'arrêtaient pas de fabriquer des téléphones portables de plus en plus petits au lieu d'en faire qui fonctionnaient. « Je vais attendre quelques minutes pour être sûr. Puis je vais y aller.

– Laisse-moi t'accompagner. Je peux passer le coup de fil de n'importe où, dit Karen.

– Non.

– Danny...

– On en a déjà discuté, dit-il doucement.

– Je pourrais t'aider. On est tous les deux impliqués, répliqua-t-elle, visiblement contrariée.

– Je sais. » Il se pencha en avant pour jeter un coup d'œil par la fenêtre de devant. La circulation semblait normale dans les deux sens. Aucun signe de présence policière accrue. « Mais si tu es avec moi, Debbie risque de flipper. Tout doit se passer parfaitement. Je t'en prie. »

Elle soupira.

« D'accord. »

Il discerna son stress derrière son calme apparent.

« On va s'en sortir. Tout va bien se passer.

– Fais juste attention, O.K. ?

– Promis. Tu as le numéro ? »

Elle lui lut le numéro du portable de Nolan.

« Bien. Reste près du téléphone. Je t'appelle dès que j'ai fini. Et écoute... » Il marqua une pause. « Je suis désolé de te mêler à tout ça.

– Contente-toi de me revenir en un seul morceau », répondit-elle avant de raccrocher.

Il but une gorgée de café et jeta un coup d'œil à la ronde, plus par nervosité que par nécessité. Des tableaux bien trop grands peints à la manière de bande dessinée étaient suspendus aux murs de briques. Le type au bar avait des piercings aux paupières et d'étranges anneaux métalliques qui distendaient ses lobes d'oreilles. Le café était l'un des premiers signes de l'embourgeoisement du quartier, l'un de ces nouveaux commerces qui cherchaient à capitaliser sur le boom immobilier. Mais c'était un peu prématuré. Les grands-mères ukrainiennes et les journaliers hispaniques étaient encore bien plus nombreux que les branchés disposés à claquer cinq billets pour un cappuccino. Pourtant, c'était exactement le genre d'endroit dont Danny avait besoin – calme et désert, avec de grandes fenêtres donnant sur la rue. En tendant suffisamment le cou, il pouvait voir le chantier de Pike Street où Debbie gardait Tommy.

L'idée lui était venue la nuit précédente. C'était un pari risqué, bien sûr, mais au moins il allait tenter quelque chose. Il allait agir, et non plus se contenter de réagir. L'idée avait jailli dans son esprit et il s'était soudain redressé et avait dit :

« Tommy.

– Le garçon ? avait demandé Karen d'un air confus.

– Il est la clef de toute cette histoire. Si on l'emmène, alors Evan n'a plus rien.

– Il a toujours un pistolet, avait-elle rétorqué en le regardant fixement.

– C'est vrai. Mais au moins il ne sera plus pointé sur un innocent. »

Ils avaient tourné et retourné le plan tous les deux, cherchant à en combler les failles. Au bout d'un moment, ils étaient allés se coucher et avaient fait l'amour pour la première fois depuis des semaines. Ç'avait commencé en douceur, mais bientôt ils s'y étaient mis avec une brutalité à laquelle ils n'étaient plus habitués depuis longtemps. Elle s'était ensuite endormie, une jambe repliée en travers du corps de Danny, alors qu'il était toujours en elle. Il était resté là à regarder le plafond en ressassant le plan dans sa tête.

C'était assez simple. Mettre la main sur Tommy quand Evan ne serait pas dans les parages. Convaincre Debbie d'aller se planquer quelque temps. Une fois le garçon en sécurité, Karen appellerait Nolan d'une cabine téléphonique et lui raconterait le meurtre du parking pour attirer son attention. Puis elle lui dirait que l'assassin viendrait au chantier de Pike Street plus tard dans la journée. Si tout se passait bien, Nolan surveillerait les lieux et cueillerait Evan. Celui-ci serait inculpé pour violation de liberté conditionnelle et possession d'arme, ce qui serait plus que suffisant pour qu'il reste au frais en attendant les accusations pour meurtre.

La suite des événements était un peu plus incertaine. Mais au moins Evan ne serait plus en mesure de nuire à qui que ce soit.

Il se leva, étira ses mains jointes au-dessus de sa tête, sentit son corps craquer. Le type au bar ne leva pas le nez de son roman lorsque Danny sortit. Les heures de pointe étaient depuis longtemps passées et la circulation était fluide, des camionnettes cabossées et des voitures bas de gamme, un taxi de temps à autre. Il déverrouilla son 4 × 4 et grimpa à l'intérieur. Il sentit la fraîcheur du siège à travers son blouson léger.

Après s'être engagé dans Pike Street, il passa devant le chantier pour évaluer le danger. Il avait du mal à voir à travers les lattes de la barrière, mais tout semblait normal. Il roula jusqu'à la rue suivante, rebroussa chemin, puis fit à nouveau demi-tour. Deux voitures étaient garées de l'autre côté de la rue, quelques camionnettes, un *hotrod* Camaro aux vitres teintées, mais aucun signe de la Mustang d'Evan. Parfait. Le pire serait bientôt derrière lui.

Il s'arrêta devant le portail, descendit de voiture. Le vent tirait sur ses vêtements, froid et chargé d'une infime odeur de chocolat provenant de l'usine de bonbons à un kilomètre et demi de là. Il s'efforçait d'avoir des mouvements calmes et réguliers, de passer inaperçu. Tout avait l'air normal – les stores de la caravane étaient baissés, il n'y avait pas de lumière à l'intérieur, la porte était fermée. La Tempo de Debbie était garée devant. Dieu merci. Evan l'avait convaincue de reprendre son baby-sitting au lieu de s'en charger lui-même. Danny était certain qu'une fois qu'il lui aurait expliqué le plan, elle se rallierait à lui. Elle avait peur et sauterait probablement sur n'importe quelle occasion pour se sortir de là.

La chaîne cliqueta lorsqu'il la déverrouilla et la laissa pendouiller contre la barrière. Il poussa le portail, sentit l'adrénaline monter en lui. Il retourna dans le 4 × 4, s'engagea dans la cour et effectua un rapide demi-tour avant de rouler en marche arrière jusqu'à la porte de la caravane.

Si la chance leur souriait vraiment, Evan n'évoquerait pas le kidnapping après son arrestation – c'était après tout un crime fédéral, ce qui ne ferait qu'alourdir sa peine. Mais Danny soupçonnait qu'il n'en aurait rien à foutre. Evan raconterait tout aux flics rien que pour le faire tomber. Peu importait, Tommy serait alors en sécurité avec son père et Danny connaîtrait le nom et l'adresse du seul témoin oculaire du meurtre du parking. Ça lui laisserait une marge de manœuvre – le procureur serait peut-être d'accord pour laisser tomber les faibles charges contre lui en échange d'un dossier solide contre Evan. Pourvu que le garçon soit en sécurité et que Debbie coopère.

Et si le procureur refusait ?

Alors il irait en prison.

Danny inspira profondément et actionna le mécanisme d'ouverture des portières arrière. Que le spectacle commence. Il bondit hors du véhicule en laissant tourner le moteur et se dirigea vers la caravane, s'attendant à ce que la porte s'ouvre d'un instant à l'autre. Debbie avait dû l'entendre arriver, mais il ne voyait aucun signe d'elle – les lattes des stores ne s'écartaient pas, la porte ne bougeait pas. Était-elle toujours paniquée à cause de ce qu'elle avait vécu la veille ?

D'une foulée, il escalada les parpaings qui faisaient office de marches, ouvrit la porte et entra. Les lumières étaient éteintes et les stores baissés. Après le soleil vif du matin, la caravane était aussi obscure qu'une grotte. Une odeur épaisse de café brûlé et de détritus en train de pourrir emplissait l'air. Si Debbie était là, elle était assise dans le noir.

Il faillit appeler son nom, se ravisa. De toute évidence, elle n'était pas là ; pas la peine que Tommy entende quoi que ce soit maintenant. Où pouvait-elle être ? Son aide était indispensable à la réalisation de son plan. Oserait-il l'attendre ? Le temps était précieux, Evan pouvait débarquer à tout moment.

Il se rendit soudain compte que Tommy n'avait pas fait un bruit, ni lorsqu'il avait brusquement ouvert la porte ni après.

Il se rappela le petit gémissement qu'il avait émis lorsqu'il s'était retrouvé avec le pistolet collé sur le front, ainsi que le sourire et le clin d'œil d'Evan. Il eut une vision terrible de Tommy silencieux et immobile, les bras et les jambes ligotés par de la toile adhésive, du sang marron foncé entourant un trou tel un troisième œil sur son front. Danny se précipita vers le divan, mais ses yeux n'étaient pas encore accoutumés à l'obscurité et il se cogna violemment le genou dans un meuble. Il vit mille chandelles, se pencha en avant tout en jurant, ses doigts fouillant à tâtons dans l'ombre.

Il toucha le tissu, les coussins, se mit à tapoter frénétiquement le divan, à le balayer de grands gestes de la main. Rien.

Pris de panique, il se releva péniblement et tendit le bras vers l'interrupteur. La lumière éblouissante se déversa sur le divan vulgaire. Le tissu aux couleurs criardes était taché et creusé. Des morceaux de tissu adhésif pendouillaient aux accoudoirs et aux pieds du divan. Le couvercle arraché d'une boîte de *quesadillas* à réchauffer au micro-ondes gisait précisément au centre du divan.

Danny le saisit entre ses doigts tremblants. Au dos du couvercle, un mot avait été griffonné à l'encre noire : *Partenaire – Changement de plan. Désolé.*

Il cligna des yeux, regarda fixement le mot, puis le divan.

Tommy avait disparu.

Danny recula, heurta de nouveau le meuble et lâcha le couvercle qui tomba au sol en tournoyant, les couleurs vives de l'emballage alternant avec la teinte sombre du carton, vif, obscur, vif, obscur.

Il devait sortir d'ici. Reprendre ses esprits, imaginer quelque chose.

Mais quoi ? Que pouvait-il faire maintenant ?

Evan lui avait coupé l'herbe sous le pied. C'était comme si chaque fois qu'il faisait le progrès le plus infime, quelque chose conspirait contre lui pour le ramener en arrière. Il se sentait une fois de plus sur la corde raide, la moindre inclinaison d'un côté ou de l'autre pouvait être fatale. Sans Debbie, sans Tommy, Danny n'avait rien.

Il secoua la tête, se força à bouger. Auparavant, il était à court de temps. Maintenant le manque de temps était absolument désespéré. Il devait trouver un moyen de retourner la situation avant qu'Evan n'entre en contact avec Richard. Chaque seconde comptait. Il se pencha, saisit le mot, le plia et le jeta à la poubelle. Il arracha la toile adhésive sur le divan et la jeta également. La caravane avait besoin d'être nettoyée de fond en comble, mais il n'avait pas le temps pour le moment. Il éteignit la lumière, attrapa la poignée de la porte et s'engouffra dans la lueur éblouissante du soleil.

Son 4 × 4 était là où il l'avait laissé, mais une berline bleue le bloquait. À l'arrière était assis un homme qu'il ne reconnut pas, un type noir arborant un chapeau mou et un regard de faucon.

« Danny Carter. Justement l'homme que je cherchais. » Sean Nolan s'écarta du côté de la voiture, une main reposant négligemment sur le pistolet suspendu à sa hanche. « Tu te souviens que je t'ai dit que je te surveillerais, connard ? » Il sourit. « Retourne-toi et mets les mains sur la tête. Je t'embarque. »

37

Voiture banalisée

La Camaro empestait. Qu'est-ce qu'ils avaient les Mexicains avec leur putain de désodorisant ? Evan était tombé amoureux de la voiture dès l'instant où il l'avait vue, avec ses courbes de strip-teaseuse et ses vitres teintées. Il avait crocheté la portière, dénudé les fils électriques et fait ronronner le moteur en une minute. Mais il avait eu beau balancer le sapin de Noël en carton par la fenêtre, l'odeur avait imprégné le tissu des sièges. Ses cigarettes avaient un goût aigre et Debbie alternait des périodes de silence absolu avec d'autres où elle parlait trop.

« Je vais ouvrir le coffre pour laisser entrer un peu d'air. »

Elle tendit le bras vers la poignée de la portière.

« Reste assise. »

Elle se tourna pour lui jeter un regard noir, ce regard plein de reproches que peuvent avoir les femmes.

« Il va étouffer.

– Mais non. »

Il avait parlé d'une voix égale mais ferme. Parfois, il aurait pu le jurer, il avait l'impression de parler à un chien.

« Je ne vois pas pourquoi on a dû partir de toute manière. On était bien dans la caravane. »

Il écrasa sa cigarette sans lui prêter attention. Il s'était garé un peu en retrait du chantier et avait une vue dégagée de tous les côtés. Il y avait une rangée d'appartements délabrés sur la droite, et depuis une heure qu'ils étaient garés là, il n'avait vu qu'une seule personne en sortir, une femme noire à l'air fatigué et aussi large que haute. La Camaro était orientée dans la direction opposée au complexe de lofts, mais il avait réglé les rétroviseurs pour l'observer. Il sentait la tension monter en lui, tels d'épais câbles s'étirant d'un cran à la fois. La prison lui avait appris à utiliser cette sensation. La menace longue et lente des années vous endurcissait, elle vous forçait à apprendre à rester tranquillement assis, à transformer la tension croissante en force. Plus le câble était tendu, plus la force serait grande au moment où il romprait. Ce soir, il serait millionnaire, et ce serait Danny qui paierait les pots cassés.

Comme si le simple fait de penser à lui l'avait fait apparaître, l'Explorer argentée glissa dans le rétroviseur d'Evan. Il vit Danny au volant, et même s'il ne distinguait pas son expression à une telle distance, il s'imagina des lèvres pincées et un front plissé, comme une petite vieille.

« Il ne sait pas ce qui l'attend. » L'Explorer continua de grossir régulièrement dans le rétroviseur. Danny devait rouler un peu en dessous des limitations de vitesse, il venait voir comment les choses se passaient, mais ne voulait pas se faire remarquer. « Cinquante dollars qu'il passe à côté de nous sans s'arrêter. »

Debbie se retourna, perplexe. Le 4 × 4 passa devant eux et continua de rouler jusqu'au bout du pâté de maisons.

« Hé, fit-elle, ce n'était pas Danny ? On aurait dit sa voiture. »

Le clignotant gauche s'alluma et le 4 × 4 s'évanouit au coin de la rue. Evan se tourna vers Debbie, ravi de la voir confuse.

« Tu me dois cinquante billets. »

Elle tenta de lui retourner son sourire, mais il vit la lueur de crainte dans ses yeux. Elle était apparue la veille dans le parking. Et elle s'était accentuée ce matin, quand il l'avait forcée à lui tailler une pipe pour passer le temps. Tandis que sa tête montait et descendait au niveau de son entrejambe, il avait deviné qu'elle aurait voulu être ailleurs, et ça avait ajouté un peu de piment.

Le plus drôle, c'est que si elle ne s'était pas foutue de lui, si elle n'était pas allée pleurnicher auprès de Danny, il lui aurait donné le fric. Maintenant elle n'était plus qu'un détail supplémentaire que Danny devrait régler.

Il attendit en scrutant le rétroviseur. Aussi précise qu'une horloge, l'Explorer apparut de nouveau et s'arrêta devant le chantier. Danny sortit, ouvrit le portail, puis le franchit avant d'effectuer un demi-tour compliqué afin de s'approcher de la caravane en marche arrière. Toujours à trop réfléchir.

« Qu'est-ce qu'il fabrique ? demanda Debbie qui, retournée sur son siège, observait Danny sortant du 4 × 4 et pénétrant dans la caravane.

– Il joue son va-tout. »

Elle se tourna de nouveau vers l'avant et il vit qu'elle réfléchissait.

« Nous n'avons pas déplacé Tommy parce que tu avais peur de la police, mais pour l'éloigner de Danny », dit-elle.

Il acquiesça sans la regarder, scrutant à la place la caravane. Il s'imaginait la situation, Danny entrant dans la pièce obscure, regardant autour de lui. Il éprouverait ce fourmillement dans les doigts et les pieds, commencerait à percevoir que quelque chose clochait.

Est-ce que tu le sens, Danny ? Toutes tes trahisons se retournent contre toi.

Étrangement, ce stratagème lui faisait un peu l'effet d'une déchirure, et il se demanda ce qu'il fabriquait. L'homme dans cette caravane obscure avait été son ami.

Autrefois. Il y avait longtemps.

« Qui est-ce ? »

La voix de Debbie l'arracha à ses pensées. Dans le rétroviseur, une Ford bleu clair franchissait le portail ouvert. Deux hommes étaient assis à l'intérieur, tous deux coiffés de chapeaux. Ils pénétraient dans le chantier comme s'il leur appartenait. Des inspecteurs dans une voiture banalisée.

La tension en Evan s'accrut. Danny avait dû aller à la police. Ça ne changerait rien, mais il sentit son sang bouillonner.

« Evan, qu'est-ce qui se passe ? » La voix de Debbie était un geignement aigu et irritant. « Est-ce que ce sont des flics ? »

Comme le portail était ouvert, il pouvait distinguer l'essentiel du chemin menant à la caravane. La voiture bleue s'était arrêtée juste devant celle de Danny, bloquant sa sortie. Les portières s'ouvrirent et les inspecteurs descendirent, les mains levées à hauteur de hanche. Ils se déplaçaient avec une aisance professionnelle et observaient chacun un côté différent, chacun faisant confiance à l'autre. Un type noir portant une chemise orange vif et un chapeau à l'ancienne se tenait du côté de la voiture qui était la plus proche d'eux et plissait les yeux dans leur direction.

« Oh bon Dieu, il va nous voir, gémit Debbie. Il faut qu'on parte. » Elle lui attrapa le bras. « Allons-y. »

Le câble en lui ne rompit pas, mais il le laissa se tendre de quelques crans supplémentaires. D'une gifle assenée main ouverte, si rapide qu'elle n'eut pas le temps de dire ouf, il envoya Debbie contre le tableau de bord. Lorsqu'elle se redressa, les deux mains au niveau des joues, elle avait l'air d'une petite fille effrayée.

« Reste tranquille ! » ordonna-t-il en verrouillant les portières et en se tournant de nouveau vers le chantier.

La porte de la caravane était ouverte et il vit Danny qui se tenait dans l'entrebâillement. Les deux flics étaient désormais tournés vers lui, chacun avait la main posée sur son pistolet non dégainé. Evan aurait voulu entendre ce qui se disait.

Puis Danny leva les mains, se retourna et joignit les doigts derrière la tête. L'inspecteur blanc saisit les menottes à sa ceinture et attacha les mains de Danny derrière son dos.

Danny n'était pas du tout allé voir les flics. Dieu sait comment, c'étaient eux qui étaient venus à lui.

Debbie s'était remise à geindre, mais suffisamment silencieusement pour qu'il l'ignore.

L'inspecteur guida Danny jusqu'à l'arrière de la voiture, puis referma la portière et resta un moment à discuter avec l'autre flic. Il fit un geste en direction de la caravane et le Noir secoua la tête. Evan plissa les yeux. Il n'avait pas compté avec les flics et son cœur s'emballa lorsque l'un d'eux gravit les marches de parpaings. Mais il se contenta de fermer la porte, puis grimpa dans le 4 × 4 de Danny et suivit la Ford bleue. Peut-être qu'ils n'avaient pas de mandat. Les deux voitures s'arrêtèrent juste à l'extérieur du portail et le flic blanc descendit de voiture pour le fermer.

Bordel, regardez-moi ça. Sean Nolan, de la paroisse. Putain que le monde est petit.

Nolan attacha la chaîne, puis scruta longuement la rue. Ils ne pouvaient pas se faire repérer, pas avec les vitres teintées et le soleil éblouissant du matin, mais Evan eut l'impression que les yeux de l'inspecteur se posèrent sur la Camaro. Il approcha la main de l'allumage de la voiture, prêt à décamper, mais Nolan regagna sa voiture. Les flics démarrèrent, tournèrent à droite, puis à gauche, et disparurent.

Qu'est-ce qui venait de se passer, bordel ?

Evan se retourna pour faire face au pare-brise, ignorant le regard accusateur que lui lança Debbie tout en se tortillant pour s'écarter de lui autant que possible. La police avait mis la main sur Danny. Ça ne pouvait être un accident. Il avait dû se trahir d'une manière ou d'une autre.

Danny aurait à coup sûr pu lui donner tout un tas de bonnes raisons à son arrestation. Mais au bout du compte, qui se souciait des raisons ? Le fait était que Danny était en route pour le poste de police, et qu'une fois là-bas, la police allait le cuisiner. Sévèrement.

Le moment était donc venu de se couvrir.

Les flics ne pouvaient pas être au courant pour l'enlèvement. Il avait vu des bagarres de rues interrompues en quelques minutes par l'arrivée de seize voitures de police. Ils ne se seraient jamais contentés d'envoyer deux inspecteurs pour un kidnapping. Tout dépendait donc de ce que Danny allait faire. De ce qu'il leur dirait.

Ce qu'il avait à faire était donc clair. Il sourit, inclina la tête de chaque côté et fit démarrer la voiture.

« Attache ta ceinture, ma petite chérie.

– Tu m'emmènes où ? » demanda-t-elle d'une voix froide et teintée d'un mépris qui l'amusa.

Il se tourna vers elle. Elle avait une marque rouge vif sur la joue. Il sourit.

« Il va falloir qu'on se dégote une petite assurance. »

38

Dans son sillage

La cellule carrée de deux mètres sur deux ressemblait à une loge de concierge. L'odeur des nettoyants industriels ne parvenait pas à recouvrir tout à fait un relent de diarrhée, résultat d'années de fréquentation du lieu par des junkies. Les murs de béton étaient fendillés et abîmés et laissaient paraître par endroits la structure d'acier. Des graffitis avaient été gravés sur la moindre surface – les murs, le sol, le lourd banc en bois, la main courante à laquelle les suspects violents étaient menottés. À la télé, les personnes arrêtées se retrouvaient d'ordinaire dans une cellule avec d'autres prisonniers, mais ça n'avait aucun sens. Après tout, il n'était encore accusé de rien. Ils avaient bien pris soin de le lui expliquer.

« De quoi s'agit-il ? » avait demandé Danny à Nolan dans la voiture en se demandant ce qu'ils savaient exactement.

L'inspecteur avait brièvement levé les yeux vers le rétroviseur.

« C'est difficile de te mettre la main dessus.

– J'ai été occupé.

– C'est ce que m'a dit Karen. Pour te localiser, on a été obligés de visiter tous les chantiers sur lesquels travaille ta société. Coup de pot qu'on te soit tombé dessus par hasard, hein ? avait lancé l'inspecteur en lui faisant un clin d'œil. Mais tu sais, tu devrais vraiment rappeler quand tu reçois un coup de fil de la police. Tu sais qui sont ceux qui ne le font pas ? »

Danny lui avait retourné son regard, voyant venir la réplique.

« Des gens qui ont quelque chose à cacher. Tu as quelque chose à cacher, Danny ? »

Il avait secoué la tête et regardé par la fenêtre en se disant qu'il devait profiter du moment pour prévoir ce qu'il ferait ensuite. Il était malin, il trouverait quelque chose.

Mais il avait maintenant perdu quatre, peut-être cinq heures précieuses. Durant ce laps de temps, ils l'avaient conduit au poste de la Zone Un dans la Cinquante et unième Rue, l'avaient fouillé, lui avaient confisqué sa montre, son porte-monnaie, ses clefs et ses lacets. Ils l'avaient mené à un ascenseur pour monter à l'étage supérieur et, après avoir emprunté des couloirs qui ressemblaient curieusement à des locaux de société, étaient arrivés devant cette cellule. Ils avaient déverrouillé la solide porte en bois, lui avaient ôté ses menottes, conseillé de rester calme, puis l'avaient laissé là à cogiter en tournant en rond dans l'espace minuscule.

Et malgré tout le temps écoulé, il n'avait pas trouvé un plan qui vaille un clou.

O.K. Méthodique. Qu'est-ce que tu sais ?

Pas grand-chose. Il savait que l'échange devait avoir lieu dans la journée. Il savait que la police pouvait le retenir pendant quelque chose comme quarante-huit heures sans l'inculper. Ce qui signifiait qu'il savait que le temps jouait contre lui.

La liste des choses qu'il ignorait était plus décourageante. Il n'avait aucune idée de l'endroit où Evan avait planqué le garçon. Aucune idée du temps dont il disposait. Aucune idée du lieu où il organiserait le rendez-vous – mais il était maintenant à peu près certain que ce ne serait pas à Union Station. Il ne savait pas où habitait Evan et ne connaissait pas son numéro de téléphone.

Dieu sait comment, tout était allé de travers. Evan était libre et avait les cartes en main alors que Danny était en prison et impuissant. Fou de frustration, il se laissa tomber sur le banc, la tête entre les mains. Comment tout cela était-il arrivé ? À peine quelques semaines plus tôt, il s'était trouvé sur un autre banc, la tête posée sur les cuisses de Karen. Ce jour au zoo, un million d'années plus tôt, avec le soleil qui filtrait à travers les arbres. Ils avaient parlé d'avoir des enfants et il s'était laissé aller à se demander si une telle chose était possible.

Il semblait absurde que toute sa vie puisse voler en éclats aussi vite.

Le banc de bois brut était étrangement confortable et il eut soudain envie de s'étendre et de fermer les yeux. De tout laisser tomber. D'abandonner ce combat qu'il ne pouvait pas gagner. Quel mal y aurait-il à ce stade ? Evan procéderait à l'échange et disparaîtrait, point final.

Après tout ça, tu vas continuer à te mentir ? Tu sais que si tu ne fais rien, Tommy et Richard sont morts.

Il se redressa soudain. Était-ce vrai ?

Il pensa à Patrick seul sur une table dans une morgue. S'imagina le pauvre type dans le parking, assassiné parce qu'il s'était trouvé là au mauvais moment.

Evan avait tué deux fois depuis un mois qu'il était sorti de prison. Pourquoi s'arrêter maintenant, surtout si quelques balles de plus pouvaient lui assurer que personne ne viendrait le chercher ?

La bile lui brûla la gorge. Il se leva, marcha jusqu'à la porte, leva un poing avec l'intention de cogner dessus et demander à être relâché. Puis il se ressaisit. S'il s'y prenait mal, il passerait les deux jours suivants dans cette cellule pendant qu'Evan achèverait le boulot et se débarrasserait des preuves. Peu importerait alors que les flics soient au courant de l'enlèvement – il aurait tout de même le sang de deux innocents de plus sur les mains.

Il devait être prudent. Si Nolan avait quoi que ce soit contre lui, il viderait son sac bien assez tôt. Sinon, il était juste en train de tâter le terrain. Et dans ce cas, il serait peut-être en mesure de sortir d'ici suffisamment tôt pour empêcher un nouveau débordement de violence.

Il se retourna et recommença de tourner en rond en comptant ses pas et en tentant de se concentrer.

Trente minutes s'écoulèrent avant qu'il ne sente un fourmillement dans sa nuque, un avertissement inconscient. Il parcourut la pièce du regard, les murs, la porte. Là. Le judas était sombre. Quelqu'un le regardait. Il se retourna, les mains pendant sur les côtés.

« J'aimerais passer un coup de téléphone, s'il vous plaît », demanda-t-il d'un ton courtois.

Il y eut un moment de silence, puis le raclement d'un verrou qu'on tirait, et la porte s'ouvrit. Nolan apparut calmement dans l'entrebâillement. L'autre inspecteur se tenait à son côté. Il avait ôté son chapeau feutre.

« Pour appeler ton avocat ?

– Pour appeler ma petite amie. » Il sourit, haussa les épaules. « Karen m'attendait à la maison. Je ne veux pas qu'elle s'inquiète. »

Nolan sourit, jouant le jeu.

« Bien sûr. Inspecteur Matthews, est-ce que vous voulez bien emmener M. Carter pour qu'il passe son coup de fil ? »

Matthews acquiesça et saisit fermement mais poliment le bras de Danny.

« Et quand il aura fini, pourriez-vous l'amener à la Salle d'Interrogatoire numéro un ? » poursuivit Nolan comme s'il invitait Danny à venir boire un café.

L'inspecteur le mena hors de l'aile qui abritait les cellules, puis dans un couloir, sans lui lâcher le bras. Danny envisagea un moment de l'envoyer promener, de prendre la fuite, mais rejeta immédiatement l'idée. Ç'aurait été céder à la panique, et ça, il ne pouvait pas se le permettre.

Matthews le fit asseoir au bureau d'un officier, un demi-box délimité par une partition de tissu noir. Il menotta Danny à la chaise, désigna le téléphone et alla de l'autre côté du couloir discuter avec un type en costume.

Il composa minutieusement le numéro, cherchant à se concentrer. Un coup de fil à Karen pour l'informer de ce qui s'était passé. Une sonnerie. Après quoi il devrait convaincre Nolan qu'il ne savait rien d'utile, et le faire vite. Deux sonneries. S'ils ne savaient rien sur l'enlèvement, il ne pouvait s'agir que de Patrick. Trois sonneries.

Où était Karen ? Elle avait dit qu'elle attendrait près du téléphone.

Le répondeur se déclencha, il entendit l'enregistrement de sa propre voix. Il sentit son pouls s'accélérer. Avait-elle paniqué ? Ça n'était pas son genre, mais ça faisait plusieurs heures qu'il était censé l'appeler. Elle était peut-être partie à sa recherche avec l'intention de l'aider.

Le signal sonore du répondeur retentit et il parla à voix haute.

« Karen ? Karen, décroche. » Il entendit un grésillement puis un déclic alors qu'on arrêtait le répondeur. « Dieu merci. Karen, écoute...

– Partenaire. »

Evan.

Danny sentit son estomac se nouer et il serra le combiné.

« Désolé, poursuivit Evan, Karen ne peut pas venir au téléphone. Elle ne peut pas bouger, si tu vois ce que je veux dire. »

Le cœur de Danny se mit à battre contre sa poitrine tel un animal sauvage cherchant à se libérer d'un piège.

« Je te préviens...

– La ferme, espèce de connard arrogant. » Le ton enjoué avait disparu de la voix d'Evan. « Elle va bien. Mais fais simplement très attention à ce que tu dis à nos amis, hein ? »

Les pièces du puzzle s'assemblèrent. D'une manière ou d'une autre, Evan devait savoir qu'il avait été amené au poste pour être interrogé. C'était sa façon de s'assurer que Danny ne lui envoyait pas la police. Il s'efforça de respirer.

« Je comprends.

– Salut, faut que j'y aille. »

Et Evan raccrocha.

Oh mon Dieu. La situation, déjà inimaginable, avait encore empiré. Il ne croyait pas une seconde au marché d'Evan. Il ne laisserait jamais Karen partir, plus maintenant. Il était quasiment certain qu'il tuerait Tommy et Richard, alors qu'ils représentaient pour lui un danger bien moins grand qu'elle. Si Danny ne l'en empêchait pas, Evan laisserait trois cadavres dans son sillage.

L'un d'eux serait celui de Karen.

L'inspecteur Matthews s'approcha et lui lança un regard inquisiteur.

« Mauvaises nouvelles ? »

L'espace d'un instant, Danny songea à tout avouer, à lui raconter toute l'histoire et à demander l'aide des flics. Mais il se rappela alors avec quelle facilité et quelle rapidité Evan avait collé son arme sur le front de Tommy. Le risque était trop grand. La police ne ferait qu'aggraver les choses.

Il était le seul espoir de Karen et des autres.

Danny leva les yeux, expira, se força à sourire.

« Nan. Vous connaissez les femmes. » Il raccrocha en espérant que le flic n'avait pas remarqué sa main tremblante. « Vous êtes prêts à m'interroger ? »

39

Vieux démons

Le miroir sans tain qui les séparait rendait les traits de Danny plus vagues, mais Nolan lui trouva tout de même l'air plutôt calme. Débarrassé de ses menottes, Danny s'assit à la table et balaya la pièce du regard en simulant à la perfection un mélange d'intérêt et de malaise. Un bon citoyen honnête.

« Comment veux-tu procéder ? demanda Matthews.

– Je vais commencer seul. »

Nolan ajusta sa cravate de ses doigts aussi maladroits que d'habitude. Chaque matin, Marie-Louise lui nouait un demi-windsor parfait – ça faisait partie de son rituel matinal, une incantation domestique censée le ramener à la maison sain et sauf – mais à la fin de la journée, le windsor n'était généralement plus qu'une vulgaire demi-clef.

« Tu sais, ce type a l'air terriblement calme. Tu es sûr qu'il a quelque chose à se reprocher ? demanda Matthews.

– Avec ton expérience, dit Nolan en souriant, comment réagit un type qui n'a rien fait lorsqu'on lui passe les menottes ?

– Il commence par dire que c'est inutile.

– Exactement. » Nolan tira une dernière fois sur sa cravate. « Alors que Danny s'est contenté de se retourner en tendant les mains. »

Il tira sur ses manches, quitta la salle d'observation et ouvrit la porte de la salle d'interrogatoires.

Danny leva les yeux vers lui en lui faisant un sourire insipide, mais Nolan conserva son expression neutre tout en avançant d'un pas mesuré vers la table. Il resta un moment debout à jauger Danny, laissant le silence se prolonger suffisamment longtemps pour que s'installe un sentiment de malaise. Enfin, il tira une chaise.

« Donc, commença-t-il, je suis obligé de te rappeler que tu peux appeler un avocat si tu le souhaites.

– Est-ce que j'en ai besoin ? »

Nolan haussa les épaules.

« Je veux juste te poser quelques questions.

– Il s'agit de Patrick ? » demanda Danny d'une voix légèrement tremblante, une expression triste qui semblait bien réelle traversant furtivement son visage.

« Essentiellement.

– Je n'arrive pas à croire ce qui est arrivé. Nous sommes encore sous le choc. Si je peux faire quoi que ce soit pour vous aider, j'en serais heureux. »

Nolan remarqua qu'il affichait de nouveau son masque.

« Commence par m'expliquer comment tu l'as connu.

– On a grandi ensemble. »

Danny poursuivit, évoquant Bridgeport et Back of the Yards, leurs anciens quartiers. Il raconta qu'ils s'étaient liés d'amitié au lycée et qu'à la mort de ses parents, Patrick était venu vivre chez Danny. Une histoire très irlandaise, très à l'ancienne, que Nolan connaissait déjà pour l'essentiel.

Il le laissait néanmoins parler, l'aiguillonnant ici ou là avec une question pour ne pas interrompre son flot de paroles. Le temps était crucial. Il passa plus d'une heure à établir les faits de base, juste pour que Danny s'habitue à parler. Il l'interrogea sur leur amitié, sur le passé de Danny. Chaque fois qu'il évoquait la mort de Patrick, il voyait poindre la même expression de tristesse. Auparavant, Nolan avait cru que Danny avait dû creuser loin pour se dégoter quelqu'un qui était toujours dans le milieu, quelqu'un qu'il pourrait payer pour se débarrasser d'Evan. Mais ce n'était visiblement pas le cas.

« Vous avez toujours été amis, n'est-ce pas ? Tu savais donc ce qu'il faisait, affirma Nolan en le regardant fixement.

– Bien sûr, répondit Danny sans sourciller. Dans les grandes lignes.

– Et ça ne te gênait pas d'être ami avec un délinquant ? Je veux dire... » il marqua une pause, préparant sa pique, « ce type était une vraie merde ».

Danny sentit une veine battre sur son front, mais il répondit d'un ton plaisant.

« C'était un type bien, Sean.

– Ah oui ? » Il marqua une nouvelle pause, puis changea de sujet pour déstabiliser Danny : « Hé, qui t'a fait ce coquart ? Il n'est pas joli à voir.

– Ça ? » Danny toucha sa joue à l'endroit où la peau virait au violet. « Un truc on ne peut plus idiot. Je travaillais dans la cave. J'ai foncé en plein dans la valve de fermeture d'eau froide.

– Ces égratignures sur tes mains aussi ? »

Danny sourit.

« Je suppose que je devrais mettre des gants au travail, hein ? »

Nolan ne lui rendit pas son sourire.

« Je me disais que ça avait peut-être un rapport avec l'histoire pour laquelle tu es venu me voir.

– Evan ? » Danny secoua la tête. « Ça fait quinze jours que je n'ai pas entendu parler de lui. »

Quand on était flic depuis quinze ans, on savait observer les réactions. Danny mentait bien, Nolan le voyait, mais il mentait tout de même.

« Il a disparu comme ça, hein ?

– Je suppose qu'il s'est rendu compte que je n'étais pas la cible idéale pour un chantage. » Il haussa les épaules. « Je ne sais pas, peut-être qu'il en a eu marre du climat. Quoi qu'il en soit, je n'ai plus eu de ses nouvelles. »

L'inspecteur acquiesça lentement. C'était bien joué. Admettre avoir eu le moindre contact avec Evan aurait donné à Nolan une brèche dans laquelle s'engouffrer. Il savait que Danny mentait, qu'Evan était toujours dans sa vie, qu'il se passait quelque chose. Il avait pu le voir sur le visage de Karen, et dans les actes de Danny. Mais savoir, et posséder des preuves solides étaient deux choses différentes.

Malheureusement, les preuves ne couraient pas les rues. À moins que la situation ne change, il ne pouvait compter que sur un faux pas de Danny. Il devait maintenir la pression, le prendre au dépourvu. Tout en souriant, il passa à l'attaque.

« Alors qui a tué Patrick ? »

Ce changement de sujet soudain sembla déstabiliser Danny. Ses mains s'agitèrent sur la table.

« Je ne sais pas.

– Je crois que si. » Sean se leva et se pencha au-dessus de la table, utilisant sa hauteur pour donner plus de puissance à son regard. Danny leva les yeux vers lui. « Je crois que c'est toi.

– Hein ? lâcha-t-il, abasourdi.

– Je crois que tu as loué ses services pour te débarrasser d'Evan, et qu'Evan l'a descendu. Ce qui revient à dire, en gros, que c'est toi qui l'as tué. »

Danny laissa passer un temps, comme s'il cherchait à reprendre contenance, et Nolan sut qu'il avait visé juste. Le moment était venu de bluffer.

« On a un enregistrement sur lequel tu demandes à Patrick de te rappeler à propos d'une affaire. Tu as l'air désespéré. Ça fait deux jours que Patrick est censé avoir buté Evan, et tu commences à t'inquiéter.

– Quel enregistrement ? »

Danny avait insufflé un soupçon de mépris dans sa question, mais Nolan savait qu'il était ébranlé.

« Allons, Danny, admets-le. Tu avais peur. Tu avais besoin d'aide. Tu as payé ton ami d'enfance pour qu'il s'occupe de ça à ta place. Mais Patrick s'est fait tuer, et c'est pour ça que tu cherchais à nous éviter.

– Je ne sais pas de quoi tu parles.

– Souviens-toi, dit Nolan, tentant une nouvelle approche, Evan est toujours en liberté. Et je suis sûr qu'il a deviné qui lui a envoyé Patrick. Tu vas avoir besoin de protection. » Il voyait que Danny était en pleine réflexion, il devinait presque ses calculs. « Nous pouvons conclure un marché, Danny. Il y aura des charges contre toi, mais tu peux envoyer Evan au trou pour meurtre. Tu peux à nouveau vivre sans regarder en permanence par-dessus ton épaule. »

Danny le regarda fixement.

« Aide-nous et toute cette histoire sera terminée. »

Nolan avait joué ses cartes et touché un point sensible. Il conserva un regard dur et une attitude agressive pour que Danny se sente sous pression. Pour qu'il se sente écrasé. Les deux hommes se regardèrent droit dans les yeux, Nolan espérant qu'il finirait par parler. *Donne-moi quelque chose, connard.* Juste une minuscule lézarde, n'importe quoi, et il s'y engouffrerait jusqu'à ce que Danny craque. Il avait toute la nuit, s'il le fallait.

Danny sourit alors.

« Inspecteur, dit-il d'une voix calme, je ne sais pas de quoi vous parlez. »

Quarante minutes plus tard, Nolan fulminait encore. Il était de retour dans la salle d'observation, mais l'air suffisant de Danny semblait toujours flotter devant ses yeux dans la pénombre. De l'autre côté du miroir, l'inspecteur Jackson avait pris sa place et obtenait les mêmes réponses évasives. Danny avait pris sa décision. Il se cachait derrière une normalité de façade.

Et ce qui faisait enrager Nolan, c'était qu'il avait beau savoir, savoir sans le moindre doute, que Danny avait quelque chose à se reprocher, tout ce qu'il avait pour relier les deux types était un coup de fil qui était loin d'être aussi compromettant qu'il avait essayé de le faire croire. À vrai dire, au premier abord, ce coup de fil était complètement insignifiant.

La porte s'ouvrit et Matthews le rejoignit. Il demeura un moment silencieux, puis hocha la tête en direction de la vitre.

« C'est Willie qui s'y colle ?

– Je l'ai envoyé poser les mêmes questions pour voir si Danny change quoi que ce soit.

– Ça a marché ? »

Nolan fit signe que non.

« Il s'en tient à sa version.

– Peut-être qu'il dit la vérité. »

Nolan se tourna vers Matthews, puis regarda de nouveau par la vitre. Il y distinguait son propre reflet, à peine visible dans la pénombre.

« Tu as déjà connu quelqu'un qui a suivi le Programme ? demanda-t-il doucement.

– Les Alcooliques Anonymes ? » Matthews hésita. « Oui. Mon père. »

Nolan acquiesça.

« Le mien aussi. Il s'y est tenu ?

– Pendant un moment. Jusqu'à ce que l'usine Zenith soit délocalisée au Mexique. Il s'est alors pris une cuite de trois jours. Il a fini par planter un type dans une bagarre de bar, puis a pris la fuite et n'est jamais revenu. » Les yeux de l'inspecteur semblaient distants, comme s'il était en prise avec de vieux démons. Puis il se tourna vers Nolan. « Et le tien ?

– Il s'y est tenu. Il a suivi les douze étapes, allait à des réunions deux fois par semaine. » Nolan marqua une pause. « Ça a fonctionné pour lui. Mais tu connais le principe de base du Programme ? Chaque jour tu t'engages à ne pas boire. C'est tout. Le lendemain, tu te lèves et tu recommences. Tu n'es jamais vraiment guéri.

– Et ?

– Il s'agit juste d'éviter la tentation. Mais si tu présentes un verre à un alcoolique repentant, tôt ou tard il le boira. » Nolan fit un geste de tête en direction de la vitre. « Danny est pareil.

– Tu crois que quelqu'un l'a mis sur un coup.

– Et il s'est laissé tenter. Oui.

– O.K. Alors qu'est-ce que tu veux faire ? »

Nolan haussa les épaules.

« Laisse-le partir.

– On peut le garder ici, le cuisiner. Le réveiller au milieu de la nuit et reprendre à zéro. Il fera peut-être une erreur.

– Peut-être pas. Et s'il n'en fait pas, on se retrouvera avec le procureur sur le dos avant de pouvoir le pincer à nouveau. » Il se redressa, consulta sa montre. Presque cinq heures. « Quand Willie en aura terminé, relâche-le.

– Tu ne vas pas le laisser partir comme ça ? demanda Matthews, incrédule.

– Bon Dieu, non, répondit Nolan en s'apprêtant à ouvrir la porte. Je vais le laisser partir et voir où il me mène. »

40

Espace négatif

Le hurlement qu'il étranglait depuis des heures commençait à lui déchirer les entrailles. Mais Danny conservait son masque d'homme honnête, tentant d'adopter une pose à la fois polie et agacée tandis que le vieux flic farfouillait dans une enveloppe kraft.

« Un portefeuille, en cuir. Une paire de lacets. Un trousseau de clefs. »

Il remarqua qu'il battait impatiemment du pied et se força à arrêter. Presque sorti. Mais il n'était pas au bout de ses peines. Quelque part dehors, Evan tirait les ficelles de la vie de Danny de ses mains calleuses.

« Et un téléphone portable. Signez ici, s'il vous plaît. »

Il attrapa le stylo et griffonna son nom sur le registre.

« Où est ma voiture ?

– Monsieur ? »

L'agent le regarda en clignant des yeux.

« Ma voiture. Celle que les inspecteurs ont conduite jusqu'ici.

– Laissez-moi vérifier. »

L'homme saisit le téléphone avec l'empressement que met le ciment à sécher. Danny ravala son hurlement, se pencha en avant pour lacer ses chaussures tout en essayant de ne pas regarder sa montre, mais il ne put se retenir. Bon Dieu. Cinq heures et demie. Dans une journée où chaque seconde comptait, il venait de perdre sept heures.

Karen a passé tout ce temps avec Evan.

Il frissonna à cette idée, une colère blême monta en lui et il faillit hurler. Il aurait voulu secouer le flic aux cheveux blancs jusqu'à ce que ses yeux lui sortent des orbites.

Au lieu de quoi il inspira profondément et rajusta son faux sourire.

Le flic raccrocha le téléphone.

« Monsieur, je crois que votre voiture se trouve dans le parking visiteurs, devant le poste. »

L'homme n'avait pas fini sa phrase que Danny avait pivoté sur ses talons. Il avait une folle envie de courir, mais s'efforça de marcher d'un pas mesuré, rapidement, tout en restant prudent. Il ignora l'ascenseur et opta pour une volée de marches qu'il descendit quatre à quatre. Dans le hall, un flic noir athlétique qui se tenait derrière un guichet expliquait patiemment quelque chose à une Hispanique qui pointait du doigt. Comme chaque soir, une moisson de sans-abri et de paumés au regard méfiant occupait les bancs. Danny passa devant eux en vitesse, ouvrit la porte et plongea dans l'air du soir. Il entendit le bruit blanc de la circulation sur la voie express Dan Ryan. Dès qu'il fut hors de vue, il se mit à courir parmi les pick-up délabrés et les vieilles Cadillac. Le claquement de ses pieds était comme le tic-tac d'une horloge. *Tic-tac, tic-tac*. Il trouva son 4 × 4 et démarra sur les chapeaux de roues. Il sortit du parking à toute vitesse, traversa deux voies et s'engouffra sur l'autoroute.

Tout le temps qu'il était resté au poste, il s'était creusé la tête pour trouver un moyen de retrouver Evan. Celui-ci n'avait pas de téléphone portable et avait pris soin de ne pas révéler son adresse à Danny. La dernière fois qu'il avait eu besoin d'entrer en contact avec lui, il avait appelé chez Murphy's et avait laissé un message au barman. Mais cette fois, Evan ne risquait pas de le rappeler.

Danny ne voyait donc qu'une seule solution. Tout en slalomant parmi les voitures, il ouvrit son téléphone portable. Il cliqua sur le menu, puis sur le registre des appels et sélectionna « appels sortants ».

Il était là, datant de trois jours à peine. Autant dire des années. Il enfonça la touche « numéroter » et pria en silence tout en comptant les sonneries. Un grésillement brouilla la ligne lorsqu'il fonça sous un pont et se déporta sur le bas-côté de gauche pour éviter une longue file de voitures. Un concert de klaxons retentit en contrepoint de la troisième sonnerie.

« Allez, Debbie ! Décroche ! »

La voix de Debbie interrompit la cinquième sonnerie.

« Allô ? »

Elle avait l'air tendue, paniquée.

« Écoute, je n'ai pas beaucoup de temps. J'ai besoin que tu m'accordes toute ton attention. Evan a perdu la tête. Il est allé chez moi et a enlevé ma petite amie. »

Il y eut une pause.

« Je sais.

– Quoi ? »

Ses oreilles se mirent à bourdonner. Ce qu'elle venait de dire n'avait aucun sens.

« Il... il m'a forcée à l'aider. Il m'a frappée, a menacé de me tuer, de... »

Un sanglot étouffé l'empêcha de finir sa phrase. Danny se représenta la scène, Evan caressant son flingue, Debbie cherchant à se comporter correctement avec Karen, mais trop effrayée, trop faible pour le défier.

« C'est bon, dit-il d'une voix réconfortante. Je comprends. J'arrive. Où es-tu ?

– Dans les toilettes. J'avais envie de faire pipi et... il l'a simplement ligotée. Il ne lui a pas fait de mal.

– Debbie, *quelles* toilettes ? Où es-tu ? »

L'autoroute devant lui était aussi encombrée qu'un parking. Il la quitta pour gagner les rues de surface, s'assurant qu'il n'y avait pas de voitures de police lorsqu'il grilla un feu rouge.

Elle inspira profondément, puis parla d'un ton accusateur : « Tu avais dit que tu t'occuperais de tout. »

Ces paroles lui firent mal. Il se rappela le parking la veille, lorsqu'il lui avait dit de rentrer chez elle, l'avait assurée qu'il mettrait un terme à tout ça. Il avait dit ça avec une certitude, une forfanterie qui lui semblaient aujourd'hui aussi lointaines que les étoiles de l'aube.

« J'ai essayé. » Il marqua une pause. « Hier, c'était différent. »

Il y eut un long silence.

« Danny, j'ai peur. »

Il soupira. Par chance, tous les feux étaient désormais au vert.

« Je sais. Moi aussi. Ça va aller. Dis-moi juste où tu es.

– Non, répondit-elle d'une voix à la fois faible et résolue. Je ne peux pas. Si tu te montres, Evan va me tuer. »

Il sentit son estomac se contracter. Il n'avait pas envisagé qu'elle pourrait refuser de l'aider – qu'elle pourrait décider qu'Evan serait le pari le plus sûr.

« Debbie, je sais que tu as peur. » LaSalle Street était étrangement déserte et il enfonça l'accélérateur, ses pneus avalant le bitume tandis qu'il tentait de la raisonner. « Et je sais que tu espères simplement que les choses tourneront bien. Que tu t'en sortiras. Mais tu ne pourras pas t'en sortir. Si tu ne m'aides pas, Evan tuera Karen, et probablement Tommy et son père aussi.

– Ça, tu n'en sais rien.

– Si, je le sais, dit-il en soupirant. Je croyais pouvoir me débarrasser de mes problèmes en jouant le jeu, exactement comme toi. Mais ça ne fait qu'empirer. Tôt ou tard, tu devras te rendre compte que ça ne s'arrêtera pas. À moins que toi et moi ne décidions d'y mettre un terme. »

Un silence s'installa et il le laissa durer, craignant qu'elle se referme s'il insistait. Cinq secondes s'étirèrent jusqu'à dix, dix jusqu'à quinze. Il se l'imaginait réfléchissant à ce qu'il venait de dire, soupesant ses mots. Il réprima une envie de lui dire d'ouvrir ses putains d'yeux, de lui rappeler le parking du restaurant et le cadavre dans un coffre sur le parking de l'aéroport. Puis, dans le téléphone, il entendit un cognement soudain et une voix étouffée.

« Bon Dieu, Deborah ! Qu'est-ce que tu attends ?

– Je sors dans un instant », répondit-elle d'une voix aussi fragile que du verre. Il y eut une pause, comme si elle attendait qu'Evan s'éloigne. « Faut que j'y aille, murmura-t-elle.

– Attends ! hurla-t-il. Debbie, je t'en prie. » L'idée qu'il pouvait la perdre maintenant qu'il était si prêt le terrifiait. « Dis-moi où tu es. »

Elle renifla, et il se la représenta assise tout habillée sur les toilettes dans quelque cabine aux murs fins, le monstre le plus effrayant qu'elle ait jamais connu la harcelant de l'autre côté de la porte. Son mascara étalé et coulant, un bleu là où il l'avait frappée. Cette image le tua. Puis il se rappela que de toutes les personnes impliquées, c'était elle qui courrait le moins de risques.

« Je t'en prie, murmura-t-il. Pour Tommy. »

Il l'entendit inspirer en frissonnant. Il attendit qu'elle réponde, prêt à foncer dans n'importe quelle direction. Où qu'ils soient, il pourrait jouer sur la surprise. Il reprendrait le contrôle. Il avait juste besoin de savoir où aller.

« Je suis désolée », dit-elle.

Et elle raccrocha.

Stupéfait, il tint le téléphone collé à son oreille pendant quelques secondes. Elle l'avait abandonné. La seule personne qui pouvait lui dire où se trouvait Karen. La seule qui pouvait sauver la vie de Tommy. Elle avait raccroché.

Quelle *conne* !

Un coup de klaxon le ramena à la réalité et il s'engagea dans une station-service, évitant de peu l'avant d'une Volvo. Il s'arrêta brutalement et regarda le téléphone. La rappeler pouvait être dangereux pour elle. Ça risquait de rendre Evan nerveux, de le faire douter de la loyauté de Debbie.

Rien à foutre.

Il enfonça la touche BIS, colla le téléphone à son oreille.

Une sonnerie. Puis, « Salut, c'est Debbie. Laissez votre numéro et je vous rappellerai. »

Elle avait éteint son téléphone.

Il n'y avait plus rien à faire.

Il faillit jeter son portable par la fenêtre, se retint, le laissa tomber sur le siège et se prit la tête à deux mains. Il resta là pendant ce qui lui sembla durer une éternité. Puis il redémarra et continua de rouler dans Clark Street.

En violant toutes les règles de circulation, il arriva en un temps record, mais la perspective de rentrer chez lui n'était guère enthousiasmante. Il n'avait aucune idée de l'endroit où se trouvait Evan, aucune idée de ce qu'il fallait faire pour l'arrêter. Tout ce qu'il avait, c'était un appartement vide, le tic-tac d'une horloge, et la tête pleine de plans inutiles.

Il se gara en double file devant l'appartement et sortit. Les choses étaient d'une normalité perturbante. Les décorations d'Halloween clignotaient. Plus loin dans la rue, un homme et une femme riaient tout en essayant de hisser un tonneau de bière sur les marches de leur maison.

Il grimpa les marches deux à deux. Evan avait dit qu'il n'avait pas fait de mal à Karen, mais il n'avait aucun moyen d'en être sûr. Aucun, si ce n'était de rentrer chez lui en priant de ne pas la retrouver se vidant de son sang sur le parquet. La porte de leur appartement était légèrement entrouverte. Il posa une main dessus, sentit le bois contre sa paume, et se demanda si ce qu'il allait trouver le hanterait à jamais. Si sa vie ne serait plus jamais la même une fois qu'il serait entré dans l'appartement.

Il poussa la porte.

C'était la pagaille, et il lui fallut un moment pour s'apercevoir que l'essentiel du désordre datait de la veille au soir. Des cartons étaient posés par terre à côté de piles de vêtements, des photos jonchaient le sol.

Mais il y avait autre chose qui clochait. La lampe près du divan était renversée. Le plateau de verre fêlé de la table basse ressemblait à une toile d'araignée.

Il longea le couloir. Leur chambre était déserte. De même que la chambre d'amis. Un verre à eau brisé gisait sur le sol de la cuisine. La porte de derrière était grande ouverte. Il vit sur le comptoir une touffe de cheveux châtains dont l'extrémité sombre semblait indiquer qu'ils avaient été arrachés.

Mais il n'y avait pas de cadavre.

Il sentit la rage et le soulagement monter en lui. Du soulagement de ne pas la retrouver morte ; une rage aveuglante qu'elle se soit fait agresser. L'animal en lui s'éveilla, ses oreilles se mirent à bourdonner, sa vison se troubla. Il se força à respirer, agrippant d'une main le comptoir, inhalant l'oxygène à grandes goulées. Pas le moment de se laisser aller. Il devait être capable de réfléchir. Contrôler sa colère. La dompter, en faire un outil dont il pourrait se servir.

Une arme.

Il ferma les yeux et se força à compter, bannissant de son esprit l'image d'Evan pointant un pistolet sur la tempe de Karen. Il n'avait pas de temps ni d'énergie à perdre. Il avait besoin de toutes ses facultés. À chaque respiration, il imaginait sa poitrine se remplissant d'un air frais et bleu, puis l'expulsant jusqu'à ce que ses poumons soient complètement vides.

Réfléchis.

Il sortit de la cuisine, longea le couloir jusqu'à leur chambre. Le dessus-de-lit était resté tirebouchonné depuis la nuit précédente, lorsqu'ils avaient fait l'amour puis s'étaient endormis. L'oreiller de Karen était enfoncé et plissé. Il se laissa tomber sur le bord du lit et se prit la tête à deux mains.

Réfléchis !

Il ne savait pas où vivait Evan.

Il ne savait pas où était Evan.

Il savait que le rendez-vous aurait lieu ce soir, mais à quel moment exactement ? Evan attendrait probablement la nuit, et le crépuscule assombrissait déjà le ciel de l'autre côté des fenêtres de la chambre.

Debbie refusait de l'aider.

Patrick était mort. Assassiné.

Karen était otage.

Il se leva, donna un violent coup de pied dans le sommier, sentit la douleur lui remonter le long de la jambe. Il tournait en rond. Il ne pouvait pas se permettre de suivre sans cesse les mêmes raisonnements.

Il devait s'extraire. Penser en termes purement stratégiques.

Envisager la situation dans son ensemble.

Ne pas simplement voir le problème, mais aussi les contraintes qui le définissaient. Pas simplement l'attaque, mais les faiblesses sur lesquelles elle devait s'appuyer. Comme ces dessins noir et blanc de visages et de chandeliers où l'espace négatif représente une autre image que le positif.

Ignorer les visages. Voir l'espace négatif.

Puis une idée lui vint soudain.

Il y avait une autre personne qui savait où le rendez-vous aurait lieu.

41

La chose la plus simple au monde

Danny immobilisa la voiture et coupa le moteur. Comme ses phares s'éteignaient, l'obscurité s'engouffra dans la voiture et remplit le vide. De l'autre côté de la vitre du côté passager, la maison était telle qu'il se la rappelait, des briques rouges avec un toit dont les bardeaux dessinaient des motifs complexes et qui s'élevait comme une cathédrale. Mais il avait maintenant l'impression étrange que la maison le regardait. Le jugeait. Le reste du quartier était illuminé et il distingua les silhouettes de groupes de gamins qui couraient de porte en porte, vêtus de blousons d'hiver par-dessus leur costume d'Halloween. La maison de Richard était silencieuse et sombre.

La dernière fois que Danny était venu ici, il avait franchi la ligne qui séparait le citoyen honnête du criminel. La dernière fois, il avait crocheté un verrou et s'était coulé par la porte de derrière comme un voleur. Maintenant, il devait marcher jusqu'à la porte d'entrée et se confesser.

À cette perspective, il sentit ses mains devenir moites. Pas parce qu'il ne pourrait plus revenir en arrière – il avait déjà franchi le point de non-retour – mais parce qu'il devrait faire face à Richard, le regarder dans les yeux et avouer qu'il était l'artisan de son malheur. Avouer qu'il lui avait pris ce qu'il avait de plus important dans la vie.

Et après, d'une manière ou d'une autre, le convaincre qu'il était là pour l'aider.

L'horloge du tableau de bord indiquait sept heures. Pas de temps à perdre. Il avait le sentiment que des interférences coupaient son esprit du monde tandis qu'il descendait de voiture et traversait la pelouse. Le rire des gamins dans la rue semblait hanté, étranger, comme s'il provenait d'un lieu auquel il n'appartenait pas. Un rappel de ses péchés. Sur la route, il avait essayé de préparer ce qu'il allait dire à Richard, d'anticiper les réactions de son patron. Mais maintenant que ses baskets creusaient des canyons dans l'herbe humide, tout s'était évanoui.

Il s'approcha de la porte et sonna. Les fenêtres de chaque côté étaient sombres. Il pria pour ne pas arriver trop tard, ne pas avoir manqué Richard. Il sonna à nouveau. Rien.

Danny plaça les mains autour de ses yeux et colla son front à la vitre. Une faible lueur argentait les contours des meubles, se réfléchissait sur le parquet, mais aucune lampe n'était allumée, ni dans l'entrée ni dans le couloir derrière. Il éprouva un sentiment d'angoisse. Si Richard était parti, la pièce était terminée. Il appuya longuement sur la sonnette, la maintenant enfoncée, scrutant attentivement à l'intérieur. La cloche sonna *Ding-dong, ding-dong, ding-dong...*

Il avait presque perdu espoir lorsqu'il aperçut un mouvement furtif au bout du couloir, comme si quelqu'un s'était penché hors de la cuisine plongée dans l'obscurité pour voir qui était à la porte. Il lâcha la sonnette et hurla : « Richard ! » Il cogna à la porte, criant le nom de son patron encore et encore, sentant sur lui le regard fixe des gamins, celui, méfiant, du père qui les accompagnait. Il s'en moquait. Il cognerait à la porte jusqu'à ce que les agents de sécurité du quartier l'emmènent.

Enfin, la silhouette longea le couloir. Danny fit un pas en arrière et attendit, les bras ballants, son cœur battant à tout rompre. La porte s'ouvrit d'un coup. Richard avait les yeux creusés et une barbe de trois jours assombrissait ses joues.

« Tu arrives au mauvais moment. »

Il commença à refermer la porte, mais Danny fut plus rapide et glissa la main pour en saisir le bord.

« Il faut que je te parle.

– Plus tard. »

Richard poussa sur la porte.

« Je sais pourquoi tu ne peux pas parler, dit-il en regardant son patron dans les yeux. Fais-moi confiance. Je sais où tu vas, mais il faut qu'on parle d'abord. »

La pression sur la porte diminua, Richard le regarda fixement. Puis il jeta un coup d'œil à sa montre, jura, et ouvrit la porte.

« Une minute. »

Danny entra, referma la porte derrière lui et se tint face à son patron. Il avait l'air d'une épave, et Danny sentit la culpabilité lui tordre l'estomac.

« Qu'est-ce que tu voulais dire, demanda lentement Richard, quand tu as dit que tu savais où j'allais ? »

Danny ravala difficilement sa salive.

« Je suis au courant pour Tommy. » Les mots tombèrent comme des pierres. « Je sais qu'il a été kidnappé. »

Richard le regarda, stupéfait.

« Comment le sais-tu ? »

Danny inspira, s'obligea à croiser le regard de Richard.

« Parce que j'ai participé à l'enlèvement. »

Un silence total tomba sur la pièce. Le temps sembla ralentir et Danny se mit à remarquer des détails incroyables. Les poils de la barbe de Richard, la traînée moite d'une goutte de sueur coulant le long de son flanc. Le grain du plancher.

C'est alors que Richard bondit en avant, bras levés, pupilles dilatées. Il se mit à frapper comme un sauvage, ses poings battant l'air, un grognement furieux s'échappant de sa bouche. Danny encaissa les coups sans lever les mains, laissant Richard le repousser en arrière.

« Arrête ! »

Son patron l'ignora et lui décocha un coup de poing maladroit en plein dans ses côtes meurtries.

« Je suis ici pour t'aider », dit-il.

Danny se prit les pieds dans le bord d'un tapis et bascula contre le mur. Richard avança et se mit à lui serrer la gorge.

Danny se demanda que faire. Il pouvait écraser du talon le pied de son patron. Il pouvait lui donner un coup de poing à la gorge, l'attraper et le mettre à terre. Il pouvait lui flanquer un coup de genou dans les parties. Se libérer de l'emprise d'un amateur était la chose la plus simple au monde.

Mais il resta immobile et laissa son patron serrer, sentant la pression sur sa gorge croître. La douleur était surprenante, sourde et inégale, et il devait lutter pour permettre à l'air de franchir sa trachée. Il serra instinctivement les poings, mais se força à les desserrer. Richard était penché en avant, son visage presque contre celui de Danny, son haleine rendue aigre par le café et la colère. Des points lumineux dansaient devant les yeux de Danny, l'obscurité du couloir palpitait en rythme avec son pouls. Il ne quittait pas Richard des yeux, tentant de lui faire comprendre par le regard sa douleur, ses regrets, sa peur, lui demandant en silence de le lâcher, de le laisser l'aider, conscient que Richard avait un droit animal de faire ce qu'il était en train de faire.

Finalement, rassemblant toutes ses forces, il parvint à murmurer : « Tommy ». L'espace d'un instant, rien ne se produisit, puis les mains de Richard se relâchèrent légèrement. Danny parla de nouveau, les mots lui râpant la gorge comme du papier de verre. « Je peux t'aider à le sauver. »

Richard se pencha en avant et son nez toucha presque celui de Danny. Puis il exerça une dernière pression, grogna de frustration et de colère, et le lâcha. Danny tomba à genoux, suffoquant. Le plancher tanguait. Il lutta pour conserver son équilibre, chaque battement de son cœur lui faisant tourner la tête, pendant que Richard allait et venait d'un pas lourd.

Lorsqu'il eut retrouvé son souffle, Danny se leva, les bras toujours ballants.

« Où est mon fils ? demanda Richard dont les yeux brillaient dans l'obscurité du couloir.

– Je ne sais pas, répondit Danny en secouant la tête.

– Est-ce qu'il va bien ?

– Oui. » Il s'interrompit, se força à dire la vérité. « Du moins, il allait bien hier. »

Richard serra les poings.

« Qu'est-ce que tu veux dire ? »

Danny ravala sa salive. Il avait l'impression qu'un orage électrique se déchaînait dans sa gorge.

« Nous n'avons pas beaucoup de temps. Mais il y a certaines choses que tu devrais savoir. »

Dans les grandes lignes, il raconta son passé à Richard, lui parla d'Evan, expliqua qu'Evan était venu le chercher. Son patron le regardait, bouche bée.

« Tu as enlevé mon fils parce que cet homme t'a demandé de le faire ?

– Je n'avais pas le choix. Il a menacé Karen, l'a agressée dans une allée la semaine dernière. Evan est impulsif, irréfléchi, expliqua-t-il en croisant le regard de Richard. C'est ce qui le rend dangereux. Je savais qu'il le ferait de toute manière. Si je ne l'avais pas aidé, il aurait fait du mal à Karen. Et je pensais qu'en étant dans le coup je pourrais protéger Tommy. »

Son patron le fusilla du regard, détourna les yeux puis les posa de nouveau sur Danny.

« Alors pourquoi es-tu ici maintenant ?

– Parce que si tu remets l'argent seul, Evan vous tuera Tommy et toi.

– Qu'est-ce que tu en sais ?

– Il a tué deux personnes depuis sa sortie de prison. L'un d'eux était mon meilleur ami. » Il discerna un flottement dans les yeux de Richard. Les paroles de Danny faisaient leur effet. « L'autre était un type qui l'avait entendu par hasard quand il t'a appelé. C'est son gros coup. Il ne prendra pas le moindre risque. »

Richard se retourna, la tête entre les mains. Danny entendit un bruit qui ressemblait à un sanglot rapidement étouffé.

« Je suis ici pour t'aider, répéta Danny en faisant un pas en avant. Je sais que ça a l'air dingue, mais c'est vrai. »

Richard se tourna vers lui, les yeux pleins de colère.

« Tu m'as menti pendant des années.

– Oui. »

Il était inutile de chercher à l'embobiner.

« Pourquoi est-ce que je devrais te faire confiance maintenant ?

– Il n'y a pas que Tommy. Il... » Sa voix se brisa. « Il a aussi Karen.

– C'est pour ça que tu es vraiment ici, rétorqua Richard d'un ton méprisant. Pas pour moi, ni pour Tommy. »

Était-ce vrai ? Courrait-il ces risques si la vie de Karen n'était pas aussi en jeu ?

Il l'espérait. Parfois l'espoir était tout ce qu'il vous restait.

« Non. Je suis ici pour remettre les choses en ordre. » Il prit le risque de poser la main sur l'épaule de Richard. « Je suis ici pour récupérer ton fils. »

Son patron le regarda fixement, un mélange complexe d'émotions se lisait dans ses yeux. De la douleur, de la colère et de la haine. Mais Danny croyait aussi y voir autre chose. Peut-être de l'espoir.

« Evan t'a appelé aujourd'hui », dit Danny, souhaitant qu'il parle enfin.

Richard acquiesça lentement.

« Il y a une heure. Je ne connaissais que sa voix. » Il plissa les yeux. « Ça fait du bien d'avoir aussi un nom à détester.

– Quand a lieu le rendez-vous ?

– Tu ne le sais pas ? »

Danny fit signe que non.

« Evan a disparu avec ton fils hier soir. »

Richard le regarda fixement, son visage trahissait son incertitude. Danny savait que c'était le moment de vérité – soit Richard lui faisait confiance et le laissait l'aider, soit tout était fini. De longues secondes s'écoulèrent lentement.

« À neuf heures. Au chantier de Pike Street. »

Danny se maudit intérieurement. Évidemment. L'ironie avait tellement plu à Evan, l'idée d'utiliser le terrain de Richard pour cacher son fils. Qu'y avait-il de mieux, de plus cruel, que de lui donner rendez-vous là-bas ? Il aurait dû s'en douter.

« Qu'es-tu censé faire ?

– Pénétrer dans le chantier en voiture, me garer face au portail et laisser tourner le moteur. » Les mots commençaient à sortir plus facilement. « Entrer dans le bâtiment avec l'argent dans un sac de sport. Il a dit qu'il prendrait l'argent et ma voiture et laisserait Tommy avec moi. »

Danny secoua la tête tout en massant d'une main son cou endolori.

« Il comptera l'argent, puis il vous abattra.

– Nous devrions appeler la police.

– Non, répondit aussitôt Danny.

– Tu as dit qu'il allait me tuer, tuer Tommy. Qu'est-ce que je peux faire d'autre ?

– Crois-moi, Richard, si tu amènes la police, Tommy et Karen sont morts. Evan sera sur ses gardes. Tu sauveras ta vie, mais pas celle de ton fils.

– Et si c'était un spécialiste, ou une équipe d'intervention, quelque chose comme ça ?

– Ça ne marche pas ainsi. Si tu appelles maintenant, on t'enverra des voitures de patrouille, peut-être deux ou trois inspecteurs. Ils feront du bruit et ils seront lents. Pour ce qui est de déployer des équipes d'intervention, eh bien, ça n'arrive qu'à la télé. »

Richard eut l'air de vouloir discuter, puis il soupira. Il s'adossa au mur, se laissa glisser jusqu'à s'asseoir sur ses talons.

« Tout ça n'arrive qu'à la télé. »

Danny était désolé pour lui. Tout comme la sienne, la vie de Richard avait été anéantie. Dans une certaine mesure, ç'avait été pire pour Danny car il avait assisté à cette destruction, en avait enduré chaque moment. Mais, au moins, il se retrouvait dans un monde qu'il comprenait. Richard, lui, était perdu.

Pourtant, comprendre ce monde ne changeait rien aux faits. Evan était en position de force. Pour le stopper, ils devaient avoir un avantage.

« Tu n'aurais pas un pistolet par hasard ? demanda Danny.

– Avec un gamin ? Certainement pas. »

Danny hocha la tête avec lassitude. Pour la première fois de sa vie, il aurait aimé une réponse positive à cette question.

« O.K. »

Il s'assit contre le mur à côté de Richard. Dans le silence, il entendait le tic-tac distant de la vieille horloge du salon.

« Pourquoi est-ce que tout ça arrive ? » demanda Richard d'une voix faible.

Danny mit un long moment à trouver ses mots. Il connaissait la réponse. Il la connaissait, instinctivement, depuis son enfance. Elle avait défini la manière dont il avait grandi, les choix qu'il avait faits. Même après être rentré dans le droit chemin, la conscience de cet état de fait l'avait hanté. C'était ça qui provoquait ses cauchemars, qui le faisait sans cesse regarder par-dessus son épaule.

« Parce que tu possèdes quelque chose. Tu es né sous une bonne étoile. Rien n'est hors de ta portée. Les gens comme Evan et moi ont grandi différemment. » Il marqua une pause, haussa les épaules. « Ce n'est pas compliqué. Ça arrive parce que tu as quelque chose alors que d'autres n'ont rien. Et ce mobile suffit à certaines personnes.

– Les personnes comme toi », dit Richard d'une voix plate.

Danny soupira.

« Autrefois, oui. » Il pensa à Karen, à cette journée au zoo. Sa tête posée sur ses cuisses tandis qu'il regardait son sourire danser sur un fond de ciel bleu. Ils avaient envisagé d'avoir des enfants, et il se rappela la douce excitation que cette éventualité lui avait fait éprouver. « Maintenant, tout ce que je veux, c'est mériter ce que je possède. »

Il y eut une longue pause, puis Richard se tourna vers lui.

« Qu'est-ce qui va se passer ? »

Je ne sais pas. Je ne sais vraiment pas.

Mais il répondit :

« Nous allons récupérer ton fils.

– Comment ? »

Comment, en effet ? Richard était un type ordinaire, certainement bien décidé à se battre pour son fils, mais d'une utilité limitée en cas de bagarre. Danny s'était retrouvé dans une douzaine d'échauffourées sérieuses, mais ses chances contre Evan étaient minces. Ce dernier était un assassin endurci par la taule. Il avait appris à se battre dans les Golden Gloves et c'était devenu une machine à tuer dans une prison haute sécurité. Il était fort, rapide, sans pitié et armé. En plus, il les attendait.

Attends.

Pas tout à fait.

« Tu sais quoi ? » Danny se tourna vers son patron et esquissa un sourire. « Nous avons un avantage.

– Lequel ?

– Il ne sait pas que je viens. »

Au bout d'un moment, Richard parvint à lui retourner son sourire.

42

Un endroit inhospitalier

Richard se changeait à l'étage lorsque Danny vit le sac. Noir avec une banale fermeture Éclair argentée et des anses molletonnées, il ressemblait à n'importe quel sac de sport.

Mais Danny savait que ce n'était pas le cas.

Il le souleva, fut surpris par son poids. Quinze kilos, peut-être plus. La fermeture Éclair coulissait en douceur sur les dents épaisses, un article de qualité, comme tout le reste dans le monde de Richard. Danny le reposa lentement, non pas pour jouer avec la tentation, mais par respect envers l'espèce de pesanteur qu'il éprouvait à l'égard du sac et de son contenu. Jadis, ce sac aurait enflammé son cœur et lui aurait donné des idées. Jadis, il se serait demandé comment s'enfuir avec et il aurait échafaudé un plan.

Maintenant, comme il regardait les billets attachés en liasses bien nettes, tous ces Jackson, ces Grant et ces Franklin qui levaient les yeux vers lui, il n'éprouvait qu'une vague nausée. Du papier. Des piles et des piles de papier vert. Toutes ces discussions, tout ce remue-méninges se réduisaient à ça. Ces billets étaient la réponse à la question de Richard.

Ils représentaient la vie des gens qu'ils aimaient, l'avenir des gens avec qui ils travaillaient. C'était cet argent qui, dans l'ombre, tirait les ficelles. Le destin avait emprunté la balance de la justice, placé le sang sur l'un des plateaux et ces sales bouts de papier sur l'autre. Et il les avait jugés égaux.

Il pensa à l'odeur de sucre brun de Karen, à l'étincelle humide dans ses yeux quand elle riait, à la courbure douce de son dos. Il sentit une acidité dans son estomac. Il referma le sac et s'éloigna de sa sombre gravité.

Les pas de Richard résonnèrent dans l'escalier. Il avait suivi les indications de Danny et avait passé des vêtements amples et sombres ; un jean et un vieux sweat-shirt.

« Tu n'as pas de baskets noires ? » demanda Danny en désignant les Nike blanches dont le logo brillait même dans la semi-pénombre.

Richard secoua la tête.

« Juste celles-ci.

– D'accord. »

La sonnette retentit, ils entendirent des gamins crier : « Donnez-nous des bonbons ! » Ils les ignorèrent. Leurs regards se croisèrent. La sonnerie retentit à nouveau, puis les enfants se rendirent à la maison suivante. Tout redevenait normal.

« On ne ferait pas mieux d'emporter une arme ? »

C'était une question bizarre de la part de Richard.

Des couteaux étaient rangés dans un présentoir au milieu du plan de travail central, et Danny en tira un de vingt centimètres de long, le soupesa. Acier allemand, bien équilibré et lourd. Parfait pour la cuisine. Il s'imagina l'enfonçant dans le corps d'Evan, le sang lui giclant sur les mains comme de la soupe. Il reposa le couteau sur le présentoir.

« Trop encombrant. »

Richard eut un moment l'air de vouloir discuter, mais il finit par hausser les épaules.

« Quelle heure est-il ? »

Danny le regarda.

« C'est l'heure. »

Le garage n'avait pas changé et Danny ravala une vague de culpabilité lorsqu'il se rappela Evan portant le corps inerte de Tommy dans ses bras. Richard chargea le sac d'argent à l'arrière de la Range Rover et grimpa à la place du conducteur. Danny le rejoignit et sentit les premiers fourmillements de peur lui nouer l'estomac.

Du calme, se dit-il. Tu as le temps. Il leur restait quarante minutes – inutile d'arriver survolté et tremblant.

Le rougeoiement chaud des lumières à l'avant des maisons et les arcs des lampes torches qui balayaient les rues illuminaient le quartier. Des enfants couraient de maison en maison, leurs capes de coton et leurs masques de monstres en caoutchouc conférant à l'ensemble une atmosphère surréaliste. Danny serrait et desserrait les poings, faisant craquer ses doigts.

« Tu veux qu'on revoie le plan ?

– Je te dépose à deux rues du chantier, répondit Richard mécaniquement. Puis je trouve un endroit où me garer et j'attends. J'y vais à neuf heures et je fais tout ce que demande Evan. Tu pénètres en douce dans le bâtiment et tu trouves Tommy et Karen. »

Danny acquiesça.

« Quand tu lui parleras, n'oublie pas de ne pas évoquer Karen. Il ne doit pas se douter de ma présence.

– D'accord. Tu les libères et tu les fais sortir. J'essaie de retenir Evan jusqu'à ce que tu puisses l'attaquer par-derrière.

– Exactement. »

C'était si mince qu'on pouvait à peine appeler ça un plan. Une douzaine de choses pouvaient aller de travers. Mais dans une situation où ils n'avaient pas de temps, aucun avantage et aucune idée de la tournure que prendraient les événements, il leur donnerait une chance de faire sortir les innocents. Attraper Evan était secondaire. Tout le reste était secondaire.

De plus, pensa Danny, Evan ne serait pas en terrain familier. La nuit, les chantiers étaient des endroits inhospitaliers. Danny y avait passé les sept dernières années. Il pouvait marcher sur une poutre de trente centimètres de large sans hésitation, visualiser la configuration de chaque étage, et il connaissait chaque endroit où il était possible de se cacher. Ça leur donnerait peut-être l'avantage dont ils avaient besoin.

« C'est drôle, dit Richard dont le visage réfléchissait la lueur pâle des phares d'une voiture qui arrivait en sens inverse. Mon fils ne s'attendrait jamais à ce que je fasse ça.

– Quoi ?

– Le secourir. » Il poussa un soupir. « J'ai été un père minable. Quand j'étais petit, mon père était toujours absent. Il travaillait, développait cette société pour que j'en hérite. Le fait qu'elle m'appartiendrait un jour le rendait fier. Seulement, dans le processus, il a oublié d'être un père. Je m'étais juré d'être différent, d'être présent. Mais j'ai été aussi mauvais que lui. »

Cette confession surprit Danny. Richard avait toujours montré une façade bourrue, n'avait jamais laissé paraître ce genre d'émotion. Avait-il montré la même façade à son fils ? Debbie avait expliqué que Tommy lui avait dit que son père ne savait même pas qu'il existait.

« Mon père aussi travaillait dur, dit Danny d'une voix douce. Je le détestais à cause de ça.

– Il était souvent absent ?

– Oui, mais ce n'était pas ça. » Il se souvint de la manière dont son père quittait la maison le matin, sa posture rigide, presque martiale malgré ses vêtements poussiéreux et le déjeuner qu'il emportait dans une boîte. « Je détestais le fait que nous étions pauvres. Je détestais manger des pommes de terre et de la bouillie frite pour faire durer le budget, je détestais devoir écouter les matches des Sox depuis le parking parce qu'on n'avait pas les moyens de se payer des billets. Je voyais ces gamins dans le métro, des gamins de North Side avec leurs habits à la mode et leurs casques de Walkman, avec de l'argent, et je détestais ne pas avoir la même chose qu'eux. » Il fit craquer ses doigts l'un après l'autre. « Un jour, j'ai volé un Walkman dans le cartable d'un gamin. Soudain, je possédais quelque chose que je voulais, simplement parce que j'avais eu le cran de me servir. J'étais fier. Je le gardais sous mon oreiller.

– Laisse-moi deviner. Ton père l'a découvert. »

Danny acquiesça.

« Il était sévère, strict, et j'ai cru qu'il allait me mettre la raclée de ma vie. Au lieu de ça, il m'a fait asseoir et a essayé de m'expliquer pourquoi c'était mal. Il m'a dit qu'il fallait mériter ce qu'on avait. Qu'un homme se mesurait à sa façon de se comporter et non à ce qu'il possédait. » Il secoua la tête. « Et pendant qu'il parlait, je pensais au grand frère de Joey Morgan qui se faisait deux mille dollars par semaine en volant des voitures et qui pouvait passer l'essentiel de son temps au bar. Comparé à ça, mon père avait l'air d'un idiot à se casser le cul chaque jour pour que dalle... » Il s'interrompit. « Il m'a fallu quinze ans pour comprendre ce que mon paternel voulait vraiment dire. Mais il était déjà mort. »

Ils roulèrent en silence. Les gratte-ciel devenaient plus grands, la pleine lune brillait au-dessus. Ils avaient quitté Lakeshore Drive pour des rues de surface cinq minutes plus tôt. Encore quelques pâtés de maisons. Les routes ici étaient calmes, il y avait peu de voitures et de piétons. Les raisons qui faisaient que le chantier était un bon endroit pour garder Tommy en captivité en faisaient aussi l'endroit idéal pour le rendez-vous. Quelques coups de feu passeraient inaperçus.

Cette idée réveilla la peur, le fourmillement dans les doigts et les poignets de Danny. Cette fois, inutile de lutter contre. Il pensa à Karen et Tommy, ligotés et terrifiés. Toutes les semaines passées se résumaient à la prochaine demi-heure.

Plus que ça. Toute sa vie.

« Là-bas. Près de ce parc. »

Richard opina et prit la direction du terrain de jeu. Des ornières peu profondes indiquaient l'endroit où Danny était passé la veille. Le bâtiment n'était que deux rues plus loin. À pied, il pouvait emprunter des allées obscures et s'approcher sans être vu. Ça irait.

Danny tendit la main vers la poignée de la portière puis s'arrêta et se tourna vers Richard. Le rougeoiement du tableau de bord faisait ressortir son visage dans l'obscurité. Il avait l'air prêt, résolu, mais une profonde tristesse s'était imprimée sur ses traits. Richard avait découvert ce qui comptait vraiment pour lui au moment même où il était en train de le perdre. Danny grimaça.

« Je suis désolé, Richard, dit-il doucement en s'efforçant de le regarder dans les yeux. Je suis désolé de vous avoir entraînés là-dedans toi et Tommy. »

Richard lui jeta un coup d'œil.

« Je ne te le pardonnerai pas. »

Danny hocha la tête.

« Je comprends.

– Mais je sais que tu n'avais pas le choix. » Les yeux de Richard étaient marqués par la lassitude. « Ça m'aide. »

Mais tu avais le choix, murmura la voix à l'intérieur de Danny. Au début. Tu aurais pu aller voir les flics et tenter ta chance. Même s'ils avaient essayé de t'inculper pour l'affaire du prêteur sur gages, au moins tu n'aurais pas foutu la vie d'autres personnes en l'air.

Tu avais le choix, tu as fait le mauvais.

Plus jamais. Il attrapa la poignée, inspira profondément, souffla bruyamment. Puis il ouvrit la portière, se laissa glisser au sol et la referma derrière lui. Le bourdonnement de la ville emplit ses oreilles. Sans attendre que Richard reparte, Danny courut jusqu'à l'allée obscure aussi discrètement que possible. Il ne s'arrêta de courir que lorsqu'il eut le dos collé aux briques froides d'un bâtiment. Il scruta l'obscurité dans les deux sens, puis fonça vers l'ouest, courant d'ombre en ombre.

Il était temps de remettre de l'ordre à ce bazar.

Coûte que coûte.

43

Situation dangereuse

Pour une voiture qui coûtait deux fois le salaire d'un inspecteur, la Range Rover semblait affreusement peu pratique. Une bouffeuse d'essence, une saloperie à garer et, oh oui, incroyablement facile à filer.

Sean Nolan était resté en arrière durant l'essentiel du trajet, à bonne distance de Danny et Richard tandis qu'ils roulaient tranquillement dans Lakeshore Drive. La partie la plus risquée avait été dans Evanston, chez le type. Quand Danny s'était mis à cogner à la porte, Nolan avait été certain qu'il allait se retourner et le repérer, garé deux rues plus loin. Mais non, il avait juste continué de cogner jusqu'à ce que l'homme le laisse entrer. Pendant que Danny était dans la maison, Nolan s'était renseigné par radio sur l'adresse. L'opérateur l'avait informé que c'était celle de Richard O'Donnell. Il avait vu le même nom sur les panneaux des chantiers. Il ignorait ce qui se tramait, mais le patron de Danny était mêlé à l'affaire.

Nolan ne comprenait pas encore tout, pas tout à fait, mais il sentait que ça allait venir. Quand vous étiez inspecteur depuis un moment, vous deviniez quand vous étiez sur le point de percer quelque chose. Comme si la Force était avec vous.

Une partie de vous commençait à sentir que quelque chose allait se produire.

Il songea à appeler Matthews ou Jackson, à leur demander de se mettre en selle et de le rejoindre. Les inspecteurs jouaient tout le temps en solo, mais un type malin n'allait pas au-devant d'une situation dangereuse sans quelqu'un pour le couvrir.

Le souci, c'est qu'ils étaient dans la Zone Un, probablement à Englewood, là où sévissaient les gangs. Pour une raison ou une autre, les méchants adoraient les jours de fête ; même autour de Noël, il y avait toujours une énorme recrudescence de crimes – violences conjugales, vols à main armée, suicides. Mais à Halloween, les cinglés sortaient toujours en force. S'il demandait des renforts, il risquait d'éloigner les flics de quartiers où les choses tourneraient mal à coup sûr.

Trop tôt. Il laisserait passer un peu de temps pour voir comment les choses évolueraient.

Devant lui, la Range Rover s'arrêta brusquement près d'un petit parc. Il n'avait rien vu venir et dut braquer à la hâte et s'engager dans le parking vide d'une usine sidérurgique. Qu'est-ce qu'ils fabriquaient ? Était-ce un rendez-vous ? Dans ce cas, Danny avait perdu la boule. On ne pouvait pas dire que la Rover passait inaperçue dans le quartier.

Nolan plissa alors les yeux en direction du 4 × 4, vit la portière côté passager s'ouvrir et une silhouette noire bondir hors du véhicule. L'homme se mit à courir dès que ses pieds touchèrent le sol en direction d'une allée située un peu plus loin. La Rover s'éloigna du trottoir.

C'était Danny qui était assis à la place du passager.

Nolan avait maintenant deux cibles. Il pouvait facilement filer Danny. Mais il foutrait alors sa couverture en l'air et interromprait ce qui se passait. Il ne serait pas plus avancé qu'il ne l'avait été cet après-midi. Il devait rester discret tant qu'il ne savait pas ce qui se tramait. Nolan redémarra en jurant à voix basse et suivit la Rover en maintenant cent mètres de distance entre les deux véhicules. Si c'était nécessaire, il suivrait cette piste jusqu'en enfer.

44

Plus noir que la nuit

Tandis que Danny grimpait le long de la gaine électrique derrière une supérette abandonnée, il sentit l'air froid lui scier les poumons. Ses baskets adhéraient à la brique et, lorsqu'il eut une bonne prise, il n'eut plus qu'à placer un genou sur le toit pour s'y hisser. Il marqua une pause pour reprendre son souffle, puis marcha en crabe jusqu'au bord du bâtiment.

Malgré la lune, la nuit était obscure, les quelques flaques de lumière diffusée par les réverbères ne parvenant guère à adoucir les ténèbres. Danny consulta sa montre. Neuf heures moins le quart. Disons sept ou huit minutes de reconnaissance avant de passer à l'action. Il détacha sa montre et la glissa dans sa poche pour qu'elle ne reflète pas un faisceau de lumière importun et ne le trahisse pas. Le gravier du toit s'enfonça dans sa poitrine lorsqu'il s'étendit pour regarder de l'autre côté de la rue.

Le bâtiment de Pike Street comportait cinq niveaux, chacun moins achevé que celui d'en dessous, jusqu'au dernier dont les poutres se dressaient tels des os brisés. Un réverbère dans le coin opposé éclairait par-derrière la structure squelettique, faisant ressortir la cage de béton qui abritait l'escalier de secours. Le vent d'octobre faisait claquer la bâche sur la façade. D'un côté, c'était un coup de pot ; elle résonnait bruyamment et couvrirait son approche. Mais elle l'empêchait aussi de voir à l'intérieur du bâtiment. La seule partie qu'il distinguait était le dernier étage qui n'était pas dissimulé par une bâche. Danny commença par là et scruta attentivement. Ses yeux explorèrent les ombres, suivirent les lignes des poutres. Le moindre détail pouvait être synonyme de vie ou de mort – et pas seulement la sienne. Il visualisa mentalement le plan du bâtiment. Les étais, la charpente, tout était exactement tel que cela devait être.

Attends.

Là, près de l'entrée supérieure de la cage d'escalier. Quelque chose attira son regard, une forme sombre pas assez géométrique pour être à sa place. Puis la forme remua et il vit qu'il y avait deux silhouettes.

Tommy et Karen.

C'était logique. Autant les attacher à l'écart, en un endroit d'où ils ne pourraient pas s'échapper. Des bandes d'acier comprimèrent le torse de Danny. Il ne voyait pas Evan en haut du bâtiment. Il était peut-être caché, étendu à plat ventre, mais Danny en doutait. Il se trouvait plus probablement à un étage inférieur. Après tout, il n'attendait que Richard, il ne devait pas avoir peur.

La porte de la caravane était ouverte et le vent la faisait battre contre la paroi dans un claquement solitaire. Pouvait-il être à l'intérieur ? Ç'aurait été le choix de Danny. La caravane était isolée et permettait une fuite facile. Mais il doutait pourtant qu'Evan s'y trouve. Pas assez audacieux pour lui.

Puis il aperçut un éclair au troisième étage, une brève lumière jaune qui dura deux ou trois secondes. Un briquet. En allumant une cigarette, Evan avait donné sa position.

Danny aurait pu en rire, sauf que c'était une mauvaise nouvelle. Le plan était de libérer Tommy et Karen pendant que Richard détournerait l'attention d'Evan. Mais pour les atteindre,

Danny devait gravir l'escalier et passer juste devant Evan qui serait à l'affût, tous les sens en alerte. Et puis il fallait penser à Debbie. Il n'avait pas la moindre idée du rôle qu'elle jouerait dans la manœuvre, il devait donc la considérer comme une ennemie.

La frustration monta en lui. La chance ne pouvait-elle lui sourire, ne serait-ce qu'une fois ? Était-ce tellement déraisonnable ? Juste un petit coup de main ? Il se laissa rouler sur le dos, sentit les cailloux pointus contre sa colonne vertébrale. Le ciel était badigeonné d'un bleu nuit sans étoiles, la lune, lourde et sinistre. Ils étaient baisés.

À moins que...

Il se retourna à nouveau pour observer le bâtiment. C'était un sacré pari. Il avait trente-deux ans, pas seize. Et même à seize ans, ç'aurait été gonflé.

Pourtant.

Coûte que coûte.

Danny retourna en rampant jusqu'au côté que longeait l'allée et sauta par terre. Dos collé aux briques, il se coula le long du mur. Depuis le bout de l'allée, il surveilla à nouveau le bâtiment, repéra l'endroit où se tenait Evan. Avec un peu de chance, celui-ci observait le portail situé vers le sud, pas la rue à l'est. Danny tira la montre de sa poche. Moins cinq.

Le tout pour le tout.

Il traversa la rue aussi discrètement que possible en s'efforçant de ne pas courir. Un mouvement rapide risquait d'attirer le regard d'Evan, alors qu'une forme noire avançant lentement entre les ombres devait pouvoir passer inaperçue. Le plastique claquait de plus en plus fort, mais pas suffisamment pour recouvrir le bruit du sang qui battait dans ses oreilles. Il lui fallut trente-neuf pas pour atteindre le grillage, et les *Trente-Neuf Marches* d'Hitchcock lui vinrent brièvement à l'esprit. La peur faisait surgir des idées étranges. Il la repoussa, repoussa tout, et se glissa lentement le long du grillage, les yeux rivés sur le bâtiment irrégulier recouvert d'une peau grise. Aucun signe de mouvement. Lorsqu'il atteignit le coin opposé, il se redressa, puis se pencha pour se toucher les orteils et étirer les muscles de ses jambes. Une contraction pouvait être fatale.

Tandis que ses doigts agrippaient le grillage, il s'autorisa un dernier souvenir. Un après-midi doré l'été précédent, pas un nuage à l'horizon. Karen riant et poussant des cris aigus comme il l'attirait dans l'eau froide du lac Michigan.

J'arrive, chérie. Coûte que coûte.

Le grillage se creusa lorsqu'il y appuya sa basket noire. Il attrapa la barre supérieure, froide dans l'air de la nuit, et l'enjamba en faisant attention de ne pas donner de coups de pied dans le grillage, puis il se laissa retomber sur le sol sombre de l'autre côté. Il atterrit sans un bruit et courut vers le côté nord-est de la structure, les yeux rivés sur la terre inégale.

À chaque angle du bâtiment, d'épaisses barres d'acier grimpaient depuis les fondations de béton enterrées jusqu'au sommet de l'immeuble. Vue de près, la poutre semblait plus sombre que la nuit. Il fit glisser une main dessus, sentit les boulons, les points de soudure grossiers ainsi que les trous causés par les chalumeaux. Des poutres transversales la rejoignaient à chaque étage, à trois mètres soixante d'intervalle. Dix-huit mètres plus haut, le métal se terminait dans les cieux obscurs.

C'est faisable. Tu l'as déjà vu.

Sauf que les types qu'il avait vus faire ça étaient des ouvriers de vingt ans avec des muscles à faire rêver un auteur de romans à l'eau de rose. Et la plupart du temps, ils le faisaient pour descendre.

Il avait soudain à nouveau douze ans et jouait au Pisseur. Les mêmes mains moites, les mêmes picotements à l'estomac, la même envie folle de faire marche arrière. Comme cet instant juste avant la première ascension d'une montagne russe, lorsqu'on se demande si on ne pourrait pas juste sauter et s'enfuir par l'échelle de maintenance.

Il plaça son pied à l'intérieur de la poutre en H en grimaçant, le talon par terre et les orteils contre l'acier. Puis il attrapa l'extérieur de la poutre, arqua le dos pour augmenter la tension, et commença de grimper.

Il parvint à hauteur de tête, puis se pencha trop en avant et perdit l'équilibre. Ses pieds battirent frénétiquement l'air et il se brûla les doigts en glissant le long de l'acier. Il atterrit violemment, le choc se répercutant dans ses genoux. Il réprima une envie de jurer.

Une idée de cinglé.

Le bâtiment parut tanguer lorsqu'il regarda en l'air et son estomac se retourna. Le dernier étage ressemblait à un rêve impossible.

Coûte que coûte.

Il inspira profondément, se campa sur ses pieds et recommença son ascension. *Pousse avec la semelle. Agrippe-toi avec les doigts. La clef, c'est la posture – sers-toi de ta taille comme pivot, et seulement de ta taille. Ne plie aucune autre partie de ton corps ou tes pieds glisseront. La traction est bonne. L'acier est aussi rêche que du papier de verre. N'écoute pas la peur de ton corps. Laisse ton esprit guider la chair. Bouge la main.*

Tire.

Maintenant un pied.

Encore.

Encore.

Encore.

Le rez-de-chaussée disparut sous lui mais il ne le remarqua pas. Il s'efforçait de ne penser à rien, le monde se réduisant à ses mains, ses pieds et l'acier. Glisse. Tire. Encore. Dans la pénombre, il distinguait des motifs dans le métal, des têtes de clown et des esprits lubriques. La poutre l'abrita d'une rafale de vent qui fit claquer la bâche dans une danse de dément. La sueur lui coulait des aisselles. Les muscles de son ventre étaient en feu. Tire. Encore.

Premier étage.

Deuxième. *Ne regarde pas en bas.*

Au troisième, il regarda. Sa gorge se serra, son cœur et son estomac tirèrent dans des sens opposés. Le monde vacilla, et l'espace d'une demi-seconde, il éprouva une violente envie de lâcher. De sauter et tomber par terre en tournoyant. C'était ça le vrai vertige – pas la crainte de tomber, mais le désir de sauter. Ses muscles tremblèrent. Il s'imagina le sol approchant à toute vitesse, le confort de l'oubli. Un endroit chaud et paisible.

Il se mordit la lèvre inférieure jusqu'à sentir le goût du sang.

La douleur lui clarifia les idées. Rétablit sa concentration. Il regarda fixement la poutre comme si elle recelait tous les secrets de la vie. Lentement, malgré les picotements dans ses doigts et le tremblement de ses bras, il s'efforça de bouger la main droite. Il poussa des deux pieds. Un tout petit peu à la fois. *Il n'y a pas de haut. Il n'y a pas de bas. Il n'y a pas d'Evan. Il n'y a pas de toi. Il n'y a que ça.*

Encore.

Encore.

Encore. Coûte que coûte.

Puis sa main buta sur quelque chose. Une poutre transversale. Il avait atteint le dernier étage. Deux fois encore, il poussa sur ses jambes, jusqu'à avoir les bras presque à l'horizontale. Il glissa la main jusqu'à la poutre transversale et sentit ses entrailles gronder. Puis il relâcha la tension et ses jambes se mirent à balancer au-dessus de quinze mètres de vide. Une bouffée de chaleur lui parcourut les boyaux comme il se retrouvait suspendu à une main. Son épaule hurlait et ses doigts couverts de transpiration commençaient à glisser.

Il leva l'autre bras, cherchant à tâtons l'étai horizontal. Sa main droite était sur le point de lâcher prise et l'acier irrégulier lui sciait les doigts. Il resta un moment ainsi suspendu, sa main gauche s'élevant tandis que la droite s'efforçait de ne pas glisser plus bas. Il se demanda ce qui arriverait en premier. Puis sa main gauche heurta le métal et ses doigts se refermèrent dessus. Au prix d'un dernier effort, il se hissa sur le ventre et fit rouler ses jambes par-dessus le rebord. Il resta étendu sur le flanc, pantelant, les doigts raides et crispés, les bras en feu, la poitrine se soulevant.

Il avait réussi.

C'est alors qu'il entendit la voix d'Evan.

45

Silhouettes dans la pénombre

« Arrête-toi là ! » lança Evan d'une voix autoritaire.

Danny avait les membres tremblants et brûlants, mais il s'obligea à continuer de bouger. Malgré sa tête qui lui tournait, il se dressa péniblement sur ses jambes chancelantes et chercha Evan des yeux. Le dernier étage n'avait pas de toit, mais des poutres verticales qui s'élevaient indiquaient son futur emplacement. La lumière de la ville qui rebondissait sur les nuages baignait le lieu d'une douce lueur argentée. Près de la cage d'escalier, il distingua les silhouettes ligotées de Tommy et de Karen. Si Evan avait été là, son ombre aurait dû se détacher sur le ciel lumineux, mais Danny ne voyait rien.

« Sous la lumière là. Soulève ton blouson et retourne-toi. »

La voix d'Evan encore, toujours forte. Mais aussi étouffée. Puis il comprit. Ce n'était pas après lui qu'Evan criait. Il était à l'étage inférieur et hurlait ses instructions. Richard avait dû arriver pendant que Danny se concentrait sur son ascension.

Danny marcha aussi vite que possible vers le bord du bâtiment et regarda en bas. Un fourmillement lui parcourut les mollets lorsqu'il se pencha prudemment par-dessus le rebord. La Range Rover était garée à l'intérieur du chantier, un panache de fumée blanche s'échappait du tuyau d'échappement. Trois mètres plus loin, Richard se tenait sous la lumière d'un réverbère, tenant d'une main le sac de sport, soulevant de l'autre son blouson tout en se retournant.

Danny jura en silence. L'ascension avait pris plus longtemps que prévu. Il avait compté se reposer quelques minutes et laisser ses muscles se remettre de l'effort, mais il devait s'activer. Il courut jusqu'à l'endroit où Tommy et Karen étaient agenouillés, les bras tirés vers le haut et attachés à la rampe de l'escalier. Ils se débattirent à son approche.

« Chuuuut. »

Il plaça un doigt sur ses lèvres tandis que son autre main cherchait le mini-couteau suisse accroché à son porte-clefs. Il arracha la toile adhésive qui recouvrait la bouche de Karen et coupa ses liens. Elle se jeta dans ses bras, tremblant de tout son corps, le visage couvert de larmes.

Il n'aurait su dire depuis combien de temps il ne s'était pas senti aussi bien. Mais il n'y avait pas de temps à perdre. Il se dégagea, croisa son regard et lui sourit. Puis il se tourna vers le garçon.

« Tommy, je suis avec ton père. On va te sortir d'ici. Mais tu ne dois pas faire de bruit. Compris ? »

Les yeux du garçon semblaient énormes dans le clair de lune. Il acquiesça rapidement et Danny coupa ses liens. Ils entendirent à nouveau hurler en dessous.

« Brave garçon, Dick. » Evan s'amusait, il avait la situation bien en main. « Monte. »

Une fois achevé, le bâtiment comporterait des escaliers de secours à chaque extrémité, mais pour le moment, seul l'escalier central situé près de la cage d'ascenseur était en place. Impossible de savoir avec certitude où se trouvait Evan. Mais Danny avait vu la flamme de son briquet au deuxième étage, près de l'escalier. Y avait-il un autre moyen de s'enfuir ? Il regarda frénétiquement autour de lui. Karen passait trois matinées par semaine au club de gym et serait peut-être capable de descendre par là où il était monté ; c'était plus simple, il s'agissait simplement de contrôler la glissade. Mais Tommy ?

Une corde, ou un câble, quelque chose pour le descendre... Mais le chantier avait été nettoyé pour l'hiver et il savait qu'il ne trouverait rien.

« O.K., murmura-t-il, voici le plan. On va descendre par cet escalier. Faites le moins de bruit possible. J'irai un peu en avant. Karen, tu emmènes Tommy jusqu'en bas. » Il essaya de lui dire avec les yeux toutes les choses qu'il ne pouvait prononcer devant le garçon. « Montez dans le 4 × 4 de Richard et allez-vous-en.

– Qu'est-ce que tu vas faire ?

– Je dois m'arrêter au deuxième étage.

– Pourquoi ? »

Il continua de la regarder fixement.

« Pour aider Richard. »

Elle secoua la tête, les yeux pleins d'inquiétude.

« Tu es fou.

– C'est la seule solution. On sera deux contre un et Evan ne sait pas que je suis ici.

– Non.

– Karen. » Il lui fit un sourire, désigna discrètement Tommy du regard. Il fallait qu'elle comprenne. « S'il te plaît. »

Elle détourna les yeux, les lèvres tremblantes. Puis, lentement, elle acquiesça. Il se pencha et l'embrassa. Ses lèvres étaient froides, mais sa langue, chaude et douce. *Un dernier pour la route.*

À cet instant, il s'aperçut qu'il ne pensait pas s'en sortir vivant.

Est-ce que ça avait de l'importance ?

Il rompit le baiser, saisit le visage de Karen entre ses mains. Un geste tendre, mille fois partagé dans l'intimité de leur chambre.

Est-ce que ça avait de l'importance ? Pas autant que les faire sortir d'ici libres. Que remettre de l'ordre à ce bazar. S'il devait le payer de sa vie, qu'il en soit ainsi.

« Je dois y aller. » Il se leva. « Compte jusqu'à trente, puis suis-moi. »

Danny commença à descendre l'escalier. Il aurait voulu regarder derrière lui mais n'osa pas. Les murs de parpaings plongeaient la cage dans une obscurité d'encre que seules rompaient les flaques de lumière qui s'engouffraient par la porte ouverte à chaque étage. L'escalier de béton ne comportait pas de rampe. Il serrait le mur, progressant prudemment, tâtant chaque marche du pied. Sa respiration semblait bruyante. Deux volées de marches séparaient chaque étage et il avait atteint la porte du troisième lorsqu'il entendit le faible frôlement des pas de Karen et de Tommy plus haut. Il descendit une volée supplémentaire et marqua une pause sur le palier intermédiaire pour écouter, l'angle ne lui permettant que de distinguer une petite portion du deuxième étage.

« J'ai apporté l'argent. »

La voix de Richard, pas très loin. Sur la gauche ? Impossible de la localiser en raison de l'écho.

« Montre. »

Evan avait l'air calme. Bonne nouvelle. S'il avait soupçonné que Richard n'était pas seul, il aurait été tendu et d'autant plus dangereux ; avec un peu de chance, face à un homme qu'il ne considérait pas comme une menace, il baisserait la garde. Danny descendit doucement les marches, l'oreille aux aguets. Il se coula le long du mur jusqu'à se trouver près de la porte ouverte, le dos collé aux parpaings. De l'autre côté, il entendit le son d'une fermeture Éclair qu'on actionnait : Richard ouvrait le sac. Pariant que toute l'attention d'Evan était tournée vers l'argent, il se pencha en avant, juste assez pour voir.

Six mètres plus loin, Richard était debout face à lui, tenant le sac ouvert. Evan tournait le dos à Danny, pistolet en main. Les deux silhouettes se détachaient sur le plastique brillant. Des demi-murs et des piles de matériel de construction dessinaient des silhouettes dans la pénombre.

Il ne pouvait espérer meilleure occasion.

Ses chaussures à semelle souple ne faisaient pas de bruit sur le sol. Le froissement de la bâche accompagnait ses mouvements en une symphonie macabre. Il était à peine à six mètres d'Evan. Si près de mettre un terme à tout ça.

Puis il vit Debbie.

Elle se tenait figée trois mètres plus loin, adossée à une poutrelle, une cigarette dansant nerveusement dans sa main. Ses cheveux étaient en désordre et, dans la faible lueur, les cercles noirs sur ses pommettes la faisaient ressembler à un cadavre. La reine du bal dans un film de zombies.

Elle avait les yeux fixés sur lui.

Elle ouvrit la bouche et il se tendit. Si elle faisait un bruit, tout était fini. Il ne parviendrait pas à atteindre Evan. Un simple toussotement de sa part signerait son arrêt de mort.

« Allez-y, comptez les billets. Tout y est », dit Richard.

Danny regarda fixement Debbie, tentant de lui faire comprendre avec les yeux tout ce qu'il voulait lui dire. Tous les mauvais choix qui les avaient menés tous deux ici. La suppliant à travers six mètres d'obscurité de ne pas faire une ultime bêtise. De ne pas se leurrer en croyant que tout cela n'était pas sérieux.

Elle lui rendit son regard, puis se tourna vers Evan. Ils ne s'étaient regardés que l'espace d'une seconde, mais l'instant avait semblé durer une éternité. Comme les gamins qui se regardent fixement pour voir lequel baissera les yeux en premier. Un faisceau sur lequel des anges auraient pu marcher.

Enfin, Debbie bougea. Elle porta la cigarette à ses lèvres. Inspira une bouffée qui baigna son visage dans une lueur orange.

Puis elle se tourna résolument vers la bâche en plastique.

Danny s'autorisa à respirer. Se retourner n'aurait pas franchement semblé héroïque à n'importe qui d'autre. Mais il en savait long sur les mauvais choix et il savait combien il pouvait être difficile de faire le bon. Il aurait pu l'embrasser.

Il se tourna de nouveau vers Evan et Richard. Son ancien partenaire avait tiré une liasse de billets du sac et la tenait dans la lumière grise. Il n'était pas à plus de quatre mètres.

Danny recommença à avancer, d'un pas aussi léger qu'une brise de printemps. Mais pas directement sur Evan. Quatre pas sur le côté le menèrent à un tas de planches bien empilées qui arrivait à hauteur de hanche. La plupart d'entre elles mesuraient trois mètres soixante de long, la taille habituelle sur les chantiers, mais des sections plus courtes étaient posées sur le dessus. Sa main se referma sur une planche à peu près longue comme une batte de base-ball. Il la souleva doucement sans quitter Evan des yeux, sentit le bois sec et froid dans sa paume moite. Une écharde craqua et Danny fut sur le point de plonger, mais Evan ne réagit pas.

Danny leva la planche et avança prudemment. Pas à pas. Bientôt il serait assez près pour frapper.

Evan tint l'argent sous son nez et inspira.

« Ah, Dick. Je pourrais t'embrasser.

– Où est mon fils ? demanda Richard d'une voix étonnamment forte.

– Ah oui. » Evan inclina la tête de chaque côté. « À ce sujet. Changement de programme. »

Le sang de Danny se glaça. Il fit un pas rapide, puis un autre. Si près.

Evan leva alors le bras droit avec la même grâce chorégraphique, la même rapidité que la fois précédente, et pointa le revolver directement sur la tête de Richard.

Un hurlement effrayé et rauque retentit derrière eux : « Papa ! »

Bien qu'il fût encore à deux ou trois mètres d'Evan, Danny plongea en avant, la planche sifflant dans l'air. Evan pivota sur lui-même, le pistolet tournoyant avec lui, ses yeux blancs et larges et soudain très proches. Il planta un pied au sol et leva le bras gauche par réflexe pour se protéger. Déséquilibré, Danny manqua de puissance et le blouson en cuir d'Evan absorba l'essentiel du coup. Il fit un pas en avant en rentrant l'épaule et Danny fut brutalement projeté par-dessus le dos d'Evan, sa propre vitesse jouant contre lui. Il se retrouva la tête en bas comme dans une fête foraine et eut une drôle de vision de Tommy courant depuis la cage d'escalier, Karen, bouche ouverte, le talonnant, puis sa colonne vertébrale heurta le sol et il eut le souffle coupé. Un éclair éclata devant ses yeux. Il lâcha la planche.

« Danny Carter. » Evan posa sa botte sur la gorge de Danny, levant son pistolet pour tenir les autres en joue. « J'espérais bien te revoir, partenaire. »

46

Serment

« VIENS PAR ICI, MA PETITE CHATTE. » Evan pointa le pistolet dans la direction de Karen. Elle hésita, son visage était un masque de haine et de peur, puis elle approcha et se plaça près de Richard et de Tommy.

Depuis le sol, Danny vit Evan sourire et sentit une rapide pression sur sa gorge. Sa tête explosa en un kaléidoscope de couleurs, puis la botte s'écarta. Il entendit Evan s'éloigner. Danny roula sur le flanc en toussant. À travers ses larmes il vit Karen esquisser un pas dans sa direction et secoua rapidement la tête. Elle se figea.

« Deborah, tu es vraiment très forte pour faire le guet. » Il lui jeta un regard noir par-dessus son épaule. « Tu roupillais ou tu espérais juste qu'il te tirerait de là ?

– Je regardais dehors. » Sa voix était plus forte que ce à quoi s'attendait Danny, comme si elle s'était préparée. « Je surveillais les voitures. »

Evan grogna.

« Allez, Danny. Debout. »

Son ancien partenaire avait reculé de quatre mètres pour se tenir près de Debbie, à l'entrée d'une pièce à demi achevée. Ils étaient tous les quatre dans la ligne de mire d'Evan.

Danny se releva péniblement, tout son corps hurlant de douleur. Il regarda autour de lui, cherchant quelque chose qui pourrait lui donner l'avantage, un stratagème qui pourrait les sauver. Le deuxième étage, bien que dépourvu de murs extérieurs, était à demi construit, et des murs nus divisaient l'intérieur. Quelques sections, comme celle près de laquelle se tenaient Evan et Debbie, avaient été recouvertes de placoplâtre. Sur la gauche, vers l'extérieur, se trouvaient des tas de briques d'un mètre vingt de côté destinés aux murs « exposés » des futurs appartements. Derrière eux, sur la droite, se trouvait une zone dégagée.

« Rends-moi un service, tu veux bien, mon pote ? Apporte la bête jusqu'ici », dit Evan en désignant le sac de sport avec son pistolet.

Evan n'aurait plus aucune raison de les laisser en vie une fois qu'il aurait le sac. Mais il aurait tout aussi bien pu les abattre et récupérer le sac lui-même. Mieux valait faire durer un peu, lui donner le temps de jubiler pendant que Danny se tiendrait prêt. Il s'approcha lentement du sac en faisant semblant de boiter pour qu'Evan croie qu'il pouvait à peine tenir debout.

Tous ses sens étaient en alerte. Il distinguait la texture du cuir de ses chaussures, sentait l'odeur de pin de la sciure sur le bois, et par-dessus tout, l'arôme sucré du parfum de supermarché que portait Debbie. Le poids du sac de sport le faisait pencher sur le côté tandis qu'il se dirigeait vers Evan, espérant que celui-ci relâcherait un instant son attention. À ce stade, toute chance serait bonne à saisir.

« Tout doux. » Evan braquait d'une main l'œil noir du pistolet sur Danny comme celui-ci approchait. Près de lui, Debbie se mordait la lèvre inférieure. « Pose-le. »

Danny obéit en se demandant s'il parviendrait à parcourir les quelques pas qui les séparaient, conscient que c'était impossible.

« Brave garçon. »

Evan fit un geste en direction des autres et Danny les rejoignit à reculons. Un bâtiment en construction recelait normalement toute une variété d'armes de fortune, marteaux, scies, pistolets à clous, mais tout ici avait été rangé pour l'hiver. Les briques étaient attachées par des rubans métalliques. La planche qu'il avait lâchée se trouvait aux pieds d'Evan. Il alla se poster près de Karen, plaça une main au creux de ses reins. Il aurait voulu la prendre dans ses bras, mais savait qu'il devait se tenir prêt au cas où une chance se présenterait.

Evan s'avança, se pencha et souleva le sac de quinze kilos comme si ç'avait été une plume tout en continuant de les braquer de son pistolet.

« Bon. » Il sourit. Seule une moitié de son visage était visible dans la pénombre. « Je sais que c'est le moment où je suis censé dire quelque chose de froid, mais les mots ont toujours été ton fort Danny. Alors on va se contenter d'un au revoir, hein ? »

Son pouce se souleva pour armer le pistolet.

Danny sentait ses poumons se gonfler par à-coups, une douleur lancinante lui déchirait la poitrine. Il regarda fixement l'arme et se demanda si le moment était venu, si c'était la fin de tout ce qui comptait pour lui. L'échec dans un éclair de lumière. Il vit le doigt d'Evan bouger sur la détente, doucement mais avec fermeté, observa sa main puissante.

Puis il aperçut une autre main.

Debbie se jeta sur Evan, lui agrippa le bras droit, le repoussa vers le haut, et ils se retrouvèrent emmêlés comme des statues dans le jeu liquide des ombres, une image gravée dans l'esprit de Danny, puis un feu orange éclata en direction du plafond et le monde s'accéléra, trop de choses se produisant à la fois.

Danny poussa Karen en direction de Richard et de Tommy et ils s'écroulèrent les uns sur les autres derrière le tas de briques.

De la main gauche, Evan saisit Debbie à la gorge.

Puis, depuis la cage d'escalier, quelqu'un hurla :

« Personne ne bouge ! »

Danny pivota sur ses talons et vit Sean Nolan jaillir de la cage d'escalier obscure, son pistolet levé et braqué sur Evan.

Pour la première fois de sa vie, Danny aurait pu pleurer de joie à la vue d'un flic. Puis il se tourna de nouveau vers Evan et le vit bouger, pivotant son pistolet avec la rapidité d'un as de la gâchette tout en poussant Debbie vers l'inspecteur et en faisant un bond en arrière. Projetée en avant, Debbie fit son possible pour rester debout et se retrouva entre Evan et Nolan.

Deux détonations déchirèrent la nuit. Et dans la brève lueur des éclairs fusant du canon, la poitrine de Debbie explosa.

Elle écarta les bras tel un ange implorant la grâce.

Un gémissement s'échappa de ses lèvres.

Et elle s'écroula.

Danny n'aurait su dire s'il avait hurlé ou non. Immobile, il regarda son corps heurter le sol. Et comme le sang commençait à obscurcir le ciment, il se rappela un autre corps étendu par terre. Un autre échange de coups de feu qu'il n'avait pu empêcher. Une autre victime qu'il n'avait pas su protéger.

Tant d'années s'étaient écoulées, et pourtant il se retrouvait dans la même situation.

C'est alors que Nolan fit feu, caché derrière la pile de planches où il avait pris position. Les détonations interrompirent les pensées de Danny. Il tournoya sur lui-même pour voir Evan plonger dans la pièce d'à côté, le sac dans une main, le pistolet dans l'autre. Des morceaux de placoplâtre volèrent derrière lui à l'endroit où les balles du flic percutèrent le mur. Danny jeta un dernier coup d'œil à Debbie. Il aurait voulu courir jusqu'à elle mais il savait qu'il était trop tard, que ça ne servirait à rien. Ça pouvait même être du suicide avec Evan tapi quelque part dans l'obscurité.

En serrant les dents, il se força à détacher les yeux du corps.

Les autres étaient accroupis derrière les briques. Karen lui faisait des signes frénétiques pour qu'il les rejoigne. Nolan s'était posté près de la pile de planches dans la position du tireur sur cible, son attention exclusivement tournée vers la pièce où Evan avait disparu.

Derrière l'inspecteur, l'accès à la cage d'escalier était dégagé. Il n'y aurait peut-être plus de meilleur moment. Danny fonça vers les briques. Richard serrait Tommy entre ses bras. Karen était accroupie près d'eux, les yeux écarquillés.

« Est-ce que tu peux courir ? »

Elle fit signe que oui. Il attrapa Richard par l'épaule.

« L'escalier. Allons-y. »

Sans attendre de réponse, il se redressa d'un bond et se mit à courir. Si Evan faisait feu, il voulait être la cible. Ses pieds martelaient le sol. Une détonation assourdissante explosa quelque part. Derrière lui, il entendit les bruits hésitants des autres. Nolan jeta un coup d'œil dans sa direction et jura. Il commença à faire pivoter son arme pour la pointer sur Danny, puis se ravisa et se retourna pour les couvrir. Il tira à deux reprises. Des éclairs de lumière baignèrent son visage de couleurs vives. Danny atteignit la porte ouverte de la cage d'escalier avant de s'arrêter pour laisser passer les autres. Karen arriva la première, courant avec légèreté, tirant Tommy par la main. Puis Richard qui fermait la marche disparut à son tour dans l'obscurité. Comme Danny se retournait pour les suivre, une nouvelle détonation retentit. Un morceau de parpaing explosa juste à l'endroit où il s'était tenu, projetant une pluie de poussière. Danny se précipita dans la cage d'escalier tandis que les autres dévalaient déjà les marches. Karen se retourna pour s'assurer qu'il les suivait bien, et il lui fit signe de ne pas s'arrêter.

« Cours ! »

Ils continuèrent de descendre à toute allure, Karen et Tommy ouvrant la marche, main dans la main, tandis que Danny et Richard, côte à côte, avalaient les marches quatre à quatre. De nouveaux coups de feu retentirent au-dessus.

Comme ils arrivaient au dernier palier avant le rez-de-chaussée, il entendit une succession de trois coups de feu rapides, puis le cri de Nolan.

Danny se figea. Richard s'arrêta près de lui et lui jeta un regard interrogateur et impatient. Rien que le silence au-dessus. Tout en lui n'était plus que panique et peur.

Devant eux, l'escalier était dégagé. Evan ne pouvait plus les rattraper. La Rover tournait et les portières étaient déverrouillées. Ils pouvaient franchir la porte et être en sécurité en quelques secondes.

Là-haut, Nolan était seul. Blessé. Aux prises avec le monstre que Danny avait contribué à créer.

« Viens. »

Richard trépignait d'impatience.

Quand Debbie s'était écroulée, Danny avait eu pendant une seconde l'impression d'être à nouveau dans la boutique du prêteur sur gages. Evan pris d'une folie meurtrière et un corps au sol. La dernière fois, il avait préféré s'enfuir. Il était à nouveau dans la même situation, confronté au même choix.

Qui a dit que le destin n'a aucun sens de la poésie ?

Danny grimaça. Plus de mauvais choix.

« Fais-les sortir d'ici. »

Leurs regards se croisèrent un instant dans la pénombre, deux hommes poussés à la limite extrême de la raison. Quelque chose passa entre eux. Quelque chose comme de la compréhension. Puis Richard acquiesça, se retourna et fila dans les escaliers. La dernière chose que Danny vit de lui furent ses Nike brillantes tandis qu'il se précipitait hors de la cage d'escalier. Danny se tint seul dans l'obscurité, le corps secoué par l'adrénaline. Sur le toit, il s'était aperçu qu'il ne pensait pas s'en sortir vivant. Il s'était promis en silence que si sauver les autres signifiait se sacrifier, c'était un marché qu'il pouvait accepter.

Le moment était venu d'honorer ce serment. Pour Patrick. Pour Debbie.

Pour lui.

Il inspira et commença à remonter les marches.

47

Trait de sang

Un calme étrange s'était installé. Son cœur battait toujours à tout rompre, mais il sentait qu'il pouvait le dominer, il éprouvait une certaine légèreté. Il monta aussi silencieusement que possible, enjambant les marches en longues foulées, les yeux rivés sur la porte ouverte. Sean avait été touché, ça, il en était sûr. Mais était-ce sérieux ?

En arrivant sur le palier, il s'adossa au mur. Il aurait voulu attendre, repérer exactement la position de chacun, tout en sachant que ça pouvait être fatal à Nolan.

Il respira doucement et jeta un coup d'œil dans l'entrebâillement de la porte.

L'inspecteur ne se trouvait pas près de la pile de planches, et il lui fallut un moment pour le repérer. Lorsqu'il le vit, il hésita entre rester là, paralysé par la peur, ou s'enfuir comme un imbécile.

Nolan était agenouillé au bord du bâtiment, environ quatre mètres plus loin. Une tache de sang noire maculait le haut de son torse. Evan se tenait devant lui, son pistolet pointé contre le front de Sean. Le sac de sport était posé par terre à une douzaine de pas.

Sans prendre le temps de réfléchir, Danny quitta la cage d'escalier et se mit à avancer discrètement mais rapidement, certain de voir à tout moment un panache orange jaillir de l'arme et le corps sans vie de Nolan voler en arrière.

Il parcourut quatre mètres et atteignit les planches. Bonne couverture, mais c'était à peu près tout. La pile auparavant impeccable avait été renversée sur le côté. Les planches les plus courtes étaient désespérément enchevêtrées aux plus grandes et il n'y avait pas moyen d'en extraire une sans faire de bruit. Danny avait toujours le couteau de son porte-clefs, mais il y avait de quoi rire comparé au pistolet d'Evan. Quel outil utiliserait-il, l'ouvre-boîtes ou les ciseaux pliants ? De plus, il semblait impossible de se glisser si près d'Evan. L'espace était trop dégagé.

Au bord du vide, Sean était agenouillé, tête baissée, n'accordant apparemment pas la moindre attention aux questions d'Evan. La tache sur sa poitrine continuait de croître et une petite flaque de sang s'était formée sous ses genoux. Comme il observait la scène, impuissant, Danny remarqua une traînée noire qui partait de la flaque. Evan avait dû traîner l'inspecteur jusqu'au rebord. La mise en scène lui plaisait. Inconsciemment, Danny suivit la traînée du regard. Un objet argenté gisait à l'endroit où elle commençait, environ six mètres plus loin.

Un pistolet. Nolan avait dû le laisser tomber au moment où il avait été touché.

Danny jeta un nouveau coup d'œil à Evan. Il ne distinguait toujours pas les paroles qu'il prononçait, mais quelque chose lui disait qu'il allait bientôt tirer.

Récupérer le pistolet signifiait quitter son abri, traverser une zone dégagée. Si Evan l'entendait, ils étaient tous les deux finis.

Il s'écarta délicatement de la pile de planches. Son cœur battait dans ses oreilles, *boum-BOUM, boum-BOUM*. Il se mit à traverser la pièce sur la pointe des pieds tel un funambule. Des picotements lui parcouraient tout le corps, mais la douleur dans ses muscles avait disparu. L'air frais de la nuit semblait très lointain. Encore dix pas. Il essaya de se remémorer tout ce qu'il savait sur les pistolets. Pas grand-chose, hormis qu'il fallait ôter la sécurité. Il leva un pied, se pencha en avant, le reposa doucement. Chaque mouvement précis. Prudent. Continuer d'ignorer la voix qui hurlait en lui. Pour sauver sa vie et celle de Nolan il devait accomplir ces gestes à la perfection. Encore cinq pas. La voix d'Evan lui parvint. Les mots semblaient prononcés au ralenti, comme une bande magnétique défilant trop lentement. Des murmures étranges, venus d'ailleurs. Il se demanda si les autres étaient partis, s'ils s'en étaient sortis sains et saufs. Il sentait chaque nerf de ses pieds, chaque courant d'air sur sa peau.

Puis il se pencha pour ramasser le pistolet. Il semblait lourd, plus lourd que ce à quoi il s'attendait. Chaud et vaguement huileux. Il réprima une folle envie de se mettre à canarder comme un flic dans un film des années soixante-dix. Il devait se rapprocher.

Il s'avança sur la pointe des pieds, le bras tendu devant lui. Pointé vers Evan telle l'aiguille d'une boussole dirigée vers le Nord. Chacun de ses pas le rapprochait douloureusement du but. Il prit conscience de sa respiration, s'aperçut qu'il inspirait à peine l'air dans ses poumons. Le poids du pistolet le forçait à bander ses muscles. Combien de temps s'était écoulé ? Probablement juste quelques secondes. Ça lui avait paru plus long. Il avait l'impression qu'une éternité avait défilé sous ses pieds. Il pensa à Debbie implorant à jamais la grâce. Les veines de sa gorge battaient. Il sentait le goût de la sueur sur sa lèvre supérieure. Pas à pas, prudemment, il s'approchait. Il voulait armer le pistolet mais craignait que le bruit le trahisse. Il se dit que l'arme fonctionnerait de toute manière. Armer ne servait-il pas juste à tirer plus vite, sans à-coup ? Il pensa à Patrick, à son rire réduit au silence par une balle, à son corps balancé à la rivière comme un tas d'ordures. Danny souffrait encore des coups reçus ces derniers jours. L'effroyable lenteur de sa progression lui faisait prendre conscience de chacun de ses mouvements. Au bord du vide, Nolan dit quelque chose d'une voix dédaigneuse. Evan éclata d'un rire profond, froid. Le rire d'un homme qui savait qu'il avait gagné. Puis il inclina la tête de chaque côté et se pencha en avant, son pistolet touchant le front de Nolan.

Distant d'une douzaine de pas, Danny regarda le long de son bras. Son ami était pile dans sa ligne de tir. Il ferma un œil et visa le torse d'Evan, le beau milieu de son cœur battant. Il se concentra si fort que sa vue se brouilla. Si fort que Karen, Tommy, Debbie, Patrick disparurent tous. Si fort qu'Evan ne fut plus qu'un motif coloré. Puis il appuya sur la détente.

Le déclic résonna bruyamment dans l'espace ouvert aux quatre vents.

Evan tournoya sur lui-même, se détournant instinctivement de l'inspecteur, son bras pivota avec lui et il visa sans hésitation. Danny se figea, impuissant face à la mort, et attendit l'impact en se demandant s'il entendrait le coup de feu avant de le sentir.

Puis Evan éclata de rire.

« Toutes ces fois où tu m'as dit de pas jouer avec des armes, tu aurais mieux fait d'apprendre à t'en servir. »

À la télé, les flics faisaient glisser la partie supérieure du pistolet vers l'arrière avant de tirer. Il essaya. Mais lorsqu'il pressa à nouveau la détente, un autre déclic résonna.

« Il est vide. » Evan sourit, son pistolet constamment braqué sur la poitrine de Danny. « Notre Dirty Harry, là, ne m'a pas entendu approcher en douce. Tout ce que j'ai eu à faire, c'est attendre qu'il éjecte le magasin pour recharger. »

Danny baissa le bras, le pistolet tomba bruyamment par terre près du sac de sport. Il était trop loin d'Evan pour lui foncer dessus, et il n'y avait pas le moindre abri à moins de douze mètres.

Il ne pouvait plus rien tenter.

« C'est marrant, dit Evan en continuant de sourire. On s'est organisé une petite réunion ce soir. Tous les gars du quartier.

– Sauf Patrick. »

Danny avait parlé d'une voix lasse, il était trop épuisé pour être en colère.

« On ne fait pas d'omelette… tu connais le proverbe. Mais c'est quand même un sacré tableau. Toute la gamme est là. Le criminel. Le flic. Et toi, va savoir ce que tu es, Danny.

– Je suis… » Il marqua une pause comme s'il hésitait, puis fit un pas en avant. « Juste un type ordinaire. »

S'il parvenait à s'approcher suffisamment, il pourrait peut-être lui sauter dessus. Evan sourit à nouveau.

« Tu commences à m'emmerder. Tu veux toujours gagner. Tu piges pas ? Tu t'en es sorti la dernière fois. Maintenant, c'est mon tour. »

Danny se figea, bras écartés.

« Du calme.

– Du calme, mon cul. » Evan plongea la main gauche dans une poche intérieure et en tira des cigarettes. Il secoua le paquet pour en faire sortir une, la saisit entre ses lèvres, puis l'alluma avec son Zippo en argent sans jamais cesser de pointer son pistolet sur Danny. « Tu sais quoi ? Puisqu'on est ici, réglons quelque chose. Qui es-tu, Danny-boy ?

– Qui je suis ?

– Je sais que tu aimes te voir en civil honnête, mais ça tient pas vraiment debout, tu crois pas ? Bagarres, effractions, vol de voiture, enlèvement. En plus tu viens d'essayer d'abattre un homme dans le dos. Ça fait beaucoup en une semaine. Et je vais te dire la vérité. » Il exhala une bouffée de fumée. « Ça t'a plu, pas vrai ? »

Inutile de mentir.

« Oui. »

Evan sourit, fit un pas en arrière et se tourna vers Nolan.

« Tu as entendu ça, Sean ? Tu as tes menottes ?

– Ferme-là, taulard », répondit Nolan d'une voix calme, presque sèche.

Le sourire d'Evan se transforma en une moue menaçante. Il frappa violemment l'inspecteur au visage avec son arme. La tête de Nolan fut projetée sur le côté, mais il n'émit pas un son. Un trait de sang apparut sur sa joue coupée.

« Un peu de *respect*, enculé. »

Danny se sentait léthargique, fatigué. Une overdose d'adrénaline avait transformé ses muscles en béton. Quelle possibilité lui restait-il ? Pas une seule main gagnante.

« Hé, lança Evan d'une voix soudain légère en se tournant vers Danny. Je voulais te demander. Comment tu es arrivé sur le toit, mec ?

– J'ai escaladé.

– Sérieux ?

– Sérieux.

– Ça devait être marrant. Je parie que tu t'étais pas senti aussi vivant depuis dix ans. »

Danny haussa les épaules et baissa les yeux. Une idée lui avait traversé l'esprit. Ses chances étaient minces, mais il ne voyait rien d'autre.

« Allez, avoue, mec. C'est exactement comme notre jeu. Tu te souviens ? Pisseur ? »

Evan se fendit d'un grand sourire amical.

« Je me souviens.

– Ça te manque, pas vrai ?

– Parfois », répondit Danny lentement. Il avança la hanche gauche et fit peser tout son poids dessus. *Dernière chance.* « Parfois ça me manque. Mais tu sais quoi, Evan ? La plupart du temps, j'en ai assez. Je n'ai plus envie de jouer. »

Evan le regarda fixement comme s'il lisait quelque chose dans son âme, son sourire s'estompa petit à petit. Il resta silencieux un moment, puis parla d'une voix douce.

« Tu piges pas ? Le jeu s'arrête jamais. »

Et, en dépit de la situation, l'espace d'un instant, Danny vit à travers l'homme qui se tenait devant lui, à travers le tueur endurci qui courait à sa perte. À sa place se tenait un garçon de douze ans avec des taches de rousseur, des cheveux bouclés et un sourire railleur qui semblait flotter dans l'air. Flotter au-dessus des milliers d'humiliations de la pauvreté, au-dessus des bleus causés par son père, au-dessus de ce système déséquilibré et puant qui l'avait mené ici. Un sourire qui flottait ainsi parce qu'il le devait.

Evan secoua alors la tête.

« Ah, bon, c'est le moment d'y aller. » Il leva le pistolet et le braqua sur la tête de Danny. « Ça sera rapide, *amigo*. En souvenir du bon vieux temps. »

Le claquement de son cœur semblait faire ployer ses côtes. La bouche de Danny s'assécha, sa langue était comme un morceau de viande. L'œil rond du pistolet le regardait fixement, impatient de lui faire le clin d'œil fatal.

« Attends. » Il regarda au-delà du pistolet, posa les yeux sur Evan. Il sentait des fourmillements dans ses doigts. « Une dernière faveur ? »

Evan pencha la tête sur le côté.

« T'es pas vraiment en odeur de sainteté, Danny-boy.

– En souvenir du bon vieux temps.

– Quoi ?

– Descends-le en premier, dit Danny en désignant Nolan de la tête et en prenant soin de garder les mains écartées.

– Pourquoi ? » demanda Evan en plissant les yeux.

Danny le regarda fixement, fit un clin d'œil.

« Parce que... c'est comme le jeu. Ce sera plus facile une fois que j'aurai vu comment ça se passe. »

Evan le dévisagea longuement. Son regard se fit plus froid, plus sombre.

« J'aurais jamais cru ça, dit-il d'une voix dégoulinante de mépris. Tu es un lâche. »

Danny détourna le regard, puis le posa de nouveau sur Evan qui continuait de le dévisager.

« Soit, dit-il en haussant les épaules avec indifférence. En souvenir du bon vieux temps. »

Il fit deux pas en direction du plastique qui claquait et se tourna vers Nolan.

« Bonne nuit, Sean. »

Il leva son arme tel un mécanisme d'horloge, la colla contre le front de Nolan.

Danny se baissa brusquement, trouva de la main droite l'anse du sac de sport et le souleva. Puis, profitant de son élan, il se jeta en avant en pivotant sur sa jambe gauche et lança le sac en puisant de la force au plus profond de ses muscles endoloris.

Le sac de quinze kilos atteignit Evan en pleine poitrine. Il recula en titubant, ses bras battant l'air, et un coup de feu partit du pistolet. Son dos heurta la bâche et il resta en équilibre durant un moment insoutenable.

Puis, sous son poids, la bâche se déchira depuis le plafond et Evan McGann tomba dans la nuit de la ville.

Un silence s'ensuivit. Danny n'entendait plus que le claquement de la bâche déchirée fouettée par le vent et le bruit de son propre cœur. Il sentit ses jambes flageoler et tomba à genoux. Après toute la douleur et l'épuisement, il ne désirait rien plus que s'effondrer et dormir.

Rien sauf une chose.

Il rampa jusqu'au bord du bâtiment en s'appuyant sur ses bras tremblants et regarda en bas.

Evan gisait en travers d'une pile de poutres métalliques, trois étages plus bas. Il semblait désarticulé, comme une poupée qu'on aurait trop tordue. Un bras enroulé autour du sac de sport. La couture avait craqué sous l'impact et des poignées de billets tournoyaient dans le vent d'octobre, s'envolant comme autant de rêves, se mêlant à l'herbe sale et à la boue sinistre. Près de lui, il entendit Nolan qui parlait dans sa radio et appelait des renforts. Les sirènes des voitures qui patrouillaient à quelques rues de là retentirent immédiatement.

Danny se remit à genoux, ferma les yeux et laissa l'obscurité l'envahir.

48

LE COMPTE FINAL

« TU N'ES PAS OBLIGÉ DE FAIRE ÇA », dit Karen d'une voix plate.

Danny la regarda, raide derrière le volant. Elle avait les traits tirés, mais au moins elle n'était pas ailleurs. Parfois il la retrouvait qui regardait fixement par la fenêtre ou pliait et repliait un torchon dans la cuisine, son regard perdu à mille lieues de là. Si absente, que même parler n'aurait pas suffi à rompre la transe. En de tels instants, il lui glissait un bras autour de la taille pour lui rappeler qu'elle était en sécurité, puis la regardait revenir lentement, clignant des yeux comme si elle émergeait des profondeurs de quelque mer énorme.

Ses blessures finiraient par guérir, il le savait. Mais il savait aussi qu'elles laisseraient des cicatrices. Les blessures en laissaient toujours.

« Si. Je suis obligé. Je... » Danny faillit dire « je le lui dois », se reprit. « Je dois aller jusqu'au bout. C'est quoi déjà, demanda-t-il, ce que les filles veulent toujours faire après une rupture ?

– Tourner la page, répondit-elle en souriant.

– Tourner la page. C'est ce qu'il me faut. »

Elle n'acquiesça pas, mais n'exprima pas non plus de désaccord. Elle alluma juste le clignotant et s'engagea lentement sur la bretelle d'autoroute. Des flocons fatigués flottaient sans conviction devant le pare-brise. Une voix à la radio annonça qu'ils devaient s'attendre à cinq centimètres de neige, prévint que la Saint-Valentin n'était plus que dans une semaine et expliqua que rien ne parlait aussi bien d'amour que les chocolats Russel Stover. Il coupa la radio.

Faisait-il cela pour tourner la page ? Ça faisait sans doute partie de l'équation. La chance de tout mettre à plat, d'affronter la dernière conséquence. D'effacer l'ardoise et de se concentrer sur l'avenir. Mais il lui semblait qu'il y avait autre chose.

Il regarda par la fenêtre et se demanda ce qu'il allait dire. La toile de l'amitié et de la trahison était trop embrouillée pour pouvoir être démêlée, ni même résumée, avec de simples mots. Les mots ne suffisaient pas.

Le métro aérien passa dans un fracas métallique, rempli de gens ordinaires, et il se demanda si chacun d'entre eux trouvait sa propre histoire aussi compliquée ; il se demanda combien d'entre eux considéraient leur passé comme une conjonction d'événements incontrôlables qui avaient donné forme à leur présent. Aucun ?

Tous ?

Il tendit le bras et posa la main sur le ventre de Karen, sentit la chaleur et la vie sous son pull fin. Elle plaça une main au-dessus de celle de Danny, sourit à l'idée de ce nouvel épanouissement. La nouvelle datait de Noël, quand trois tests différents avaient viré au bleu.

Le nouvel hôpital de Cook County était situé à un kilomètre et demi à l'ouest du Loop. Bien qu'il possédât toute la poésie d'un ensemble de bureaux, il avait endossé l'héritage vieux de cent cinquante ans de son prédécesseur et on y prodiguait des soins même aux patients les plus pauvres. Karen attendit que la circulation diminue, puis elle tourna dans l'allée, les pneus de l'Explorer ronronnant doucement sur le bitume. Elle se gara juste avant le passage couvert et se tourna vers lui. À la manière qu'elle eut de repousser une mèche de cheveux derrière son oreille, il sut qu'il allait avoir droit à un discours préparé à l'avance.

« Je ne peux pas t'accompagner, dit-elle avec précipitation. Je suis désolée, mais je ne peux pas. »

Il secoua la tête.

« Je sais. Je vais m'en charger seul. »

Elle jeta un coup d'œil par la vitre, puis se tourna de nouveau vers lui. Danny aurait voulu la soulever dans ses bras et la ramener chez eux, l'envelopper dans la couette, l'aimer et lui dire qu'elle n'aurait plus jamais à affronter un autre monstre. Il se contenta de l'embrasser, de la respirer, de s'imprégner d'elle. Chaque fois que leurs peaux se rencontraient, il se sentait béni. Différent, meilleur qu'avant. Finie la vie par procuration.

Il descendit du véhicule, resserra son blouson autour de lui. La porte de l'hôpital s'ouvrit en chuintant sur le passage d'une famille. À l'est, il distinguait la ligne des gratte-ciel qui se détachait sur des nuages gris. Il attrapa la portière du 4 × 4, s'apprêta à la claquer.

« Danny ! »

Il se retourna.

« Quoi ?

– Promets-moi... » Elle hésita, comme si elle n'était pas certaine de ce qu'elle allait dire. « Promets-moi de revenir. »

Il la regarda avec l'impression que son cœur allait jaillir de sa poitrine.

« Je ferai mieux. Je ne te quitterai plus jamais. »

Il tendit le bras par-dessus le siège vide et elle lui saisit la main.

« Tu n'as pas intérêt. » Ses yeux avaient à nouveau cette vieille étincelle espiègle. « Ou alors je me trouve un médecin accoucheur bien foutu et je me tire avec. »

Il éclata de rire et se pencha dans la voiture pour l'embrasser encore, et encore.

À l'accueil, on lui indiqua son chemin. Le hall confortable laissa vite place à des couloirs aseptisés. La lumière froide et vive des néons se reflétait sur le sol en lino. Il monta par l'ascenseur. Un flic en uniforme se prélassait sur une chaise devant la porte.

« Je m'appelle Danny Carter. L'inspecteur Nolan m'a autorisé à passer aujourd'hui. »

Le flic compara le permis de conduire de Danny à une liste de noms sur laquelle il lui demanda d'apposer sa signature.

« Vous voulez que j'entre avec vous ?

– Non, merci, répondit Danny en secouant la tête.

– Comme vous voudrez. »

Le flic désigna la porte puis se laissa retomber sur sa chaise.

La chambre ressemblait à des millions d'autres chambres d'hôpital, propre, stérile et froide. Un relent d'ammoniaque flottait dans l'air. La télévision était allumée sur une chaîne hispanique, des joueurs de football se couraient après sur un terrain ensoleillé. Dans un coin de la pièce se trouvait une chaise roulante.

Lorsqu'il entra, Evan leva les yeux depuis le lit. Son regard se fit dur.

« Qu'est-ce que tu viens foutre ici ?

– Je ne sais pas trop », répondit Danny en refermant la porte derrière lui.

Depuis Halloween, Evan paraissait avoir pris dix ans. Sa masse musculaire ne semblait pas à sa place dans ce lit ajustable, mais le repos forcé avait mis à mal sa condition physique. Une barbe de plusieurs jours assombrissait son menton.

« Si, tu le sais. Tu viens te réjouir. » Evan éteignit la télé, planta les mains de chaque côté de son corps et poussa dessus pour s'asseoir. Il écarta les draps et montra ses jambes inutiles. « Regarde. C'est ça que tu es venu voir ? »

Danny secoua la tête, approcha une chaise et s'assit près d'Evan.

« Non.

– Quoi, tu veux jouer aux cartes ? lança-t-il d'une voix amère. Tu fais dans la charité maintenant ?

– Peut-être que j'estimais avoir une dette envers toi. »

Danny fixait Evan d'un regard neutre, s'efforçant de ne pas laisser voir le torrent d'émotions qui le submergeait. Une partie de lui voyait un monstre brisé, un prédateur que l'ironie du sort avait transformé en proie. Mais il voyait aussi un gamin, un jeune dur à cuire avec un sourire qui flottait sur son visage.

Evan grogna, regarda ses mains.

« Elle me passe au-dessus de la tête, ta dette.

– C'est là que tu as tort.

– Je t'ai sauvé la vie dans la boutique du prêteur sur gages. J'ai pris sept ans pour toi. »

Danny secoua la tête.

« Peut-être que tu m'as sauvé la vie. Je ne le crois pas. Mais ces sept ans, c'est entièrement ta faute. Et Patrick aussi. Et Debbie.

– Oh, fais pas chier avec ça, dit Evan. Ils étaient du milieu. Ils connaissaient les risques.

– Pinianski n'en était pas.

– Qui ?

– L'homme que tu as tué à l'extérieur du restaurant. C'était un type honnête. » Danny se pencha en avant. « Même pas une arrestation pour vol à l'étalage. »

– Tu veux me faire pleurer ? demanda Evan en haussant les épaules. En plus, ajouta-t-il un ton plus bas en lui lançant un regard noir, le gamin qui a été commis d'office à ma défense affirme qu'ils ont retrouvé le corps. Le problème, c'est que Debbie et moi étions les seuls à savoir où j'avais planqué le gros. Elle t'a donc raconté notre virée à l'aéroport, et tu m'as trahi. Pas vrai ? »

La nuit s'était levée devant Danny, aussi claire qu'une photo. Le vent froid fouettant la bâche. La douleur lancinante dans tous ses muscles, et la souffrance plus profonde au fond de lui. Il avait senti une main sur son épaule, ouvert les yeux pour voir Nolan. L'inspecteur avait laissé tomber des menottes luisantes sur ses cuisses. Danny avait levé les yeux vers lui, Sean avait esquissé un hochement de tête et Danny avait fixé les menottes autour de ses propres poignets.

Les jours suivants avaient été une succession confuse de passages en cellules de détention et en salles d'interrogatoires. Il se rappelait l'assistant du procureur, un petit homme dans un costume marron soigné, qui faisait les cent pas ainsi que les inspecteurs qui l'interrogeaient encore et encore. Et enfin, l'avocat de Richard qui parlait à des flics dans le couloir, chacun jetant des regards furtifs dans sa direction.

Danny s'en était tenu à une version simple. Il avait dit aux flics qu'il pouvait les aider à clore une autre affaire. Leurs yeux s'étaient illuminés quand il avait parlé du meurtre d'un civil devant un restaurant situé dans Ashland. Il leur avait expliqué qu'il savait où se trouvait le corps, de même que les indices qui leur permettraient d'ouvrir puis de refermer le dossier. Il était resté silencieux sur tous les autres sujets et avait laissé les flics et les bureaucrates se bagarrer entre eux.

Il s'était donné deux chances sur cinq de finir au trou, peut-être pour un bon bout de temps. Mais c'était sans compter sur les jokers.

Le premier joker était Sean Nolan. Danny ne savait toujours pas exactement quelle histoire il avait raconté. S'il avait reconnu que Danny lui avait sauvé la vie ou avoué que Danny était venu le voir plus tôt pour lui demander de l'aide. Il ne savait que ce que l'inspecteur Matthews lui avait dit. Depuis son lit d'hôpital, Sean avait bataillé pour lui. Dur.

Le second était Richard O'Donnell. Il avait refusé de témoigner contre Danny. Refusé de l'identifier comme l'une des personnes ayant pris part à l'enlèvement. Il avait même envoyé son avocat pour s'assurer que le message était bien passé.

Il avait aussi viré Danny sur-le-champ, mais celui-ci ne s'en faisait pas vraiment pour ça.

Au bout du compte, l'assistant du procureur s'était retrouvé face à un choix. Inculper Danny sur un dossier maigre et risquer de perdre. Ajoutez à ça une affaire Pinianski non close. Deux taches noires qui ne feraient pas joli sur son CV et qui n'aideraient pas vraiment son patron à se faire réélire.

Ou alors ils pouvaient conclure un marché. À la fin de la semaine, Danny était un homme libre. L'inspecteur Matthews lui avait dit qu'il était le plus gros veinard que la Terre ait porté avant de le ramener chez lui.

« Je leur ai raconté ce qui s'est passé, dit Danny, mais tu t'es trahi tout seul. »

Evan lui lança un regard noir.

« Ouais, je savais que tu le ferais. C'était ce que tu avais de plus malin à faire, pas vrai ?

– Juste la vérité.

– Alors Danny Carter gagne encore. » Il secoua la tête. « C'est ça que tu es venu me dire ?

– Non. » Danny se leva et marcha jusqu'à la fenêtre. Le parking enneigé n'était plus qu'une forme floue, comme une apparition, ou un souvenir surgi de son passé. « Je suppose que je suis venu simplement te dire que je suis désolé, dit-il en poussant un soupir. Je suis désolé de la tournure qu'ont prise les choses pour toi. Pour nous. Je repense à cette époque où on courait comme des dingues, comme si rien n'avait de conséquence, et je voudrais pouvoir revenir en arrière. »

Pour le restant de sa vie, il porterait un fardeau, une culpabilité qui ne s'allégerait jamais. Pas besoin de commettre des actes terribles pour se sentir coupable. Ne pas empêcher des choses terribles de se produire marchait aussi. Et parfois, la culpabilité et la douleur vous attendaient. Elles étaient la destination évidente au bout de la route que vous n'aviez jamais voulu choisir, mais que, faute de vous être battu, vous n'aviez pas pu quitter.

Un psychiatre lui aurait dit qu'il n'était pas responsable, et il aurait eu raison. Mais il aurait également eu tort.

« Tu as une drôle de façon de le montrer, dit Evan, en me renvoyant en prison. »

Danny secoua la tête.

« Tu ne comprends rien, vieux. Je suis désolé de ne pas avoir changé les choses avant qu'il soit trop tard. Je suis désolé pour le garçon du quartier, le gamin qui était mon meilleur ami. Mais l'homme que tu es devenu ? » Il se tourna vers Evan. « Ta place est en prison. »

Evan lui jeta un long regard chargé du poids des ans.

« Casse-toi », dit-il d'une voix plate.

Une tension qu'il connaissait bien emplit l'air. Autrefois, elle aurait mis Danny sur ses gardes. Maintenant, elle le rendait seulement triste. Il acquiesça, souleva la chaise et la replaça contre le mur. Il jeta un dernier regard à son ancien ami devenu son ennemi, puis s'éloigna.

« Tu aurais dû me tuer, lança Evan d'une voix dénuée de menace, juste un son étouffé qui ressemblait peut-être à de la douleur. Je regrette que tu l'aies pas fait. »

Danny s'arrêta, la main sur la poignée de la porte.

« Je sais. » Il marqua un temps et ajouta : « Moi aussi. »

Puis il sortit de la pièce.

Nolan était assis dans le hall. Une écharpe de toile grise maintenait son bras droit en place. Son gilet pare-balles avait arrêté deux balles, mais la troisième lui avait pulvérisé la clavicule.

« Je me doutais que je te trouverais ici. Tu as eu ce que tu voulais ?

– Je ne suis même pas sûr de ce que je voulais. »

Nolan le regarda, acquiesça.

« Juste dire au revoir, peut-être.

– Peut-être. » Il haussa les épaules. « Comment va ton bras ?

– Ça fait un mal de chien. Ça m'empêche de dormir. Catholique ou non, si je ne guéris pas bientôt, Marie-Louise va divorcer juste histoire de pouvoir passer une nuit tranquille. »

Danny éclata de rire. Il éprouvait de la sympathie pour ce type, mais se sentait aussi nerveux. Un silence s'installa, ni l'un ni l'autre ne sachant trop que dire. Ils étaient aussi embarrassés que deux personnes qui se seraient mutuellement emprunté de l'argent mais auraient perdu le fil du compte final. Y avait-il une dette ? Qui était débiteur ?

Certains comptes étaient trop compliqués pour les mathématiques. Danny parla le premier.

« Merci. » Il laissa le mot un moment en suspens, les yeux rivés sur Sean, puis il fit un geste en direction des ascenseurs. « Merci de m'avoir autorisé à lui rendre visite.

– Pas de problème. »

Un nouveau moment passa. Danny suivit du regard la progression d'un vieux couple, des personnes probablement âgées d'un peu plus de quatre-vingts ans, la femme souriant coquettement tout en s'appuyant sur son mari, tous deux traînant lentement des pieds. Quelque chose en eux le toucha.

« Écoute, faut que j'y aille. » Il referma son blouson. « J'espère que ton bras va aller mieux. »

Nolan acquiesça, fit un pas de côté.

À travers la porte principale de l'hôpital, Danny distinguait l'Explorer, comme une tache de couleur au milieu d'un tourbillon blanc. Plissant les yeux face à la neige lumineuse, il se dirigea vers la porte.

« Danny. » Nolan se tenait dans une posture de flic, torse bombé, et arborait une expression sévère. S'il n'avait pas eu le bras en écharpe, Danny eut la nette impression qu'il aurait eu la main posée sur son pistolet. Puis le détective sourit. « Tiens-toi à carreau. »

Danny lâcha un petit éclat de rire. Il leva deux doigts en guise de salut. Puis il se retourna et sortit.

Après les couloirs étouffants de l'hôpital, l'air froid était un doux soulagement. Il marcha jusqu'à la voiture, ouvrit la portière et trouva Karen occupée à chanter en chœur avec une chanson des années quatre-vingt qui passait à la radio. Elle lui fit un grand sourire.

« Tu as tourné la page ?

– Presque. Plus qu'une chose à faire. »

Sur le granit sombre, la neige accumulée semblait aussi lumineuse qu'un rêve. Danny s'arrêta devant, la poitrine serrée, et Karen exerça une pression sur sa main.

« Ça va », dit-il.

Elle lui fit un sourire teinté de tristesse, puis s'avança pour essuyer la pierre tombale.

Une simple croix. Grise. Danny n'avait jamais eu à choisir une pierre tombale auparavant. Lorsqu'il avait parcouru le catalogue avec le croque-mort qui acquiesçait solennellement à ses côtés, il avait été pris de court. Comment résumer une vie ? Quels mots reliaient les fils épars pour former un nœud ?

Au bout du compte, il avait juste opté pour « Patrick Connelly » et « Ami ».

Karen acheva d'essuyer la plaque et recula, ses bottes écrasant l'herbe gelée. Elle ôta un de ses gants et glissa sa main chaude dans celle de Danny, puis ils restèrent là à regarder la croix et à faire le bilan. La neige assourdissait le monde alentour.

Enfin, il enfonça la main dans la poche de son blouson et en tira le collier. La plupart des objets retrouvés chez Patrick avaient été soit donnés à des associations caritatives, soit balancés à la poubelle. Il avait gardé une poignée de photos, le blouson de motard de son ami, et ça. Un cordon noir auquel était accrochée une breloque argentée représentant un homme voûté appuyé sur un bâton et portant un bébé rayonnant sur son dos. Les mots PROTÉGEZ-NOUS étaient inscrits au bas de la médaille.

« Qu'est-ce que c'est ? demanda Karen en se penchant plus près.

– Un médaillon de saint Christophe », répondit-il. Le métal cliqueta doucement sur la pierre. « Le saint patron des voyageurs. »

Elle sourit faiblement.

« Ça lui aurait plu. »

Il acquiesça. Au bout de quelques instants, elle frissonna.

« Je commence à avoir froid. Ça t'ennuie si j'attends dans la voiture ?

– Pas du tout. »

Il sourit, baissa vivement les yeux vers son ventre. Sa grossesse ne se voyait pas encore, mais ils avaient déjà choisi les noms. Les circonstances avaient facilité les choses. Patrick pour un garçon, naturellement ; pour une fille, Debbie. Comme Debbie Harry.

« Tu veux que je t'accompagne ? »

Elle fit signe que non et s'éloigna.

« Prends ton temps. »

Il secoua la tête et s'accroupit pour redresser le médaillon. La pierre tombale était froide, le sol sous ses pieds aussi dur que de l'acier. Son imagination parcourut malgré lui les six pieds qui le séparaient de son frère. Jusqu'à l'obscurité sépulcrale en dessous. Rien que le doux écho des flocons de neige et l'éternité.

Il s'aperçut qu'il pleurait seulement lorsqu'il sentit une larme geler sur sa joue.

Il finit par se relever, les mains enfoncées dans ses poches. Il voulait dire quelque chose, mais ne savait quoi. Des excuses ? Un adieu. Une promesse ?

Patrick n'aurait rien voulu de tout ça.

Au bout du compte, il embrassa juste le bout de ses doigts et toucha le collier.

« Bon voyage. »

Comme il s'éloignait, une rafale de vent poussa le médaillon qui se mit à balancer contre la pierre. Le doux cliquetis rythmique résonnant un peu comme un petit rire.

La neige tombait désormais pour de bon, comme de gros flocons de lessive.

Le sentier qui traversait le cimetière était recouvert d'une couche de deux centimètres. Il marcha d'un pas ferme, son souffle produisant de la vapeur. Tout ce qui était là quand il était arrivé – la ligne estompée des gratte-ciel, les maisons de ville miteuses, l'herbe hivernale fatiguée – avait disparu sous un impeccable manteau de neige. En le voyant, il sentit le poids sur son cœur s'alléger. Il savait que jamais il ne cesserait réellement de peser. Mais peut-être ce poids sur notre cœur est-il tout ce qui nous retient à la terre.

Dans le parking, il vit le 4×4 dont le moteur tournait, une épaisse fumée s'échappant à l'arrière. Karen était assise à l'intérieur, et lorsqu'il parvint à apercevoir son regard, il vit qu'elle souriait au loin.

Il enfonça les mains dans ses poches et la laissa le ramener à la maison.

Remerciements

Aucun livre n'appartient qu'à une seule personne. Mes remerciements les plus sincères à : Scott Miller, mon extraordinaire agent qui a cru au roman dès la première lecture – et qui m'a rapidement indiqué comment l'améliorer. À un long partenariat, mon ami.

Mon remarquable éditeur, Ben Sevier, dont les questions étaient si bonnes que j'ai dû faire en sorte que les réponses soient à la hauteur, qui a infatigablement transposé l'histoire du manuscrit au livre, et qui en plus est un type génial.

Tout le personnel extraordinaire de St. Martin, surtout Sally Richardson, Matthew Shear, George Witte, Matt Baldacci, Christina Harcar, Kerry Nordling, Dori Weintraub, Rachel Ekstrom, et Jenness Crawford.

Merci aussi aux équipes artistiques et de production qui ont transformé une pile de pages miteuses en un beau livre.

Ce livre n'aurait jamais été écrit sans les encouragements de Patricia Pinianski et Joe Konrath, deux des personnes les plus généreuses de l'édition. Merci à vous deux.

Les auteurs ont besoin d'experts. Pour les questions sur les cadavres, je me suis tourné vers le docteur Vince Tranchida, médecin légiste à New York, qui s'est fait un plaisir de me donner des détails merveilleusement horribles. Je dois aussi un remerciement particulier aux policiers de Chicago, des gens bien qui font un boulot difficile. Le directeur Patrick Camden et l'inspecteur Kenneth Wiggins ont enduré nombre de questions idiotes, et je leur en suis reconnaissant. Toutes les erreurs sont de mon fait, pas du leur.

Les livres grandissent exactement comme les gens, et j'ai la chance d'avoir eu des amis disposés à supporter celui-ci durant son adolescence boutonneuse. Un grand merci à Jenny Carney, Brad Boivin et Michael Cook qui m'ont donné leur avis dès le début.

Merci à tous les membres de mon atelier d'écriture dont les suggestions n'ont jamais manqué d'être lumineuses et dont vous verrez bientôt les noms sur les listes des meilleures ventes.

À mes amis, qui m'ont soutenu à coups de bière et de rire. Vous savez qui vous êtes.

À ma famille qui m'a prodigué amour et soutien, maman, papa, et Matthew qui a lu le manuscrit inlassablement et n'a jamais manqué de m'encourager. Les auteurs sont censés avoir une vie de famille malheureuse. Ne me bichonnez pas trop.

Et, enfin, à g.g., ma femme et mon sourire. Vivre avec un romancier n'est pas toujours facile, mais tu t'arranges toujours pour glisser un oreiller entre ma tête et les murs contre lesquels j'ai tendance à la cogner. Merci, chérie.

Dans la même collection

Richard Montanari
Déviances

« Préparez-vous à rester éveillé toute la nuit ! »
JAMES ELLROY

Retrouver le tueur au rosaire avant que la ville ne bascule dans la folie...

Kevin Byrne est un vétéran de la police criminelle de Philadelphie. Flic usé, détruit par ses années de service, il doit faire équipe avec Jessica Balzano, nouvelle venue dans le service, lorsqu'une adolescente fréquentant une école catholique de la ville est retrouvée violée et atrocement mutilée, les mains jointes dans un geste de prière.

C'est le début d'un terrible voyage au cœur des ténèbres pour les deux flics qui, lancés sur la piste d'un tueur aussi terrifiant que machiavélique, devront affronter leurs propres démons, alors que la ville est prête à basculer dans la folie.

Dans la lignée du *Silence des agneaux* et du *Dahlia noir*, *Déviances,* best-seller dans plus de dix pays, a imposé d'emblée Richard Montanari comme l'une des voix les plus puissantes et les plus sombres du thriller contemporain.

Richard Montanari est né à Cleveland, dans l'Ohio. Il signe avec *Déviances,* son premier ouvrage traduit en français, un thriller gothique des plus sombres. Un chef-d'œuvre du genre.

« Un grand thriller captivant et ambitieux, l'un des meilleurs qu'il nous ait été donné de lire ces dernières années. »
ARNAUD BORDAS, *Le Figaro Magazine*

« Un suspense impeccable. »
ANNE BERTHOD, *L'Express*

Jeff Abbott
Panique

« L'un des meilleurs livres de l'année. »
HARLAN COBEN

Et si toute votre vie n'était qu'un mensonge minutieusement élaboré ?

Tout va pour le mieux pour Evan Casher : sa carrière de documentariste est en train de décoller et il file le parfait amour avec Carrie. Jusqu'au jour ou sa mère lui demande de venir la retrouver toutes affaires cessantes. Lorsqu'il arrive chez ses parents, sa vie bascule : il trouve sa mère sauvagement assassinée et échappe de peu à une tentative de meurtre.

Poursuivi par les mystérieux assassins de sa mère et ne pouvant faire confiance à personne, Evan découvre peu à peu que beaucoup de choses dans sa vie ne sont que mensonges.

Coups de théâtre et rebondissements s'enchaînent à un rythme étourdissant dans ce roman qui tient le lecteur en haleine jusqu'à la dernière page, et qui impose d'emblée Jeff Abbott comme le nouveau maître du suspens.

Jeff Abbott est né à Dallas. *Panique* est son premier roman publié en France.

« Impossible à lâcher. »

MICHAEL CONNELLY

« Panique *est l'un de ces thrillers qui vous font rater la station, la gare ou le premier sommeil, selon le lieu et le moment où vous vous y plongez. Niveau efficacité, Jeff Abbott se révèle un digne cousin d'Harlan Coben. Haletant.* »

PHILIPPE LEMAIRE, *Le Parisien*

« Un futur classique. Épatant. »

ISABELLE BOURGEOIS, *Marie-France*

À paraître (avril 2007)

Richard Montanari
Psycho

« *Un maître du genre.* »
JAMES ELLROY

Byrne et Balzano dans l'univers des snuff movies. Le nouveau chef-d'œuvre de l'auteur de Déviances.

Philadelphie vit des heures sombres. Un tueur sanguinaire s'inspire des scènes de meurtres les plus célèbres de l'histoire du cinéma, de *Psychose* à *Scarface*, pour commettre des crimes atroces.

Lorsque Byrne, plus noir et tourmenté que jamais, et sa coéquipière Balzano prennent l'affaire en main, c'est une véritable descente aux enfers qui les attend. Salles obscures, clubs sadomasos, milieu du porno, univers glauque des snuff movies : ils devront s'immerger dans les ténèbres de l'âme humaine pour atteindre le tueur cinéphile.

Quand Byrne réalise que cette enquête le touche de près, c'est au-devant de ses pires cauchemars qu'il doit aller s'il veut épargner de nouvelles vies.

Angoissante et crépusculaire, cette descente vers le mal ravira aussi bien les amateurs de cinéma policier que les lecteurs de thrillers. Comme dans *Déviances*, l'identité du tueur sadique reste une énigme jusqu'à la surprise finale – et quelle surprise !

« *Enfin un roman à suspense qui rivalise avec* Le Silence des agneaux *!* »

CELEBRITY CAFE

À paraître (avril 2007)

Jeff Abbott
Trauma

« Jeff Abbott est le nouveau maître du suspense. »
HARLAN COBEN

Et si vous pouviez oublier le pire moment de votre vie ?

Miles Kendrick est un homme comme les autres, ou presque. Souffrant d'un syndrome de stress post-traumatique, il vit à Santa-Fe, sous une fausse identité fournie par le FBI, essayant de mener une existence normale et d'oublier un passé tumultueux

Sa vie bascule à nouveau lorsque sa psychiatre, le docteur Allison Vance, est retrouvée morte, après l'avoir appelé à l'aide.

Aidé par deux autres patients du docteur Vance souffrant des mêmes troubles que lui, Miles doit faire toute la lumière sur cet assassinat s'il veut sauver sa peau.

Avec le FBI qui le soupçonne, le tueur du psychiatre à ses trousses, Miles devra reconstituer une réalité qui lui échappe, lutter contre ses peurs paralysantes et affronter son passé pour venir à bout de ce piège infernal.

Après *Panique*, Jeff Abbott nous offre un nouveau petit bijou d'intrigue plein d'action et d'adrénaline. Impossible à lâcher.

« Un roman d'enfer. »

MICHAEL CONNELLY

DANS LA COLLECTION AILLEURS
AU CHERCHE MIDI

Dans le domaine anglo-saxon

ANTHONY BURGESS
Le Docteur est malade
traduit de l'anglais par Jean-Luc Piningre
Mister Raj
traduit de l'anglais par Jean-Luc Piningre

JIM FERGUS
Mille femmes blanches
traduit de l'anglais (États-Unis)
par Jean-Luc Piningre
Prix du Premier Roman étranger
La Fille sauvage
traduit de l'anglais (États-Unis)
par Jean-Luc Piningre

TIBOR FISCHER
Ne lisez pas ce livre si vous êtes stupide
traduit de l'anglais par Marc Amfreville
Voyage au bout de ma chambre
traduit de l'anglais par Marc Amfreville

DONALD HARSTAD
Onze jours
traduit de l'anglais (États-Unis)
par Serge Halff
Code 10
traduit de l'anglais (États-Unis)
par Gilles Morris-Dumoulin

DAVID HEWSON
Une saison pour les morts
traduit de l'anglais par Diniz Galhos

GUY DE LA VALDÈNE
Le Beau Revoir
traduit de l'anglais (États-Unis)
par Marie-Christine Loiseau

THOMAS MCGUANE
Intempéries
nouvelles traduites de l'anglais
(États-Unis) par Nicolas Richard

HAROLD NEBENZAL
Berlin Café
traduit de l'anglais (États-Unis)
par Gilles Morris-Dumoulin

KATHERINE NEVILLE
Le Huit
traduit de l'anglais (États-Unis)
par Évelyne Jouve
Le Cercle magique
traduit de l'anglais (États-Unis)
par Gilles Morris-Dumoulin
Un risque calculé
traduit de l'anglais (États-Unis)
par Gilles Morris-Dumoulin

TOM ROBBINS
Féroces infirmes retour des pays chauds
traduit de l'anglais (États-Unis)
par Jean-Luc Piningre

THEODORE ROSZAK
La Conspiration des ténèbres
traduit de l'anglais (États-Unis)
par Édith Ochs

TOMI UNGERER
Acadie
traduit de l'anglais par Édith Ochs

ROBERT JAMES WALLER
Une saison au Texas
traduit de l'anglais (États-Unis)
par Gilles Morris-Dumoulin

PETER WATSON
Un paysage de mensonges
traduit de l'anglais
par Gilles Morris-Dumoulin

Richard Zimler
Le Dernier Kabbaliste de Lisbonne
traduit de l'anglais (États-Unis)
par Erika Abrams

Dans le domaine russe

Nikolaï Chadrine
Le Temps des troubles
traduit du russe par Bernard Kreise

Nikolaï Gogol
Les Âmes mortes
illustré par Marc Chagall
traduit du russe
par Anne Coldefy-Faucard

Nikolaï Kononov
Funérailles d'une sauterelle
traduit du russe par Hélène Henry

Dans le domaine indien

Inderjit Badhwar
La Chambre des parfums
traduit de l'anglais (Inde)
par Gilles Morris-Dumoulin
Prix du Premier Roman étranger

Indrajit Hazra
Max le maudit
traduit de l'anglais (Inde)
par Marc Amfreville

Sanjay Nigam
L'Homme greffé
traduit de l'anglais (Inde)
par Alain Porte

Ray Rao
Boyfriend
traduit de l'anglais (Inde)
par Gilles Morris-Dumoulin

Anoushka Shankar
Ravi Shankar
L'Amour de ma vie
traduit de l'anglais (Inde)
par Carole Reyes

Dans le domaine espagnol

Antonio Benítez-Rojo
Femme en costume de bataille
traduit de l'espagnol (Cuba)
par Anne Proenza